Le Baiser du Vampire

Melissa de la Cruz

Le Baiser du Vampire

Traduit de l'anglais (américain)
par Valérie Le Plouhinec

ÉDITIONS FRANCE LOISIRS

Titre original : THE VAN ALEN LEGACY

(Première publication : Hyperion Books for Children, New York, 2009)

Édition du Club France Loisirs,
avec l'autorisation des Éditions Albin Michel.

Éditions France Loisirs,
123, boulevard de Grenelle, Paris.
www.franceloisirs.com

© Melissa de la Cruz, 2009
© Éditions Albin Michel,2009, pour la traduction française.
ISBN : 978-2-298-03165-2

*À ma mère, Ching de la Cruz, qui a toujours dit que
Les Vampires de Manhattan serait « la » série.*

Et à Mike et Mattie, toujours.

Les victimes hantent leurs meurtriers, je crois.

Emily Brontë, *Les Hauts de Hurle-Vent*

I've been sleeping a thousand years it seems,
got to open my eyes to everything...
« À ce qu'il me semble j'ai dormi mille ans,
je dois ouvrir les yeux sur tout à présent... »

Evanescence, *Bring Me to Life*

Une conversation

– Il est dit que la fille d'Allegra vaincra les sang-d'argent. Je crois que Theodora nous apportera le salut auquel nous aspirons. Elle est presque aussi puissante que sa mère. Et un jour, elle le sera plus encore.

– Theodora Van Alen... la sang-mêlé ? Es-tu certain que ce soit elle ? demanda Charles.

Lawrence opina.

– Car Allegra a eu deux filles, ajouta Charles d'un ton léger, presque enjoué. Tu ne l'as pas oublié, j'en suis sûr.

La voix de l'aîné des Van Alen se glaça.

– Bien sûr que non. Mais plaisanter sur un sujet aussi grave que la première-née d'Allegra est en dessous de toi.

Charles balaya les reproches de Lawrence du revers de la main.

– Toutes mes excuses. Loin de moi l'idée d'offenser les morts.

– Nous avons son sang sur les mains, soupira Lawrence.

Les événements de la journée l'avaient fatigué, tout comme les souvenirs du passé.

– Seulement, poursuivit-il, je me demande...

– Oui ?

– ... comme je me le suis demandé pendant toutes ces années, Charles... si quelqu'un de tel pourra jamais être véritablement détruit.

LAWRENCE VAN ALEN,
philanthrope et philosophe, décède à l'âge de 105 ans

Lawrence Winslow Van Alen, professeur d'histoire et de linguistique à l'université de Venise, s'est éteint la nuit dernière dans sa demeure de Riverside Drive, à Manhattan. Il était âgé de 105 ans. Le décès a été confirmé par le Dr Patricia Hazard, son médecin traitant, qui l'attribue à son âge avancé.

Le professeur Van Alen était un descendant de William Henry Van Alen, aussi appelé le Commodore, figure emblématique de l'Amérique qui fut à la tête d'une des plus grosses fortunes de l'âge d'or, fortune bâtie dans la navigation à vapeur, les chemins de fer, les investissements privés et le courtage en Bourse. Les Van Alen ont fondé la ligne de chemin de fer de New York Central et l'actuelle gare de Grand Central. Le fonds de charité familial, la Fondation Van Alen, fut une pierre angulaire du développement du Metropolitan Museum of Art, du Metropolitan Opera, du New York City Ballet et de la Banque du sang de New York.

Lawrence Van Alen laisse derrière lui sa fille, Allegra Van Allen Chase, plongée dans le coma depuis 1992 ; ainsi que sa petite-fille, Theodora Van Alen.

Un

Theodora

Elle n'avait eu que peu de temps pour pleurer sa perte. Dès son retour à New York après l'assassinat de Lawrence à Rio (dissimulé par le Comité grâce à une notice nécrologique au-dessus de tout soupçon publiée dans le *Times*), Theodora Van Alen avait pris la fuite. Aucun repos. Aucun répit. Une année de déplacements constants, avec une courte tête d'avance sur les *Venator* à ses trousses. Un vol pour Buenos Aires, un autre pour Dubaï. Une nuit sans sommeil dans une auberge de jeunesse à Amsterdam, la suivante sur un lit de camp dans un auditorium de Bruges.

Elle avait fêté son seizième anniversaire à bord du *Transsibérien*, trinquant d'une tasse de Nescafé noyé d'eau avec quelques biscuits russes desséchés. Son meilleur ami, Oliver Hazard-Perry, avait même trouvé une bougie à planter dans un de ces gâteaux appelés *suharkies*. Il prenait très au sérieux sa mission d'Intermédiaire humain. C'était grâce à sa comptabilité soigneuse qu'ils avaient réussi à tenir jusque-là sur leurs économies. Le Conclave lui avait bloqué l'accès aux comptes bien approvisionnés des Hazard-Perry dès leur départ de New York.

À présent c'était le mois d'août à Paris, et il faisait chaud. En arrivant, ils avaient trouvé la capitale transformée pour l'essentiel en ville fantôme : boulangeries, boutiques et bistrots avaient baissé leur rideau de fer pour les congés annuels. Les seules personnes à déambuler dans la ville étaient les touristes américains et japonais qui prenaient d'assaut musées et jardins publics, inévitables et omniprésents avec leurs baskets blanches et leurs casquettes de base-ball. Mais Theodora se réjouissait de leur présence. Elle espérait que la lenteur de ces groupes leur permettrait, à Oliver et à elle, de repérer plus facilement leurs poursuivants, les *Venator*.

Theodora avait réussi jusque-là à se dissimuler en modifiant son aspect physique, mais la *mutatio* la fatiguait beaucoup. Elle n'en disait rien à Oliver, mais ces derniers temps elle n'arrivait même plus à changer ne fût-ce que la couleur de ses yeux.

Et voilà que, au bout de presque un an de cavale, ils sortaient en terrain découvert. C'était un pari risqué, mais ils étaient à bout. C'était harassant de vivre sans la protection ni la sagesse de la société secrète des vampires et de leur groupe très fermé d'humains de confiance. Et même si ni l'un ni l'autre ne l'aurait avoué, ils en avaient assez de courir.

Pour le moment, Theodora était assise au fond d'un bus, vêtue d'un chemisier blanc bien repassé boutonné jusqu'au cou, d'un pantalon noir ajusté et de chaussures plates noires à semelles de caoutchouc. Ses cheveux bruns étaient relevés en queue-de-cheval, et hormis un soupçon de gloss, elle ne portait aucun maquillage. Son projet était de se mêler au reste du personnel de service embauché pour la soirée.

Mais quelqu'un allait sûrement remarquer. Quelqu'un allait sûrement entendre comme son cœur battait fort, comme son souffle était court. Il fallait qu'elle se calme. Il fallait qu'elle s'éclaircisse les idées et devienne la serveuse blasée qu'elle prétendait être. Pendant des années, Theodora avait excellé dans l'art de se rendre invisible. Cette fois, sa vie même en dépendait.

Le bus était en train de passer un pont pour les déposer à l'hôtel Lambert, sur l'île Saint-Louis, au milieu de la Seine. C'était la plus belle maison de la plus belle ville du monde. Voilà du moins ce qu'elle en avait toujours pensé. Même si « maison » était un euphémisme. « Château » aurait déjà été plus adapté : c'était un palais de conte de fées, avec ses murailles plongeant dans le fleuve et ses toits mansardés gris surgissant de la brume. Enfant, elle avait joué à cache-cache dans les jardins à la française, où les arbustes taillés en cône lui rappelaient des pièces de jeu d'échecs. Elle se rappelait avoir mis en scène des spectacles imaginaires dans la cour d'honneur et avoir jeté des miettes de pain aux canards depuis la terrasse qui surplombait la Seine.

Comme cette vie lui paraissait normale alors ! Ce soir pourtant, ce n'était pas en invitée qu'elle pénétrerait dans ce domaine réservé à l'élite, mais en humble servante. Telle une souris se faufilant dans un trou. Theodora était anxieuse de nature, et il lui fallait mobiliser tout son self-control pour ne pas craquer. À tout moment elle craignait de se mettre à hurler. Elle était déjà si nerveuse qu'elle ne pouvait empêcher ses mains de trembler : elles tressautaient et palpitaient sur ses genoux tels des oiseaux pris au piège.

À côté d'elle, Oliver était élégant dans son uniforme de serveur : smoking avec nœud papillon de soie noire et boutons de manchettes en argent. Mais il était pâle derrière son col cassé, les épaules crispées sous sa veste un peu trop grande.

Ses yeux noisette habituellement limpides étaient embrumés et tiraient plus sur le gris que sur le vert. Son visage n'arborait pas l'expression neutre et indifférente qu'affichaient les autres. Il était sur le qui-vive, prêt à combattre ou à fuir. Il suffisait de l'observer un peu longtemps pour s'en apercevoir.

Nous ne devrions pas être ici, pensait Theodora. *Quelle idée ! C'est bien trop risqué. Ils vont nous retrouver, nous séparer... et là...* La suite était trop horrible pour être envisagée.

Elle transpirait dans son chemisier amidonné. La climatisation était en panne et le bus était plein à craquer. Elle appuya sa tête contre la vitre. Il y avait plus d'un an que Lawrence était mort. Quatre cent quarante-cinq jours. Theodora avait compté en se disant que peut-être, une fois qu'elle aurait atteint un nombre magique, la douleur cesserait.

Tout cela n'était pas un jeu, même si parfois cela ressemblait à une version abominable, surréaliste, du chat et de la souris. Oliver posa une main sur les siennes pour tenter de faire cesser leur tremblement. Les spasmes avaient commencé quelques mois plus tôt : ce n'avait été qu'un léger frémissement au début, mais elle s'était rapidement rendu compte qu'elle devait se concentrer pour effectuer des gestes même simples, comme prendre une fourchette ou ouvrir une enveloppe.

Elle savait ce que c'était, et il n'y avait rien à y faire. Le Dr Pat lui avait dit, à sa première visite, qu'elle était unique en son genre : *Dimidium Cognatus*, la première demi-sang, et personne ne pouvait prévoir comment son corps d'humaine réagirait à la transformation en immortelle ; il y aurait des effets secondaires, des obstacles particuliers à son cas.

Elle se sentait tout de même mieux depuis qu'Oliver lui

avait pris la main. Il savait toujours quoi faire. Elle dépendait énormément de lui, et son amour pour lui n'avait fait que s'approfondir au cours de cette année qu'ils avaient passée ensemble. Elle lui pressa la main, glissa ses doigts entre les siens. C'était son sang à lui qui coulait dans ses veines à elle, et sa vivacité d'esprit qui lui permettait d'être libre.

Quant à tout ce qu'ils avaient laissé derrière eux à New York, tous les gens qu'ils avaient quittés, Theodora essayait de ne plus y penser. Tout cela, c'était du passé. Elle avait fait son choix et elle l'assumait. Elle avait accepté sa vie pour ce qu'elle était. De temps à autre son amie Bliss lui manquait énormément et elle avait plus d'une fois eu envie de la contacter, mais c'était hors de question. Personne ne devait savoir où ils étaient. Personne. Pas même Bliss.

Peut-être seraient-ils chanceux ce soir. La chance avait été de leur côté jusqu'à présent. Oh, ç'avait parfois été moins une, comme le soir, à Cologne, où elle avait fui à toutes jambes après avoir demandé à une femme le chemin de la cathédrale... l'*illuminata* avait trahi l'agent. Theodora avait vu cette faible lueur, presque imperceptible dans le crépuscule, avant de prendre ses jambes à son cou. Le camouflage avait ses limites. À un moment ou à un autre, votre véritable nature finissait par se révéler.

N'était-ce pas l'argument qu'avait avancé l'inquisiteur lors de l'enquête officielle sur les événements de Rio ? Que Theodora n'était peut-être pas celle qu'ils croyaient ?

Une hors-la-loi. Une fugitive. C'est ce qu'elle était à présent. Et certainement pas la petite-fille éplorée de Lawrence Van Alen.

Non.

D'après le Conclave, elle était son assassin.

O h, dégoûtant ! Elle avait marché dans quelque chose de répugnant. Plus que répugnant, même. Cela faisait des bruits spongieux, mouillés, sous son pied. Elle ignorait ce que c'était, mais à coup sûr cela allait bousiller ses bottes en poulain. Et d'ailleurs, que faisait-elle en bottes de poulain dans une mission de reconnaissance ? Mimi Force leva le talon pour évaluer les dégâts. Une coulure marron souillait l'imprimé zèbre.

Bière ? Whisky ? Un mélange de tous les alcools frelatés qu'on servait dans cette gargote ? Allez savoir. Pour la énième fois cette année, elle se demanda pourquoi diable elle avait accepté cette mission. Le mois d'août tirait à sa fin. Elle aurait dû être sur une plage à Capri, en train de travailler son bronzage tout en sirotant son cinquième *limoncello*, au lieu de rôder dans un bastringue en pleine cambrousse. Quelque part entre Pétaouchnok et Trifouillis-les-Oies. L'endroit, dont elle avait oublié le nom, était un petit bled triste et somnolent, et Mimi n'avait qu'une envie : se tirer de là.

– Qu'est-ce qu'il y a ? lui demanda Kingsley en la poussant du coude. Tu as encore des chaussures trop serrées ?

– Tu vas me lâcher, un peu ? soupira-t-elle en s'écartant pour bien lui faire comprendre qu'elle trouvait trop étroite l'alcôve où ils s'étaient cachés.

Elle en avait assez, de ses taquineries. Surtout depuis qu'elle avait découvert, absolument horrifiée, que cela commençait à lui plaire. C'était tout simplement inacceptable. Elle haïssait Kingsley Martin. Après tout ce qu'il lui avait fait, elle ne voyait pas comment il aurait pu en être autrement.

– Mais je ne vais plus m'amuser si je te lâche, rétorqua-t-il avec un clin d'œil.

Ce qu'il y avait de plus exaspérant chez Kingsley – hormis le fait qu'il avait, autrefois, tenté de l'occire –, c'était que, tandis qu'ils suivaient des pistes quelque part entre les plages de Punta del Este et les gratte-ciel de Hongkong, Mimi s'était mise à le trouver… séduisant. Cela suffisait à lui retourner l'estomac.

– Relax, Force ! Tu sais bien que tu me veux, ajouta-t-il avec un sourire satisfait.

– Oh, mon Dieu ! maugréa-t-elle, mortifiée.

Elle se détourna en s'arrangeant pour que ses longs cheveux blonds s'envolent par-dessus son épaule et aillent le frapper en pleine face.

– *Non mais !*

Il avait beau être plus rapide et plus costaud qu'elle – c'était l'homme fort de l'équipe des *Venator*, et sur le papier, il était son chef –, en réalité c'est elle qui aurait dû mener la troupe, car elle était sa supérieure hiérarchique au sein du Conclave. Si on pouvait appeler Conclave ce ramassis de mauviettes.

S'il croyait avoir la moindre chance avec elle, il n'était pas au bout de ses peines. Il pouvait toujours être beau à tomber (ah, ce look de rock star !), cela ne changeait rien du tout. Elle n'était pas intéressée, même si son pouls s'accélérait chaque fois qu'il était à proximité. Elle était liée à un autre.

– Mmm. J'adore. Tu n'utilises pas le shampooing de l'hôtel *Hilton* de l'aéroport, n'est-ce pas ? roucoula-t-il. Ça, c'est autre chose. Mais est-ce un après-shampooing qui les rend si doux et soyeux ?

– Tu vas te taire ? Je te jure que...

– Minute. Garde ta salive pour plus tard, la coupa Kingsley d'une voix redevenue sérieuse, maîtrisée. Je vois notre homme. Prête ?

– Prête, acquiesça Mimi, tout aussi professionnelle.

Elle avisa leur témoin, l'homme qui justifiait leur présence à quelques kilomètres de Lincoln, dans le Nebraska (c'était ça ! Elle s'en souvenait à présent). Un ex-play-boy frisant sans doute la trentaine, avec un début de bedaine et les premiers signes de la bouffissure provoquée par l'âge et les féculents. Il avait la dégaine du type qui a été star du football américain au lycée, mais dont les kilos de muscles se sont mués en graisse après quelques années passées derrière un bureau.

– Tant mieux, parce que ça ne va pas être facile, l'avertit Kingsley. Bon, les garçons vont l'installer dans le comparti-ment du coin, et on suivra. On lui règle son compte et on se tire. Personne ne remarquera rien du moment qu'on ne se lève pas. La serveuse ne prendra même pas la peine de venir nous voir.

Il était plus facile et moins douloureux d'entrer dans l'esprit des gens pendant leur sommeil paradoxal, mais ils ne pou-vaient pas se payer le luxe d'attendre que leur suspect soit tombé dans les bras de Morphée. Ils prévoyaient donc de faire irruption dans son subconscient sans crier gare. C'était mieux ainsi : il n'aurait nulle part où se cacher. Pas le temps de se préparer. Ce qu'ils voulaient, c'était la vérité toute nue, et cette fois ils allaient l'obtenir.

Les *Venator* étaient des chercheurs de vérité, doués du pouvoir de déchiffrer les rêves et d'accéder aux souvenirs. Seul un échange de sang leur permettait de distinguer les vrais souvenirs des faux, mais il y avait des moyens plus rapides de séparer les faits de la fiction, sans avoir recours au Baiser sacré. Comme l'avait appris Mimi, le Comité ne consentait à l'épreuve du sang que lorsqu'une accusation extrêmement grave était portée, comme cela lui était arrivé. Dans tous les autres cas, la pratique de la chasse aux souvenirs, la *venatio*, faisait l'affaire. Mimi avait suivi une formation accélérée de *Venator* avant de s'engager. Le fait d'avoir déjà assumé cette charge dans des vies précédentes l'avait aidée. Une fois les bases réapprises, c'était comme la bicyclette : ses souvenirs profonds entraient en action et tout l'exercice devenait une seconde nature.

Mimi regarda Sam et Ted Lennox, les frères jumeaux qui complétaient leur équipe de *Venator*, guider leur témoin jusqu'à une alcôve nichée dans un coin sombre. Ils l'avaient, au préalable, habilement incité à absorber bière sur bière au bar. L'ancien sportif devait se dire qu'il s'était fait deux nouveaux copains.

Dès qu'ils furent assis, Kingsley se glissa sur le banc en face de lui, flanqué de Mimi.

– Salut, mon pote, tu te souviens de nous ? demanda-t-il.

– Hein ?

Le type était éveillé mais soûl, la bouche pâteuse. Mimi

éprouva une pointe de pitié. Il était loin de se douter de ce qui l'attendait.

– Je suis sûr que tu te souviens d'*elle*, poursuivit Kingsley en l'incitant à croiser les yeux de Mimi.

Celle-ci fixa l'ex-play-boy de son regard de braise ; pour tout habitant du monde réel, le gars avait l'air simplement fasciné par cette belle blonde, noyé dans ses yeux verts.

– Maintenant, ordonna Kingsley.

Sans perdre un instant, les quatre *Venator* prirent pied dans le *Glom* en entraînant le témoin avec eux. Ce fut aussi facile que de se laisser tomber dans le terrier du lapin d'Alice.

TROIS

Bliss

Lorsqu'elle s'éveilla ce matin-là, la première chose qui lui vint à l'esprit fut qu'elle connaissait ces volets blancs éclatants. D'où les connaissait-elle ? Non. Ce n'était pas ça. Ce n'était pas la bonne question. Une fois de plus, elle allait trop vite. Cela lui arrivait. Mais là, il fallait qu'elle se concentre. Chaque jour elle devait se poser trois questions très importantes, et celle-ci n'en faisait pas partie.

La première question qu'elle devait se poser était : *Quel est mon nom ?*

Elle ne s'en souvenait pas.

C'était comme tenter de déchiffrer un gribouillis sur une feuille de papier. Elle savait ce qui devait s'y trouver, mais elle était incapable de comprendre l'écriture manuscrite. Comme lorsque quelque chose est tout juste hors de portée, derrière une porte fermée dont on a perdu la clé. Ou comme de se réveiller aveugle. Elle tâtonnait frénétiquement dans le noir en s'efforçant de ne pas paniquer.

Quel est mon nom ?

Son nom. Il fallait qu'elle se rappelle son nom. Sinon... sinon... Elle ne voulait pas y penser.

Il était une fois une fille qui s'appelait... ?
Il était une fois une fille qui s'appelait... ?

Elle avait un nom peu courant. C'était déjà ça. Pas le genre de nom que l'on voit écrit sur des tasses en faïence dans les boutiques de souvenirs des aéroports ou sur les plaques minéralogiques miniatures que l'on peut rapporter de Disneyland pour les accrocher à la porte de sa chambre. Son nom était joli, peu courant, et il signifiait quelque chose. Une chose qui évoquait la neige, ou le souffle, ou la joie ou le bonheur, ou...

Bliss[1]. Oui. C'était ça. Bliss Llewellyn. C'était son nom ! Elle l'avait retrouvé ! Elle s'y accrocha le plus fort possible. Son nom. Son moi. Aussi longtemps qu'elle se rappellerait qui elle était, ça irait. Elle ne deviendrait pas folle. Du moins pas aujourd'hui.

Mais c'était dur. C'était très, très dur, car à présent il fallait qu'elle pense au Visiteur. Le Visiteur qui était en elle, qui *était* elle, en pratique. Le Visiteur qui répondait à son nom à elle. Elle l'appelait ainsi parce que cela l'aidait à voir sa situation comme temporaire. Car que faisaient les visiteurs au bout du compte ? Ils finissaient par *s'en aller*.

Bliss se demandait : était-on encore soi-même si c'était quelqu'un d'autre qui prenait les décisions à votre place, qui parlait par votre voix, marchait sur vos jambes, tuait de vos mains la personne que vous aimiez le plus ?

Elle frissonna. Un souvenir involontaire lui revint soudain en mémoire. Un garçon aux cheveux noirs gisant inerte dans ses bras. Qui était-ce ? La réponse était quelque part, mais il

---

1. *Bliss* signifie en anglais « extase », « félicité », « bonheur suprême ». (N.d.T.)

faudrait qu'elle creuse pour la trouver. L'image s'estompa. Bliss espérait qu'elle reviendrait plus tard. Pour l'instant, il fallait qu'elle passe à la deuxième question.

Où suis-je ?

Les volets. Les volets étaient un indice. C'était déjà bien qu'elle parvienne à voir quoi que ce soit. Car c'était devenu très rare. La plupart du temps, elle se réveillait dans le noir. Elle se concentra sur les volets. Ils étaient en bois, et peints en blanc. Cela avait quelque chose de charmant, qui rappelait une ferme ou un cottage anglais... sauf qu'ils étaient trop brillants, trop laqués, trop parfaits. Plus comme dans un magazine de déco que dans une vraie maison. Ah. Rien d'étonnant à ce qu'elle les reconnaisse.

Bliss savait à présent où elle se trouvait. Si elle avait encore été capable de sourire, elle l'aurait fait.

Les Hamptons. Elle était chez elle dans les Hamptons. Ils étaient à « Cotswold ». C'était BobiAnne qui avait trouvé le nom de la maison. BobiAnne ? Bliss visualisa une grande femme maigre, trop maquillée et couverte de bijoux gargantuesques. Elle flaira même le parfum nauséabond de sa belle-mère. Tout lui revenait, et vite.

Un été, lors d'un dîner chez un styliste célèbre, BobiAnne avait appris que toutes les belles demeures de la région avaient un nom. Les propriétaires les baptisaient « Mandalay » ou « La Vallée des chênes », suivant leur degré de vanité. Bliss avait suggéré « Dune House » à cause de la grande dune qui s'élevait sur leur propriété, côté plage. Mais BobiAnne avait autre chose en tête. « Cotswold ». Alors qu'elle n'avait jamais mis les pieds en Angleterre[1].

---

1. Les Cotswolds sont une région bucolique située au cœur de l'Angleterre, où les fermes et les villages sont particulièrement charmants. (N.d.T.)

Bon. Bliss était soulagée : elle avait compris où elle se trouvait ; mais cela n'avait aucun sens.

Que faisait-elle dans les Hamptons ?

Elle était une étrangère dans sa propre vie, une touriste dans son corps. Si on lui avait demandé quelle impression cela faisait, elle l'aurait expliquée en ces termes : c'est comme si vous conduisiez une voiture, mais depuis la banquette arrière. La voiture se dirige toute seule, et vous ne contrôlez rien. Pourtant c'est votre voiture, du moins vous le croyez. En tout cas, c'était la vôtre autrefois.

Ou alors, c'est comme au cinéma. Le film, c'est votre vie, mais vous n'êtes plus dedans. C'est quelqu'un d'autre qui embrasse le jeune premier et prononce des monologues émouvants. Vous, vous ne faites que regarder. Bliss était l'observatrice de sa propre vie. Elle n'était plus Bliss, mais seulement le souvenir de la Bliss qu'elle avait été.

Parfois, elle n'était même plus certaine d'avoir réellement existé.

QUATRE

Theodora

Le bus s'arrêta après avoir franchi le portail, et le groupe en sortit silencieusement en file indienne. Theodora remarqua que même les plus blasés de ses collègues – un assortiment de comédiens et comédiennes prétentieux en manque de cachet, accompagnés de quelques apprentis cuisiniers – jetaient autour d'eux des regards émerveillés. L'édifice entouré de son parc impeccable était aussi opulent et intimidant qu'un petit Louvre, à la différence près qu'il était encore habité. C'était un domicile, pas un monument national. L'hôtel Lambert, au cours de toute son histoire, avait presque toujours été fermé au public. Seuls quelques privilégiés avaient été accueillis derrière ses portes massives. Le reste du monde devait se contenter d'en admirer des photos dans les livres. Ou d'y entrer par la porte de service.

Comme ils passaient devant les fontaines gargouillantes, Oliver donna un coup de coude à Theodora.

– Ça va ? lui demanda-t-il en français.

Encore une raison de dire merci au lycée Duchesne. Des années de cours de langues obligatoires leur avait permis de se faire passer pour deux employés de cuisine canadiens à l'entretien d'embauche – même si leur vocabulaire livresque risquait de les trahir à tout moment.

– Tu as l'air inquiète. Qu'est-ce qui te tracasse ?

– Rien. Je repensais juste à l'enquête, répondit Theodora en approchant de l'entrée de service, à l'arrière du bâtiment.

Elle se remémorait ce jour terrible au Sanctuaire, lorsqu'elle avait été si injustement accusée.

– Comment ont-ils pu croire cela de moi ?

– Ne perds plus ton temps là-dessus, assena fermement Oliver. Ça ne changera rien. C'est terrible, ce qui s'est passé au Corcovado, et ce n'est pas ta faute.

Theodora hocha la tête en ravalant les larmes qui montaient chaque fois qu'elle pensait à ce jour-là. Oliver avait raison, comme toujours. C'était un gaspillage d'énergie de regretter que l'issue n'ait pas été différente. Le passé était le passé. Il fallait s'occuper du présent.

– C'est magnifique, n'est-ce pas ? dit-elle. (Puis elle se mit à chuchoter pour que personne ne l'entende.) Cordelia m'a amenée ici deux ou trois fois, quand elle venait voir le prince Henri. On logeait dans les appartements des invités, dans l'aile est. Rappelle-moi de te faire visiter la galerie d'Hercule et la bibliothèque polonaise. On peut y voir le piano de Chopin.

Elle éprouvait un émerveillement mêlé de tristesse tout en suivant la troupe silencieuse dans les corridors de marbre luisant. Émerveillement devant la splendeur des lieux, construits par l'architecte du château de Versailles et ornés des mêmes moulures dorées et des mêmes motifs baroques ; tristesse parce que la demeure lui rappelait Cordelia. Elle aurait bien eu besoin de la ténacité de fer de sa grand-mère en ce moment.

Cordelia Van Alen n'aurait pas hésité à infiltrer une réception pour obtenir ce qu'elle voulait, alors que Theodora était bien trop tiraillée par le doute.

La fête de ce soir, intitulée « Les Mille et Une Nuits », s'inspirait de l'extravagant Bal oriental donné en ces lieux en 1969. Comme à l'époque, il y aurait des danseuses du ventre, des porteurs de torches à demi nus, des joueurs de sitar et des musiciens hindous. Bien sûr, quelques ajouts modernes étaient prévus : les acteurs d'une comédie musicale de Bollywood au grand complet devaient se produire à minuit, et au lieu d'éléphants de papier mâché à l'entrée, un couple de vrais éléphants indiens avait été emprunté à un cirque ambulant thaïlandais. Les pachydermes promèneraient les invités dans des palanquins dorés.

La presse avait déjà surnommé l'événement « le dernier bal ». Celui qui marquerait la fin de tous les bals. La fin d'une époque. Le dernier soir où cette fabuleuse demeure abriterait encore une famille de sang royal.

Car l'hôtel Lambert était vendu. Demain, ce ne serait plus la résidence des descendants de Louis-Philippe, dernier roi de France. Demain, la demeure appartiendrait à un conglomérat étranger. Demain, le château tomberait entre les mains de promoteurs immobiliers suffisamment riches pour honorer son prix de vente astronomique. Demain, il serait divisé en appartements, ou rénové, ou transformé en musée, ou toute autre idée qu'auraient les nouveaux propriétaires.

Mais ce soir, il était le cadre du dernier grand Bal des vampires : tout le gotha des sang-bleu se réunissait une dernière fois pour des libations dignes de Shéhérazade.

– Cordelia m'a raconté que Balzac lui avait fait du gringue

une fois, ici, pendant un bal, dit Theodora à Oliver tout en descendant dans les vastes cuisines en sous-sol, où les équipements ultra-modernes en Inox côtoyaient des cheminées médiévales. Elle n'était qu'une jeune débutante à l'époque. C'était dans un précédent cycle, bien avant qu'elle ne devienne ma grand-mère. Elle disait qu'il était passablement ivre. Tu imagines ?

– L'un des grands esprits français draguant une fille de dix-huit ans ? J'imagine tout à fait, ricana-t-il en poussant une porte battante.

Le bal devait commencer dans deux heures, et ils trouvèrent les cuisiniers échangeant des invectives : le vent des derniers préparatifs soufflait sur toute la cuisine. Des cuves de format industriel crachaient de la vapeur, et l'odeur entêtante et délicieuse du beurre chaud imprégnait les lieux.

– Qu'est-ce que vous faites là ? s'écria le chef de cuisine en voyant arriver les serveurs. Allez, allez, montez !

Il eut une brève altercation avec le maître d'hôtel, mais tous deux finirent par conclure que le personnel de service pouvait se rendre utile auprès des marmitons, et Theodora et Oliver furent séparés.

Theodora fut envoyée au-dehors, où elle vit les dresseurs d'éléphants expliquer au couple de comédiens qui devaient incarner le roi et la reine de Siam comment diriger les animaux. Désireuse de se rendre utile, elle se mit à allumer des bougies, lisser des nappes et disposer des décorations florales sur les tables. Tout autour d'elle, la cour était un vrai capharnaüm : les cascadeurs et acrobates bondissaient des toits, les musiciens accordaient leurs instruments, et les danseuses du ventre lançaient des œillades aux porteurs de torches à demi nus en gloussant de rire.

Enfin, toutes les chandelles furent allumées. Les tables furent dressées. Tout était prêt. Une chose était sûre : la fête serait mémorable.

Theodora trouva Oliver à son poste, occupé à lustrer la verrerie.

– N'oublie pas : retrouve-moi en bas de l'escalier à ta première pause, lui dit-il à voix basse pour ne pas attirer l'attention des autres serveurs. Je te guetterai.

Leurs superviseurs leur avaient ordonné d'éteindre leurs téléphones portables, ce qui ne faisait d'ailleurs aucune différence puisque personne ne captait le réseau. Les antennes relais n'avaient pas droit de cité dans la partie la plus sélecte de l'île.

Theodora hocha la tête. Ils avaient reçu leurs ordres de mission : elle ferait partie de l'équipe chargée d'offrir aux invités une coupe de champagne à l'instant où ils débarquaient. Oliver serait en haut, posté au bar du fond.

– Et... Theo, tout va bien se passer, ajouta-t-il avec un sourire. Elle te recevra forcément. J'y veillerai.

Son attitude bravache la charma encore plus. Ce cher, ce bon, ce gentil Oliver, qui avait quitté tout ce qu'il aimait à New York pour la sauver et la protéger. Elle savait qu'il avait aussi peur qu'elle, mais qu'il ne le montrerait jamais.

Le plan pour ce soir était, au mieux, tiré par les cheveux. Elle ne savait même pas si la comtesse de Paris, hôtesse de la soirée et future ex-propriétaire de l'hôtel Lambert, se souviendrait d'elle, et encore moins si elle lui accorderait l'asile dont elle avait si désespérément besoin. Mais il fallait qu'elle demande, pour elle-même et pour Oliver. Et si elle voulait un jour se venger du démon qui avait tué son grand-père, il fallait bien qu'elle essaie.

Le Conclave européen était son seul et dernier espoir.

CINQ

Mimi

Entrer dans le subconscient de quelqu'un, c'est un peu comme découvrir une nouvelle planète. Chaque individu a un monde intérieur bien à lui, et tous sont différents. Certains sont encombrés, bourrés de noirs secrets inavouables, refoulés au fond de l'âme comme des dessous coquins et des menottes au fond d'un placard. D'autres sont limpides et clairs comme une prairie au printemps : tout n'est que lapins bondissants et flocons de neige tourbillonnants. Ceux-là sont rares. L'esprit de ce type-là paraissait assez banal, et Mimi choisit un environnement neutre pour l'interroger : la maison de son enfance. Une cuisine de pavillon de banlieue avec carrelages blancs et table en Formica... C'était propre, bien rangé, ordinaire.

Kingsley tira un tabouret pour s'asseoir face à l'ex-play-boy.

– Pourquoi nous as-tu menti ?

Dans le *Glom*, le *Venator* avait la beauté du diable. Le *Glom* avait cet effet sur les vampires : il les rendait encore plus beaux.

– De quoi parlez-vous ? demanda le gars, l'air complètement perdu.

37

– Montre-lui.

Mimi trouva le souvenir et le passa sur le poste de télévision qui trônait sur le comptoir de la cuisine.

– Tu te souviens de cette nuit-là ? demanda Kingsley pendant qu'ils regardaient le play-boy sortir sur le balcon d'un hôtel et observer un homme de haute taille franchissant le portail, chargé d'un paquet de la taille d'un enfant. Tu te souviens de cet homme ?

Jordan Llewellyn avait disparu depuis plus d'un an. La fillette de onze ans avait été kidnappée dans sa chambre d'hôtel au moment même où le Conclave se faisait massacrer, lors d'une réception donnée par des sang-d'argent.

Les *Venator* avaient scruté la mémoire de tous ceux qui se trouvaient à l'hôtel le soir de la disparition de la petite fille : tous les clients, tout le personnel, des vigiles aux femmes de chambre, mais en vain. Quant aux Llewellyn, ils étaient trop traumatisés pour se rendre utiles. Ce qui était bien compréhensible, mais tout de même ennuyeux. Personne ne savait rien, personne ne se souvenait de rien. Sauf le type assis en face d'eux en ce moment.

– Tu nous as dit que tu avais vu quelque chose. Que tu avais vu cet homme lorsque tu étais sorti fumer une cigarette ce soir-là, dit Kingsley. Cet homme n'existe pas. Tu nous as menti.

– Mais je ne fume pas, protesta le play-boy. Je ne me souviens pas du tout de ça. Que se passe-t-il ? Qui êtes-vous ?

Dans le bar, Mimi vit qu'il commençait à s'agiter. Ils n'avaient pas beaucoup de temps.

– Pourquoi nous as-tu menti ? Réponds ! aboya Kingsley.

Pendant des mois, ils avaient traqué tous les hommes qui

avaient séjourné à l'hôtel et correspondaient à la description donnée par le play-boy. Ils avaient pourchassé des cadres en marketing, des hommes d'affaires en vacances, des touristes et des locaux. Mais il n'en était rien sorti de significatif. Au bout de presque un an, ils commençaient à se demander s'ils n'étaient pas aux trousses d'un fantôme, d'un spectre, d'un mirage. Toute l'équipe était à bout. Hier encore, le Conclave leur avait ordonné d'abandonner la mission et de rentrer à New York. Jordan avait disparu, affaire classée. Mais Kingsley avait décidé de rendre une dernière visite à leur témoin.

– Posons la question autrement : qui t'a dit de nous mentir ?

– Personne... Je ne sais pas ce que vous voulez me faire dire... Je ne me souviens même pas de ce soir-là. Je ne me souviens même pas de vous. Qui êtes-vous ? Que faites-vous dans la cuisine de ma mère ?

– Que faisais-tu à Rio ? demanda d'une voix douce Ted Lennox, qui jouait le bon flic.

– Un pote à moi se mariait... marmonna l'homme d'une voix pâteuse. On était là pour son enterrement de vie de garçon.

– Tu es allé jusqu'à Rio pour un enterrement de vie de garçon ? Toi ? le railla Mimi tout en jetant un coup d'œil dans le monde réel, où elle le vit affalé, la tête sur la table.

Elle aurait juré que ce pauvre type n'était jamais allé plus loin que l'épicerie du coin.

– Ben quoi, je vivais à New York il n'y a pas si longtemps. J'étais banquier. On voyageait toujours quand quelqu'un se mariait. La Thaïlande. Las Vegas. Punta Cana. Mais ensuite, j'ai perdu mon boulot et j'ai dû revenir habiter chez mes parents. Ne soyez pas désagréable.

– Viré ? demanda Sam Lennox.

– Non... C'est juste que... Je ne me souviens plus très bien. J'ai pris un congé sans solde et je n'y suis jamais retourné. Il s'est passé quelque chose là-dedans, dit-il en se frappant le côté du crâne d'un air soucieux.

À bien le regarder, ce témoin avait en effet quelque chose de bizarre. Mimi gardait un souvenir différent du play-boy. Le type qu'ils avaient interrogé un an plus tôt était bien plus clair et éveillé, plus fier aussi. Elle s'étonnait de le retrouver dans ce bled paumé. Elle aurait cru que quand on était client d'un hôtel aussi chic que celui de Rio, on venait forcément d'un endroit chic.

– Il ne ment pas, constata Sam. Regardez son cortex préfrontal. C'est clair.

– Il ne se souvient pas de ce soir-là, confirma Ted.

– Parlez-lui-en encore, dit Kingsley. Ce n'est pas normal.

Mimi fit remonter le souvenir pour la seconde fois. Tous quatre le regardèrent avec attention. C'était la même chose : l'homme de haute taille, le paquet, la cigarette. Mais Sam avait raison : son cortex préfrontal indiquait que le type ne mentait pas lorsqu'il disait ne pas s'en souvenir.

– Oh, Seigneur. Comment avons-nous pu passer à côté d'une chose pareille ? Regardez. Force ! Lennox ! Regardez ! s'écria Kingsley en agrandissant le bord de l'image.

Alors, elle vit ce qu'il avait vu : une légère déchirure au bord de la mémoire du gars. Comme un accroc qui aurait été reprisé. C'était un travail si fin, si bien exécuté, qu'il était presque insoupçonnable. Celui qui avait fait cela était très doué. Il fallait être maître dans l'art du *Glom* pour y parvenir. Un faux souvenir, expertement introduit dans un vrai. Cela avait suffi à berner une équipe de *Venator* pendant presque un an. Implanter de faux souvenirs chez les sang-rouge était extrêmement dangereux. Cela pouvait détruire les gens, les transformer en fous furieux incapables de distinguer la réalité de la fiction. Ou faire d'un banquier de haut vol un bon à rien vivant chez ses parents.

– Libère-le, dit Kingsley d'une voix lasse.

Mimi hocha la tête. Elle relâcha son emprise sur son esprit, et tous quatre reprirent pied dans le monde réel. Leur témoin, effondré sur la table, ronflait comme un sonneur.

Ce n'était pas un suspect.

C'était une victime.

SIX

Bliss

Chaque jour depuis ce matin-là, au sommet du Corcovado – la montagne bossue –, Bliss devait se poser trois questions importantes : *Qui suis-je ? Où suis-je ? Que m'est-il arrivé ?*

Elle avait commencé l'entraînement assez récemment, un jour où en se réveillant elle s'était retrouvée incapable de se rappeler pourquoi elle était si triste. Puis le lendemain, elle ne savait plus si oui ou non elle était fille unique. Mais ce qui l'avait vraiment terrifiée avait été le jour où, en se regardant dans la glace, elle avait cru voir une étrangère. Elle ignorait totalement qui était cette fille aux cheveux roux.

Et c'est ce jour-là qu'elle avait eu l'idée de se poser les trois questions tous les matins.

Si elle ne prenait pas le temps de se rappeler qui elle était, le Visiteur prendrait complètement le dessus. Et la vraie Bliss Llewellyn, la fille qui avait un jour loupé son permis au volant d'une vieille Cadillac décapotable des années cinquante, n'existerait plus. Pas même ce souvenir à demi effacé qui s'attardait encore dans un petit coin de son cerveau.

Donc. On était dans les Hamptons. C'était le matin. Elle se

levait pour aller prendre le petit déjeuner ; son serviteur la demandait. Non, pas son serviteur. Son père. « Serviteur », c'était ainsi que le Visiteur appelait Forsyth, mais pas elle. Parfois, cela arrivait. Parfois, elle entendait très clairement le Visiteur. Mais ensuite une porte claquait et elle se retrouvait encore de l'autre côté, dans le noir. Le Visiteur avait accès à son passé, à toute sa vie, mais elle n'avait aucune prise sur lui. Ses conversations avec Forsyth se déroulaient derrière une porte close et ses pensées restaient cachées dans l'ombre.

Elle était quelque peu soulagée que le Visiteur ne lui parle plus. Elle se rappelait vaguement qu'ils avaient eu de petites conversations à une époque, mais cela avait cessé. Il n'y avait plus que le silence. Elle comprenait que c'était parce qu'il n'avait plus besoin de communiquer avec elle pour prendre le contrôle. Au début, il s'était manifesté pendant ses absences, mais il n'en avait apparemment plus besoin pour faire ce qu'il voulait. Il avait pris le volant.

Cependant, elle n'était pas tout à fait abandonnée sur le bord de la route, non plus. Elle avait bien répondu à la première question, n'est-ce pas ?

Elle était Bliss Llewellyn. Fille du sénateur Forsyth Llewellyn et belle-fille de feu BobiAnne Shepherd. Elle avait grandi à Houston jusqu'au jour où sa famille s'était installée à Manhattan, peu après son quinzième anniversaire. Elle était élève au lycée Duchesne, sur Madison Avenue, et ses centres d'intérêt étaient les suivants, dans le désordre : l'entraînement de pompom girl, le shopping et le mannequinat. Oh, mon Dieu, je suis une bimbo ! pensa-t-elle. Elle devait sûrement valoir mieux que cela.

Recommençons. OK. Elle s'appelait Bliss Llewellyn et elle

avait grandi dans une vaste et superbe demeure du quartier de River Oaks, à Houston, mais ce qu'elle préférait au Texas était le ranch de son grand-papou, où elle montait à cheval dans de grasses prairies couvertes de fleurs sauvages. Au lycée, sa matière préférée était l'histoire de l'art, et il lui était arrivé d'espérer avoir un jour sa propre galerie ou, à défaut, un poste de conservateur au Metropolitan Museum of Art.

Elle était Bliss Llewellyn, et en ce moment elle se trouvait dans les Hamptons. Une station balnéaire très chic à deux heures de Manhattan (un peu plus quand il y avait des embouteillages), où les citadins partaient « loin de tout » pour se retrouver pile au milieu de tout. Le mois d'août dans les Hamptons était aussi agité que septembre à New York. À l'époque où elle n'était encore que Bliss, et non le réceptacle du démon (ou RDD, comme elle disait quand elle avait envie de rire au lieu de pleurer), sa belle-mère les traînait là parce que c'était « ce qui se faisait ».

BobiAnne était très à cheval sur « ce qui se faisait » et avait dressé une liste interminable de choses « à faire » et « à ne pas faire ». À croire qu'elle avait été rédactrice de magazine dans une vie antérieure. Ce qui était triste chez elle, c'est qu'elle avait beau tout faire pour être à la mode, elle parvenait invariablement au résultat inverse.

Des images de son dernier véritable été dans les Hamptons se mirent à inonder le cerveau de Bliss. Sportive, elle avait passé les trois mois à faire de l'équitation, de la voile, du tennis, et à s'initier au surf. Elle s'était de nouveau cassé le poignet droit cette année-là. Les trois premières fois, ç'avait été en faisant du sport : au ski, à la voile et au tennis. Cette fois, la fracture avait une cause typique des Hamptons : elle avait trébuché sur ses nouvelles plate-formes Louboutin et avait atterri sur le poignet.

Maintenant qu'elle avait répondu en détail à la première et à la deuxième question, elle n'avait plus le choix : il fallait passer à la troisième. Et c'était toujours la plus difficile.

Que m'est-il arrivé ?

Quelque chose de mal. Quelque chose de terrible. Bliss sentit le froid l'envahir. C'était drôle comme elle pouvait encore sentir les choses, comme persistait le souvenir fantôme de ce que c'était que d'être en vie, en pleine possession de ses moyens et de ses sens. Elle sentait ses membres fantômes, et dans son sommeil, elle rêvait qu'elle menait toujours une vie ordinaire : manger des chocolats, promener le chien, écouter la pluie tambouriner sur le toit, sentir contre sa joue la douceur d'une taie d'oreiller en coton.

Mais elle ne pouvait pas s'attarder là-dessus. Pour l'instant, il y avait des choses qu'elle n'avait pas envie de se remémorer, mais elle devait se forcer à essayer.

Elle se rappelait leur appartement en ville, les portiers en gants blancs qui l'appelaient « Miss » et veillaient toujours à ce que ses paquets soient montés rapidement. Elle se rappelait les amis qu'elle s'était faits au lycée : Mimi Force, qui l'avait prise sous son aile et s'était moquée de son sac à main en cuir blanc. Mimi était à la fois condescendante et intimidante, mais il y en avait eu d'autres, n'est-ce pas ? Oui, bien sûr. Il y avait Theodora Van Alen, devenue sa meilleure amie, une fille adorable qui n'avait aucune idée de sa force – ni de sa beauté –, et Oliver Hazard-Perry, le garçon humain doté d'un humour plein d'ironie et d'une garde-robe impeccable.

Elle se souvenait d'une soirée en boîte, de cigarettes partagées dans une ruelle... et d'un garçon. Elle avait rencontré un garçon. Le garçon aux cheveux noirs qui gisait inerte dans ses bras. Dylan Ward. Elle se sentait comme engourdie. Dylan était mort. Ça y était, elle se souvenait de tout. Ce qui s'était passé à Rio. Tout. La tuerie. Lawrence. La fuite en bas de la montagne, loin de Theo et d'Oliver parce qu'elle ne voulait pas qu'ils voient son visage ; elle ne voulait pas qu'ils la voient pour ce qu'elle était vraiment.

Un rejeton de sang-d'argent.

Avec Forsyth, elle était rentrée à New York pour l'enterrement de BobiAnne. Ou plutôt pour une cérémonie à sa mémoire, car comme pour tous les chers disparus du Conclave, il n'y avait rien à mettre en terre. Il n'était rien resté de BobiAnne, pas même une mèche de ses cheveux décolorés. Une gigantesque photo glamour posée sur un chevalet remplaçait le cercueil devant l'autel. On y voyait sa belle-mère dans l'un des grands moments de sa vie, à l'époque où un magazine *people* avait publié son portrait.

Les obsèques avaient attiré les foules. Toute la communauté sang-bleu s'y était rendue, pour manifester son soutien à ceux qui avaient résisté aux sang-d'argent. Mimi y était avec son frère jumeau, Jack. Ils avaient prononcé des paroles de consolation et de réconfort.

S'ils avaient su...

Ce jour-là, Bliss avait encore une conscience assez claire de ce qui se passait autour d'elle. Elle avait entendu Forsyth lui dire (mais pas à elle ; il s'adressait déjà au Visiteur, elle le comprenait à présent) de ne pas s'inquiéter, que Jordan n'était plus un problème.

S'inquiéter de quoi ? Quel problème ? Ah oui. Elle avait failli oublier. Sa petite sœur. Jordan savait que Bliss portait le Visiteur en elle. Jordan avait tenté de la tuer.

L'exercice était terminé. Elle savait qui elle était, où elle se trouvait et ce qui lui était arrivé. Elle était Bliss Llewellyn, elle se trouvait dans les Hamptons, et elle abritait l'âme de Lucifer dans son corps.

C'était son histoire.

Le lendemain, il faudrait de nouveau qu'elle se remémore tout.

L'enquête

L'assassin de Lawrence. L'assassin de son grand-père. Certes, l'inqui-siteur ne l'avait pas dit clairement... Non, rien d'aussi brutal. Mais il en avait assez deviné. Il avait tellement jeté le doute sur son histoire que c'était comme s'il lui avait gravé le mot au fer rouge sur le front.

Elle n'avait rien vu venir. Elle était encore en état de choc, du fait d'avoir perdu Lawrence si violemment, et avait oublié qu'elle aurait à en répondre devant le Comité. Elle leur avait raconté de son mieux ce qui s'était passé, sans imaginer un instant qu'ils puissent ne pas la croire.

– Miss Van Alen, permettez-moi de parcourir votre témoignage avec vous. D'après vos souvenirs des événements du Corcovado, un garçon aurait été transformé en image de Lucifer lui-même. Votre grand-père vous aurait ordonné de l'occire, mais vous l'auriez raté. Lawrence aurait alors porté le coup fatal, tuant ainsi par erreur un innocent et déverrouillant du même coup la prison du Léviathan, démon qui se serait libéré. Le démon l'aurait ensuite assassiné. Tout cela est-il exact jusqu'ici ?

– Oui, répondit-elle calmement.

L'inquisiteur consulta ses notes pendant un moment. Theodora l'avait déjà rencontré, un jour où son grand-père avait reçu quelques membres du Conclave à la maison. Il s'appelait Josiah Archibald, et avait pris sa retraite du Conclave des années plus tôt. Elle allait en classe avec ses petites-filles à Duchesne. Mais s'il avait la moindre compassion pour sa situation douloureuse, il le cachait bien.

– Il était juste devant vous, n'est-ce pas ? Le garçon ? demanda-t-il en levant la tête.

– Oui.

– Et vous dites que vous aviez en main l'épée de votre mère ?

– Oui.

Il eut un reniflement méprisant et lança un regard entendu aux Aînés rassemblés, qui se penchèrent en avant ou remuèrent sur leurs sièges. Le seul membre actif du Conclave à avoir survécu était Forsyth Llewellyn, assis dans le fond, la tête couverte de bandages et l'œil gauche trop enflé pour qu'il puisse l'ouvrir. Les autres étaient des membres honoraires qui, comme l'inquisiteur, n'avaient pas exercé depuis bien longtemps. Assis en demi-cercle, ils ressemblaient à une bande de gnomes ratatinés. Il en restait si peu : le vieil Abe Tompkins, qu'il avait fallu aller chercher dans sa maison de vacances sur Block Island ; Minerva Morgan, l'une des plus vieilles amies de Cordelia, ancienne présidente de la Société des jardins de New York, immobile telle une gargouille dans son tailleur en tricot ; Ambrose Barlow, qui visiblement dormait à poings fermés.

– L'épée de Gabrielle est perdue depuis bien des années, dit l'inquisiteur. Et vous prétendez que votre mère vous est apparue – pouf ! –, surgie de nulle part, et qu'elle vous l'a donnée. Comme ça. Et qu'ensuite elle a disparu. Pour regagner son lit d'hôpital, sans doute.

Sa voix dégoulinait de sarcasme.

50

Theodora, mal à l'aise, se tortilla dans son siège. Cela semblait extravagant, incroyable... et irréel. Mais c'était ce qui s'était passé. Exactement comme elle l'avait dit.

– Oui... J'ignore comment c'est possible, mais oui.

L'inquisiteur prit un ton condescendant.

– Veuillez donc nous dire où se trouve cette épée, à présent.

– Je ne sais pas.

C'était vrai. Dans le chaos qui avait suivi, l'épée avait apparemment disparu avec le Léviathan, et elle le leur dit.

– Que savez-vous de l'épée de Gabrielle ? lui demanda l'inquisiteur.

– Rien. Je ne savais même pas qu'elle en possédait une.

– C'est une épée de vérité. Elle détient un pouvoir d'un genre particulier. Elle est conçue pour atteindre sa cible à tout coup, gronda-t-il comme si l'ignorance de Theodora était un signe de culpabilité.

– Je ne vois pas où vous voulez en venir.

L'inquisiteur parla très lentement et avec précaution.

– Vous dites que vous portiez l'épée de votre mère. Une épée perdue depuis des siècles et qui n'a jamais, de toute son histoire, manqué ses ennemis. Et pourtant... c'est ce que vous avez fait. Vous avez raté. Si vous aviez bien l'épée de Gabrielle en main, comment avez-vous pu rater votre coup ?

– Êtes-vous en train de dire que je l'ai fait exprès ? demanda Theodora, incrédule.

– Ce n'est pas moi qui le dis, c'est vous.

Elle était abasourdie. Que se passait-il ? Qu'est-ce que c'était que cette histoire ?

L'inquisiteur se tourna vers son public.

– Mesdames et messieurs du Conclave, voilà une situation intéressante. Voici les faits. Lawrence Van Alen est mort. Sa petite-fille voudrait nous faire croire à une histoire abracadabrante : que le

51

Léviathan, un démon piégé dans la pierre par Lawrence lui-même il y a un millénaire, a été libéré, et que ce même démon l'a tué.

– C'est la vérité, murmura Theodora.

– Miss Van Alen, vous avez fait connaissance avec votre grand-père il y a quelques mois seulement, est-ce exact ?

– Oui.

– Vous le connaissiez à peine plus qu'un quidam croisé dans la rue.

– Je ne dirais pas cela. Nous sommes devenus très proches en peu de temps.

– Pourtant, vous éprouviez de la rancœur envers lui, n'est-ce pas ? Car somme toute, vous avez choisi de vivre chez le frère de votre mère, brouillé avec elle, plutôt qu'avec Lawrence.

– Je n'ai rien choisi du tout ! Nous nous battions contre l'adoption. Je n'ai jamais voulu vivre avec Charles Force et sa famille !

– C'est ce que vous dites.

– Mais pourquoi aurais-je voulu tuer mon grand-père ?

Elle criait presque. Tout cela était fou. Une parodie de justice, une farce grotesque. Il n'y avait rien de juste dans tout cela.

– Peut-être n'aviez-vous pas l'intention de le tuer. Peut-être, comme vous nous l'avez dit, était-ce un accident.

L'inquisiteur sourit. Il ressemblait à un requin.

Theodora se recroquevilla dans son siège, vaincue. Pour une raison inconnue, l'inquisiteur ne croyait pas à son histoire, et il était clair que les autres membres du Conclave n'y croiraient pas non plus. Le sang-d'argent caché dans leurs rangs avait été découvert : Nan Cutler avait péri dans l'incendie d'Almeida. Le Conclave croyait au moins à cela. Ses membres l'avaient accepté. Forsyth Llewellyn avait été victime de la trahison de la Sentinelle Cutler, comme il en avait témoigné.

Mais le corps régnant ne voulait pas accepter la réalité du retour du Léviathan. C'était une chose d'accepter le témoignage d'un collègue

Aîné, c'en était une autre de se fier aux paroles d'une demi-sang. Ils préféraient croire que Theodora avait volontairement tué Lawrence, plutôt que se dire qu'un démon arpentait de nouveau la terre.

Elle n'avait pas d'autre témoin pour confirmer ses dires, à part Oliver ; or le témoignage des Intermédiaires humains n'était pas admissible dans une enquête du Comité. Les humains ne comptaient tout simplement pas, en fin de compte.

Si bien que la veille du jour où le Conclave devait rendre son jugement et décider du sort qu'il lui réservait, Oliver et elle avaient fui le pays.

Sept

Theodora

Il était dix heures du soir et les premiers invités accostaient au débarcadère. En accord avec le thème oriental, une escouade de jonques chinoises louées pour la soirée formait une procession solennelle au long du fleuve, arborant les pavillons des grandes maisons d'Europe. Habsbourg. Bourbon. Savoie. Liechtenstein. Saxe-Cobourg. Tous les sang-bleu qui étaient restés sur le Vieux Continent au lieu de traverser l'océan en quête d'une nouvelle vie.

Theodora était postée avec l'armée de serviteurs alignés contre le mur de pierre, abeille anonyme au sein de la ruche, du moins elle l'espérait. Chacun d'entre eux était porteur d'une offrande différente : des cosmopolitans roses dans des verres à Martini, des verres à pied remplis des bordeaux les plus fins issus des vignes de l'hôtesse à Saint-Émilion, de l'eau gazeuse avec des rondelles de citron pour ceux qui ne buvaient pas d'alcool. Pour sa part, elle tenait un lourd plateau de flûtes de champagne dont les bulles s'élevaient avec légèreté, dorées et scintillantes.

Elle entendait le claquement du vent qui frappait les voiles multiples. Certaines embarcations étaient en forme de dragon, avec des écailles plaquées or et des yeux luminescents vert émeraude à la proue. D'autres avaient un aspect de vaisseau guerrier, avec des « canons » de couleurs vives surgissant de l'étrave. C'était une grandiose parade impériale, extravagante et superbe. Theodora remarqua aussi autre chose : sur les bannières, les blasons *bougeaient*, changeant avec la lumière, formant une danse fluide de formes et de couleurs.

– Tu as vu ça ? demanda-t-elle à la fille qui se tenait à côté d'elle.

– Quoi ? Une bande de gros richards dans des bateaux ridicules ? railla la serveuse en la regardant d'un air dubitatif.

À ce moment-là seulement, Theodora comprit que le miroitement des blasons n'était visible que pour des yeux de vampire. C'étaient les symboles secrets des sang-bleu, appelés *sigul* dans la langue sacrée.

Elle avait failli se trahir, mais heureusement personne n'avait rien remarqué. Sa lèvre frémit, et elle sentit son corps se tendre à mesure que les invités montaient du quai et s'approchaient du personnel. Et si on la reconnaissait ? Si un membre de l'Assemblée de New York était présent au bal ? Que se passerait-il ? C'était de la folie de croire qu'Oliver et elle pourraient s'en sortir. Il y aurait forcément des *Venator*, n'est-ce pas ? Si un sang-bleu la reconnaissait avant qu'elle ne puisse exposer son cas à la comtesse, elle n'aurait pas la moindre chance, et que deviendrait-elle ? Et encore, elle avait moins peur pour elle-même que pour Oliver. Elle redoutait ce que pouvaient faire les vampires à un Intermédiaire humain dont ils désapprouvaient la conduite.

Elle espérait que l'assemblée resterait aussi indifférente

qu'elle en avait l'air, simple rassemblement de mondains et mondaines en quête de plaisirs, comme l'avait noté avec dédain sa collègue. Ce n'était pas parce qu'ils étaient immortels qu'ils n'appréciaient pas les futilités. Theodora s'efforçait de ne pas trop regarder les femmes, dont la plupart étaient encore plus spectaculaires que les navires. Elles étaient diversement costumées : geisha japonaise au visage entièrement poudré de blanc et au corps couvert d'un kimono chatoyant, impératrice chinoise sous une coiffe pointue à pompons rouge et or, ou encore princesse persane avec de vrais joyaux collés au front. Une célébrité allemande connue pour son extraordinaire garde-robe se présenta vêtue en pagode : un lourd costume métallique dans lequel elle ne pourrait ni marcher ni s'asseoir de toute la soirée. Elle descendit de son bateau juchée sur un Segway. L'espace d'un instant, Theodora oublia sa nervosité et se retint de rire en voyant l'archiduchesse manquer culbuter un groupe de serviteurs chargés de caviar et de blinis.

Les hommes portaient un uniforme d'officier russe, de fines moustaches à la Fu Manchu ou un turban. Tout cela était politiquement incorrect au possible, anachronique et prodigieusement spectaculaire. Un invité, directeur de la plus grosse banque d'Europe, arborait un grand chapeau de zibeline et une cape somptueuse, bordée de fourrure de loup. En plein mois d'août ! Il devait suffoquer dans cette chaleur, et pourtant – comme la femme-pagode qui ne pouvait pas s'asseoir – il était heureux de souffrir, du moment qu'on le remarquait. Theodora espérait pour lui que cela en valait la peine.

Les familiers humains aussi étaient de la fête : seules les discrètes petites cicatrices à la base de leur cou les trahissaient. À part cela, ils portaient des costumes tout aussi festifs que ceux de leurs maîtres vampires et on les reconnaissait à peine.

La nuit était claire et embaumée. La plainte aiguë et très particulière du sitar s'élevait du kiosque à musique, et la file des jonques attendant de débarquer leurs passagers merveilleusement déguisés s'allongeait. Plusieurs hors-bord qui transportaient de jeunes sang-bleu passèrent devant tout le monde. Leurs costumes étaient bien plus audacieux que ceux de leurs aînés. La fille du ministre des Finances de Russie ne portait rien de plus que des câbles métalliques enroulés et un soupçon de mousseline noire. Une autre nymphette était vêtue d'une cotte de mailles transparente. Quant aux garçons, certains portaient la combinaison de soie noire des ninjas et d'autres des costumes de guerriers samouraïs, avec leurs sabres ornementés.

Une fois son plateau vidé, Theodora se retira discrètement et passa dans le champ de vision d'Oliver, à l'étage. Levant rapidement les yeux, elle l'aperçut qui confectionnait un cocktail couleur turquoise orné de feux de Bengale jetant des étincelles.

Elle le vit hocher la tête et sut qu'il l'avait vue. Elle abandonna son plateau dans un coin sombre et se hâta de traverser le grand hall, puis de franchir les cordons qui fermaient au public l'aile résidentielle. C'était là que Cordelia et elle avaient logé lors de leurs visites. Il y avait un cabinet de toilette sur la droite, derrière les fresques de *L'Enlèvement des Sabines*.

Le cabinet était vide. Elle ferma la porte à clé et respira à fond. La première phase du plan était achevée. Ils avaient réussi à infiltrer le bal. C'était le moment de passer à la phase deux.

Elle relâcha sa queue-de-cheval en secouant la tête et retira un à un ses vêtements d'uniforme. Elle retrouva le petit sac à dos qu'elle avait dissimulé plus tôt sous le lavabo. Elle le vida de son contenu et commença à s'habiller : un sari orné de pierres précieuses, en somptueuse soie rose incrustée de diamants. Oliver l'avait aidée à le choisir dans une boutique du quartier indien, dans le Xe arrondissement. Il avait insisté pour qu'elle le prenne, malgré son prix prohibitif.

La soie venait draper avec élégance ses épaules, et le rose étourdissant contrastait joliment avec ses longs cheveux aile-de-corbeau. Elle se contempla dans le miroir. Elle était plus mince que jamais : le manque de sommeil et de sécurité, il n'y avait rien de tel pour maigrir. Ses pommettes, déjà saillantes d'habitude, ressortaient encore davantage, en lame de couteau. La couleur vive du sari lui mettait le rose aux joues, et les gemmes éblouissantes scintillaient dans la lumière. Elle rentra le ventre, même si ses hanches étaient menues au-dessus de la taille basse du pantalon ample.

Elle retira une minuscule trousse de toilette du même sac à dos et entreprit de se maquiller. Son poudrier compact lui échappa et tomba au sol.

Elle n'était pas prête. Chaque fois qu'elle pensait à ce qu'elle était sur le point de faire, sur le point de demander, elle en avait le souffle coupé. Et si la comtesse l'envoyait paître ? Elle ne pourrait pas fuir toute sa vie, tout de même.

Si la comtesse leur refusait une audience, ils n'auraient plus nulle part où aller.

Plus que tout au monde, Theodora souhaitait rentrer chez elle. Elle voulait être là où ses grands-parents avaient vécu. Elle voulait se retrouver dans sa petite chambre où la peinture s'écaillait et où le chauffage clapotait. Elle avait déjà sauté une année entière de sa scolarité. Dans un mois, les cours reprendraient à Duchesne. Elle voulait retrouver cette vie, tout en sachant que c'était peine perdue : même si le Conclave européen lui accordait l'asile, cela ne signifiait pas qu'elle pourrait retourner à New York.

Dehors, l'orchestre interprétait « Thriller » de Michael Jackson en version *bhangra*, avec force claquements de cymbales. Elle roula son uniforme en boule dans le sac, qu'elle fourra dans une poubelle. Puis elle sortit du cabinet de toilette en se faufilant sous le cordon de velours.

– Champagne ? lui proposa une serveuse.

Heureusement, celle-ci ne reconnut pas en Theodora la collègue rencontrée plus tôt dans le bus.

– Non, merci.

Elle descendit l'escalier dans son époustouflant costume de princesse indienne. Elle se tenait la tête haute, bien qu'elle ait la gorge serrée de peur. Elle était préparée à tout ce que la nuit lui apporterait, et elle espérait ne pas avoir trop longtemps à attendre.

Huit

Mimi

– Les sang-d'argent sont bien plus malins que nous ne voulons le croire, dit Kingsley alors qu'ils atterrissaient encore dans un nouvel aéroport.

Ils avaient quitté les États-Unis la veille au soir. Ils étaient de retour là où tout avait commencé, avant que cette inutile course folle ne leur ait fait faire la moitié du tour du monde. De retour à Rio.

– Tu crois ? répondit Mimi sans même essayer de cacher le sarcasme dans sa voix. Si quelqu'un le sait, c'est bien toi. Tu en es un.

Elle chaussa ses lunettes mouche et attrapa sa valise à roulettes Valextra cabossée sur le tapis roulant. Elle était irritée que Kingsley insiste pour qu'ils voyagent en classe économique. Elle avait l'habitude que ses bagages soient enveloppés dans un plastique protecteur chaque fois qu'elle embarquait sur un vol international. Sa pauvre petite valise ne survivrait pas au rude traitement que lui infligeaient les bagagistes. Elle repéra encore une trace de semelle boueuse sur sa surface en cuir lisse.

– Il n'y a pas de quoi rire, observa Kingsley en prenant son

61

autre sac et en le jetant sur le chariot, presque comme s'il faisait un dunk au basket, et non comme s'il soulevait vingt-cinq kilos. (Mimi ne voyageait jamais léger. Une fille doit avoir du choix.)

– Je ne ris pas, rétorqua-t-elle sèchement. Mais je ne comprends pas comment on a pu passer à côté de ça sans le voir.

– Ce n'est pas parce qu'on est *Venator* qu'on ne se trompe jamais. Et c'est une chose d'être incompétent, mais c'en est une autre d'être trahi. Nous ne cherchions rien de tel, c'est pour ça que nous l'avons raté.

Ils sortirent de l'aérogare dans la douceur d'un après-midi tropical. Merci, Seigneur, pour l'inversion des saisons dans cette région. Mimi s'était préparée à subir une chaleur épouvantable, et découvrir que c'était l'hiver en Amérique du Sud était une divine surprise.

Les frères Lennox avaient pris un taxi de leur côté pour se rendre à l'hôtel, si bien que Kingsley et elle se retrouvaient de nouveau coincés seuls tous les deux. Les jumeaux étaient aux ordres de Kingsley depuis des siècles, mais ils ne se mêlaient pas aux autres. Ils préféraient leur propre compagnie et ne parlaient que quand on s'adressait à eux, et encore : par monosyllabes. Kingsley et elle avaient bien été obligés de converser, sous peine de périr d'ennui.

Kingsley siffla un taxi ; ils montèrent à l'arrière et entrèrent lentement dans la ville. Celle-ci n'avait pas changé, elle était belle et exotique comme toujours. Pourtant, la vue du Christ rédempteur au sommet du Corcovado ne fit pas frissonner Mimi comme d'habitude. Elle ne savait que penser. En revanche, elle savait ce que pensait le Conclave : même Kingsley avait voulu se lancer à la poursuite du Léviathan dès l'instant où il avait lu le rapport, mais au lieu de cela il avait été envoyé dans cette petite aventure. Forsyth Llewellyn avait fait pression sur les Aînés survivants pour que la découverte de la Vigie soit classée priorité absolue. Contrairement au sénateur, Mimi n'était pas entièrement convaincue que les traîtres sang-d'argent aient été entièrement démasqués par l'incendie chez les Almeida. D'accord, Nan Cutler, leur meneuse, avait péri ; mais il devait y en avoir d'autres dans l'Assemblée. La Sentinelle Cutler avait forcément bénéficié de complicités. Quoi qu'il en soit, ce n'était pas vraiment le problème de Mimi pour le moment.

Tout ce qu'elle savait, c'était que lorsque Kingsley avait commencé à former son équipe, elle s'était portée volontaire. Elle voulait s'éloigner de New York, s'éloigner des visages choqués et endeuillés des membres survivants du Conclave. Ils étaient si faibles et si craintifs, tous autant qu'ils étaient ! Cela l'exaspérait de les voir tremblants et terrifiés. Ils étaient des vampires, bon sang ! Que faisaient-ils de leur fierté ? Ils se comportaient comme des moutons menés à l'abattoir, bêlant derrière Forsyth pour lui demander comment se cacher.

Eh bien elle, au moins, ne se cacherait pas. Elle voulait trouver les responsables de cette huit d'horreur, les traquer et les tuer un par un. Ils avaient commis un sacrilège, rien de moins, sans aucun respect. L'attaque des sang-d'argent avait été violente, tant dans son étendue que dans son intensité. Ils avaient tenté d'éradiquer les Aînés et les Sentinelles du clan pour laisser la communauté aux mains des plus faibles et des plus incompétents. Ils n'avaient montré aucune pitié. Mimi avait bien l'intention de leur rendre la pareille.

Mais d'abord, ils devaient retrouver Jordan. C'était elle qui leur dirait ce qui s'était passé ; Jordan saurait qui étaient les sang-d'argent et où ils se cachaient.

Car Jordan Llewellyn ne faisait que prétendre être une enfant. Jordan était la Vigie, Pistis Sophia, Aînée des Aînés, une âme née les yeux grands ouverts – c'est-à-dire avec la pleine maîtrise et le plein contrôle de tous ses souvenirs. Sophia était demeurée en sommeil pendant des millénaires, jusqu'au jour où Cordelia Van Alen avait demandé aux Llewellyn, une des familles les plus anciennes et respectées du Conclave, d'accueillir son esprit sous la forme d'un nouveau-né. La Vigie était censée monter la garde contre leurs ennemis et sonner l'alarme si jamais le prince des Ténèbres devait revenir sur terre. À l'époque de la crise de Rome, c'était Sophia qui avait découvert la première la trahison du Croatan. Enfin, quelque chose comme ça.

Tout cela s'était passé il y avait si longtemps ! Mimi n'allait pas prendre la peine de tout se rappeler. Quand on avait vécu des milliers d'années, fouiller dans ses souvenirs revenait à chercher une lentille de contact dans un tas de verre pilé. Le passé n'était pas rangé dans une belle arborescence de fichiers comme sur un écran d'ordinateur, avec dates et étiquettes pour faciliter l'accès. C'était plutôt un fatras d'images et d'émotions, de savoirs que l'on ne comprenait pas et d'informations que l'on ignorait posséder.

Parfois, lorsqu'elle avait un moment de tranquillité, Mimi se demandait pourquoi elle s'était si facilement portée volontaire. Elle avait raté toute son année de terminale et ne pourrait pas être diplômée avec le reste de sa promo. Et en plus, elle se fichait complètement de Jordan Llewellyn. Elle ne l'avait croisée que deux fois, et à chaque fois la gamine lui avait fait soit une grimace soit une remarque malpolie. Mais quelque chose l'avait poussée à y aller, et Jack ne l'avait pas arrêtée non plus.

C'était étonnant de voir comme les choses ne se passaient

jamais comme prévu. Mimi avait cru que Jack et elle se rapprocheraient après tout ce qui s'était passé, surtout à présent qu'ils étaient débarrassés de cette sale petite idiote de Van Alen. Peut-être ne faisaient-ils plus d'efforts l'un pour l'autre à présent que plus personne ne se dressait entre eux. Mais comment se faisait-il qu'elle soit ici et lui ailleurs ?

– Un penny pour tes pensées ? lui demanda Kingsley, comme s'il venait de remarquer le silence qui régnait dans le taxi.

– Ça te coûtera bien plus cher que ça. Disons même que quelle que soit la somme, tu n'en auras jamais les moyens.

– Ah oui, vraiment ? (Kingsley arrondit un sourcil. Une expression bien à lui. Un piège à filles garanti. Elle le lisait partout sur son visage arrogant.) Il ne faut jamais dire « jamais ».

L'hôtel dans lequel ils avaient réservé était modeste : trois étoiles, et encore, c'était généreux. Il était à des kilomètres de la plage, et l'ascenseur était en panne à leur arrivée. Mimi passa une nuit morose entre des draps rêches et s'étonna de trouver l'équipe d'une bonne humeur extraordinaire le lendemain matin. Enfin, que voulez-vous... il fallait bien des gens pour aimer la percale.

Kingsley vint s'asseoir à la table du petit déjeuner, l'air débordant d'énergie, et pas seulement à cause des quatre doses d'expresso dans son café au lait. Il buvait du café comme certains vampires boivent le sang.

– On a réfléchi comme des humains, soupira-t-il. On cherchait des suspects, on interrogeait des témoins. Mais ce sont des Croatan que nous avons en face de nous. Et ils se sont donné le mal de manipuler un souvenir qui nous a menés partout sauf ici.

– Ça veut dire qu'elle est ici. À Rio. Je pige, opina Mimi. Ils nous ont baladés le plus loin possible.

– Elle doit être sous notre nez. C'est une des villes les plus peuplées au monde.

– Dix millions d'habitants, précisa Mimi. Ça fait beaucoup.

Son cœur se serra à la seule idée de tous les rêves qu'ils allaient encore devoir visionner, du nombre de nuits sans fin qu'ils devraient passer à pourchasser des ombres dans le noir.

Elle regarda Kingsley s'éloigner de la table pour se diriger vers le buffet, où l'hôtel avait disposé un petit déjeuner complet : plateaux de petits pains au fromage et de biscuits salés ; papayes, mangues et pastèques fraîchement coupées ; bols de crème d'avocat ; réchauds garnis de jambon au miel et de bacon croustillant. Il prit une tranche de pastèque et mordit dedans, debout face aux baies vitrées qui offraient une vue panoramique sur la ville.

Mimi suivit son regard jusqu'aux coteaux couverts de constructions. Les favelas étaient aussi peuplées et aussi ingénieuses dans leur construction que des fourmilières, suspendues en équilibre instable au sommet des falaises, véritable labyrinthe byzantin de ghettos abritant les citadins pauvres de Rio.

– Incroyable, n'est-ce pas ? C'est vraiment une ville dans la ville, commenta Mimi. C'est étonnant que tout ça ne s'écroule pas jusqu'en bas pendant la saison des pluies.

Kingsley posa la peau de la pastèque.

– Les bidonvilles... bien sûr. Les sang-d'argent ont toujours été attirés par le chaos et le désordre. C'est par là que nous allons commencer.

– Tu plaisantes ? geignit Mimi. Personne ne va là-bas à moins d'y être obligé.

NEUF

Bliss

L e Visiteur était contrarié. Bliss percevait son irritation comme
on sent qu'on a une ampoule au pied. C'était l'après-midi,
pour ce qu'elle en savait. Les jours s'écoulaient avec une telle flui-
dité qu'il était difficile de deviner l'heure, mais Bliss s'efforçait
de garder le fil le mieux possible. Lorsqu'il était calme, c'était la
nuit, et quand elle le sentait alerte, c'était le jour.

En général, elle avait un bref aperçu du monde extérieur à son
réveil. Comme la veille au matin, avec les volets blancs. Puis le
rideau se refermait. C'était seulement quand il baissait sa garde
que Bliss recevait une image fugace de son environnement.

Comme maintenant, car le Visiteur avait été pris par surprise.

Ils étaient en train d'arpenter la maison à grands pas lorsque
soudain, sans transition, ils s'étaient retrouvés entourés de
bêtes. C'était grotesque et pitoyable. Affreux. Qu'est-ce que
c'était ? Que regardait-elle ? Puis elle avait compris que ce
qu'elle voyait était le monde à travers ses yeux à lui. Il avait fallu
qu'elle se grandisse un peu pour comprendre qu'ils étaient
entourés de personnes normales. Une femme en tailleur beige
et lunettes noires faisait entrer une famille dans le vestibule. Ils

avaient l'air de Hamptoniens typiques, papa en polo à crocodile couleur pastel, un pull de tennis sur les épaules, maman en crêpe de coton lavande, les enfants – deux garçons – vêtus comme le père en miniature.

– Ah, bonjour... Excusez-nous. On nous avait dit que les propriétaires ne seraient pas présents pour la visite, dit la femme en tailleur de travail avec un sourire artificiel. Mais puisque vous êtes là, savez-vous si l'entreprise de travaux de votre père est toujours disponible pour terminer la rénovation ?

Puis tout devint noir et l'image disparut à nouveau, bien que Bliss ait réussi à entendre la question. BobiAnne avait commencé à tout faire rénover avant de mourir. La maison des Hamptons aurait dû être terminée à cette heure, mais de retour d'Amérique du Sud, Forsyth avait ordonné l'arrêt des travaux. Tout l'arrière de la maison était manquant. À sa place, il y avait un grand trou dans le sol, couvert de gravats, de sciure de bois et de plastique.

En rentrant à New York, le sénateur avait découvert qu'il était ruiné par la dernière crise financière. Une sombre histoire d'escroquerie pyramidale, d'après ce qu'avait compris Bliss ; une gigantesque arnaque. Elle n'en savait pas beaucoup plus, mais quoi qu'il en soit, cela avait conduit Forsyth à négliger ses devoirs envers le Conclave pendant un moment. Elle n'aurait su dire précisément ce qui était arrivé, car c'était vers cette époque que le Visiteur avait commencé à l'envahir complètement ; mais elle avait bien l'impression qu'ils étaient fauchés. Forsyth s'efforçait d'obtenir un prêt du Comité pour refaire surface, mais cela ne suffirait pas. Son salaire de sénateur était une broutille. Les Llewellyn, comme de nombreuses familles sang-bleu, vivaient du revenu de leurs placements financiers.

Et apparemment, ces placements avaient disparu.

C'était sans doute pour cela qu'un agent immobilier se présentait avec des clients. Forsyth vendait la maison. Cette idée n'attristait pas beaucoup Bliss. Ils ne passaient pas assez de temps dans les Hamptons pour que cela lui manque. Elle avait été bien plus déprimée lorsqu'ils avaient quitté leur maison au Texas. Elle se languissait encore parfois de cet endroit : sa chambre en duplex sous les toits, abritée par les branches d'un vieux saule, les après-midi passés à lire sur la balancelle de la véranda, les miroirs anciens dans les salles de bains, qui donnaient à tout le monde quelque chose de mystérieux et de féerique.

Il y a un moment que le Visiteur est parti, se dit-elle, seule dans le noir. Combien de temps, elle ne le savait pas au juste. Ce n'était pas facile d'évaluer une durée lorsqu'on ne se trouvait plus dans le monde physique.

Bliss n'en était pas sûre, mais elle trouvait à cette solitude une qualité nouvelle. Elle se sentait vraiment seule cette fois, et non simplement chassée de son corps pendant que le Visiteur faisait Dieu savait quoi. D'habitude elle percevait sa présence, mais il lui était déjà arrivé d'être presque certaine de se retrouver entièrement seule ; certaine qu'il n'y avait qu'elle dans son corps, et que l'autre était parti.

Était-ce possible ? Qu'elle soit vraiment seule ? Bliss sentit une excitation monter dans sa poitrine.

Il n'y avait rien. Le Visiteur était parti, elle le sentait. Elle en était sûre. Elle savait ce qu'elle avait à faire. Mais elle ignorait si elle en était encore *capable*.

Ouvre le rideau. Ouvre les yeux.

Ouvre-les !

Ouvre !

Mais où étaient-ils ? *Désincarnés.* Elle comprenait véritablement le sens de ce mot. C'était comme dériver sans ancre. Il fallait qu'elle reprenne pied, qu'elle se dirige à tâtons jusqu'à ce que... oui, voilà, un rai de lumière... peut-être ne faisait-elle que l'imaginer... mais si elle pouvait le forcer à s'ouvrir... là... encore un petit peu...

Bliss ouvrit lentement les yeux. Elle avait réussi ! Elle regarda autour d'elle. C'était incroyable de voir le monde par elle-même, et non comme le voyait le Visiteur, à travers ses verres teintés de haine. Elle était dans la bibliothèque. Une petite niche confortable entre des murs de livres. Le décorateur de sa belle-mère avait été formel : il y en avait une dans toutes les « bonnes maisons ». BobiAnne ne lisait que des magazines. Forsyth aimait à s'enfermer dans son antre avec sa télé à écran géant. La bibliothèque était devenue le territoire des sœurs. Bliss les revoyait, Jordan et elle, assises près de la fenêtre, à lire tout en jetant des regards vers la piscine et vers la mer. Bliss vit une vieille pile de gros pavés d'été sur une étagère, à côté du bureau à cylindre victorien. *Les Frères Karamazov. Les Raisins de la colère. Orgueil et Préjugés.*

Elle crut entendre un bruit. Si cela venait de dedans ou de dehors, elle n'en savait rien. *Referme le rideau*, pensa-t-elle, fébrile. *Ferme les yeux. Ferme-les avant qu'il ne revienne.*

Elle les ferma.

Rien. Elle était toujours seule.

Elle attendit longtemps. Puis elle rouvrit les yeux. Rien. Elle était vraiment seule. Il fallait qu'elle en profite. Bliss avait un plan depuis qu'elle avait remarqué les absences prolongées du Visiteur.

70

Elle ne pouvait pas se contenter de regarder autour d'elle. Oserait-elle ? Son corps lui semblait mou et lourd. Tellement lourd ! Ce serait impossible. Et s'il revenait ? Que se passerait-il ? Elle devait essayer, se redit-elle. Elle devait faire quelque chose. Elle ne pouvait pas se contenter de vivre comme une invalide, dans les limbes, paralysée.

Si je peux ouvrir les yeux, alors je pourrai faire autre chose. Je suis Bliss Llewellyn, oui ou non ? J'ai gagné des tournois de tennis et couru des marathons. Je peux y arriver.

Bouge ta main. Bouge ta main.

Peux pas. Trop lourd. Où est ma main ? J'ai une main ? Qu'est-ce que c'est, une main ? Là. Je sens mes cinq doigts, mais ils ont l'air loin, si loin, comme derrière une vitre, ou engloutis sous l'eau. Elle se rappela avoir vu à la télé un magicien qui avait tenté de vivre plusieurs jours sous l'eau. Il avait l'air tellement figé, enflé... Elle n'était pas magicienne, mais elle n'avait aucune raison non plus de rester ensevelie sous sa propre peur. *Bouge-la. Bouge. Ta. Main. Seigneur. Elle pèse cinq tonnes. Je n'y arrive pas. Je ne peux pas, je ne peux pas. Mais il le faut.*

Vas-y !

Elle se rappela le mal qu'elle avait eu à apprendre la « pyramide scorpion à base carrée », l'une des figures acrobatiques les plus difficiles exécutées par les pom-pom girls. Cela demandait beaucoup de coordination et des talents de trapéziste. Bliss était la seule de l'équipe à y arriver. Elle se rappelait comme elle avait eu peur la première fois. Si elle manquait le contact avec les mains de la base en montant, c'était la chute ; si elle manquait la porteuse arrière lors de l'extension, c'était la chute ; si elle ne prenait pas bien son équilibre sur le pied gauche, c'était la chute.

Mais elle avait bien assuré le contact avec la base, avait atteint le sommet, s'était redressée, la jambe droite repliée au-dessus de la tête, et avait tenu la pose jusqu'au moment où elle avait été lancée en l'air pour exécuter un triple saut périlleux vrillé et retomber sur ses pieds.

Dommage qu'il n'y ait pas eu d'équipe de pom-pom girls à Duchesne. Elle avait bien tenté d'en lancer une, mais cela n'intéressait personne. Quelle bande de snobs ! Ils ne savaient pas ce qu'ils rataient. Le sentiment que procurait un soir de grand match. L'impatience de la foule. Le frisson au moment d'entrer en courant sur le terrain en agitant ses pompons, le rugissement qui s'élevait des tribunes, la jalousie et l'admiration. Le vendredi, au Texas, elles avaient le droit de porter leur uniforme en cours. C'était un peu comme porter une couronne.

Le scorpion.

Elle avait réussi.

Si j'ai su faire ça, je peux réussir la suite, se répéta-t-elle.

Bouge. Ta. Main !

Elle sentait sa frange lui retomber sur le visage. Le Visiteur ne s'encombrait pas de coupes de cheveux, ni de manucures d'ailleurs. Cela agaçait Bliss. Tout ce travail pour être jolie, jeté aux orties. Elle avait les cheveux en désordre, emmêlés, rêches au toucher. Il fallait qu'elle fasse quelque chose.

Là. *Urrrrgh !* Sa main se souleva brusquement, avec un mouvement de marionnette au bout de ses fils. Mais elle y était arrivée. Cette main passa maladroitement dans ses cheveux et les dégagea de ses yeux.

Bon.

Je peux y arriver.

Je peux reprendre le contrôle de mon corps. Ce sera difficile, douloureux, lent, mais je peux y arriver. Je ne suis pas encore éliminée.

Il ne lui restait plus qu'à réapprendre à marcher.

L'Intermédiaire

Durant presque soixante-dix ans, Christopher Anderson avait servi Lawrence Van Alen en qualité de loyal Intermédiaire humain. C'était lui qui avait amené Theodora à l'hôpital pour que son bras soit correctement soigné après leur retour du Corcovado et le décès de son maître. Theodora n'avait jamais trouvé à ce monsieur alerte et gracieux l'air particulièrement vieux, mais depuis la mort de Lawrence on aurait dit que son âge le rattrapait. Il était frêle à présent, et marchait à l'aide d'une canne.

Anderson lui avait rendu visite le dernier soir chez Oliver, où elle habitait depuis qu'elle était rentrée du Brésil. Elle n'avait pas eu le courage de retourner dans la maison de grès de la 101ᵉ Rue. Cela faisait trop mal de savoir que Lawrence n'y serait plus, en train de fumer son cigare dans son bureau.

L'Intermédiaire de son grand-père lui avait conseillé de quitter le pays dès que possible. Il avait lu le rapport d'enquête.

– Vous ne pouvez pas prendre de risque. Personne ne sait ce qui se passera demain. Vous feriez mieux de partir tout de suite et de disparaître avant d'être répudiée pour haute trahison.

– Exactement ce que je te disais, l'avait appuyé Oliver avec un regard entendu.

– Mais où irions-nous ? avait-elle demandé.

– Partout. Ne restez nulle part plus de soixante-douze heures. Les Venator sont rapides, mais ils devront utiliser le Glom pour vous trouver, ce qui les ralentira un peu. Où que vous alliez, veillez à vous retrouver à Paris en août prochain.

– Pourquoi Paris ?

– Toute l'Assemblée européenne se réunit un an sur deux pour une grande réception et un congrès, avait expliqué Anderson. Lawrence prévoyait d'y aller. Vous devriez prendre sa place. La comtesse vous recevra. Les Conclaves sont brouillés depuis que les sang-bleu ont quitté le Vieux Continent. Elle ne s'est jamais fiée à Michel ni à l'Assemblée de New York. Elle aura encore moins confiance maintenant, quand elle aura appris la mort de Lawrence. C'était un de ses plus vieux amis.

La comtesse était aussi une amie de Cordelia, Theodora s'en était souvenue par la suite. Elle se rappelait vaguement le couple de sang royal : leur demeure imposante l'avait plus qu'impressionnée. Elle n'avait pas d'opinion particulière sur eux, sinon qu'ils lui avaient paru gracieux et extrêmement fortunés, comme tout le monde dans le cercle de Cordelia. À présent, elle comprenait qu'ils étaient exceptionnels. La comtesse avait été mariée à feu le prince Henri, qui aurait été roi de France sans la Révolution. Henri avait été Rex du Conclave européen. À la fin de son cycle, elle avait repris le titre.

Anderson aussi quittait la ville. À la mort d'un vampire, ses Intermédiaires humains étaient relevés de leurs fonctions et on leur offrait un choix : le Sanctuaire ou la liberté. Ils pouvaient effectuer des travaux d'ordre général pour l'Assemblée, ou mener une vie normale.

Anderson leur avait confié qu'il n'avait aucun désir de passer le reste de sa vie dans un sous-sol. Il rentrait à Venise, retournait à l'université. Bien sûr, sa mémoire serait effacée par le Conclave. C'était une condition préalable à son départ. Les sang-bleu gardaient leurs secrets.

Theodora comprenait son choix, mais elle n'en était pas moins attristée. Anderson était son dernier lien avec son grand-père. Une fois qu'il aurait quitté l'Assemblée, il ne la connaîtrait plus. Mais elle n'irait pas contre son désir d'une existence ordinaire. Il avait consacré sa vie à servir les Van Alen.

– Allez trouver la comtesse, avait continué Anderson. Racontez-lui tout ce qui s'est passé. En raison des crises de confiance entre les Assemblées, elle ne sait peut-être pas la vérité sur le massacre de Rio. Et puis... Theodora ?

– Oui ?

– Je sais ce qu'ils ont prévu pour moi demain, lors de mon entretien de sortie. L'amnésie forcée. Mais ne vous en faites pas, je ne vous oublierai jamais.

Il lui tendit la main, qu'elle serra entre les siennes.

– Moi non plus, je n'oublierai jamais votre grande gentillesse, lui dit-elle.

Oliver avait raison, comme toujours. Ils devaient partir immédiatement. Les Venator viendraient la chercher le soir même. Ils viendraient pour l'emporter.

– La comtesse vous aidera.

Theodora espérait que le vieil ami de son grand-père ne se trompait pas.

DIX

Theodora

– R egarde un peu comme tu es belle, murmura Oliver en
s'approchant par-derrière pour poser une main tiède
sur la hanche nue de Theodora.

Elle se tourna vers lui avec un doux sourire et posa fermement une main sur la sienne, si bien qu'ils se retrouvèrent
pratiquement enlacés. Quoi qu'il arrivât ce soir, au moins ils
étaient là l'un pour l'autre. C'était une grande consolation
pour tous deux.

– Tu n'es pas mal non plus, lui dit-elle.

Il était costumé en prince moghol, avec une belle redingote
à broderies d'or et un turban blanc qui couvrait sa chevelure
couleur caramel.

En réponse, il prit sa main couverte de joyaux et la pressa
contre ses lèvres. L'échine de Theodora frissonna délicieuse-
ment. Son ami et son familier. Ils formaient une équipe.
Comme les Lakers de Los Angeles, imbattables, ne put-elle
s'empêcher de penser. Elle faisait toujours des blagues idiotes
quand elle était nerveuse.

– Qu'est-ce que c'est ? demanda-t-elle comme Oliver lui glis-
sait quelque chose dans le creux de la main.

– J'ai trouvé ça dans le jardin tout à l'heure, répondit-il en lui montrant le trèfle à quatre feuilles. Pour te porter chance.

Je n'ai pas besoin de chance puisque je t'ai, eut-elle envie de dire, mais elle savait qu'Oliver trouverait ça niais. Elle accepta donc l'herbette et la glissa dans son sari avec un sourire.

– Allons-y ? demanda-t-il alors que la pop à la sauce indienne cessait et que l'orchestre enchaînait sur une version valsée de « Norwegian Wood » des Beatles.

Il l'entraîna jusqu'au milieu de la piste installée dans la grande salle de bal, qui donnait sur la cour. La pièce était festonnée de lanternes chinoises, délicates sphères de lumière incongrues dans cette architecture classique française. Seuls quelques couples dansaient, et Theodora craignait qu'ils se fassent remarquer car ils étaient les plus jeunes sur le parquet, et de plusieurs décennies.

Mais elle avait toujours adoré cette chanson, qui n'était pas vraiment une chanson d'amour, plutôt le contraire. *J'avais une fille, ou plutôt je devrais dire que c'est elle qui m'a eu...* Et elle était ravie qu'Oliver ait eu envie de danser. Il lui avait tendu les bras et elle s'y était lovée, posant la tête sur son épaule tandis qu'il lui enlaçait la taille. Elle aurait voulu qu'ils n'aient rien d'autre à faire que danser. C'était si agréable de profiter de l'instant, du plaisir de le tenir si serré... si bon de faire, pendant un petit moment, comme s'ils étaient simplement deux amoureux, et rien d'autre.

Oliver, bien dressé par les cours imposés par sa mère – qui avait l'obsession des bonnes manières –, mena en douceur toutes les danses. Theodora se sentait gracieuse comme une ballerine sous sa direction experte.

– Tu ne m'avais jamais dit que tu savais danser, le taquina-t-elle.

– Tu ne me l'as jamais demandé, répondit-il en la faisant tourner pour faire joliment flotter son pantalon de soie autour de ses chevilles.

Ils exécutèrent encore deux danses, une polonaise entraînante et un rap bien connu : la musique était un mix schizophrène qui passait sans transition de Mozart à M. I. A., de Bach à Beyoncé. Theodora s'aperçut qu'elle s'amusait vraiment. Puis la musique cessa brutalement, et ils se tournèrent pour voir la cause de ce soudain silence.

– La comtesse de Paris, Isabelle d'Orléans, annonça le maître de cérémonie tandis qu'une femme imposante, très belle pour son âge, cheveux de jais et port de reine, entrait dans la salle.

Elle était vêtue en reine de Saba, avec une coiffe d'or et de lapis-lazuli. De la main droite elle tenait une énorme chaîne d'or, à laquelle était attachée une panthère noire au collier de diamant.

Theodora retint son souffle. C'était donc elle, la comtesse ! La perspective de demander asile à cette femme lui parut soudain plus intimidante que jamais. Elle s'était attendue à une dame âgée et rondelette, voire mal fagotée : une petite vieille en tailleur pastel suivie par ses fidèles corgis[1]. Mais cette femme était chic et sophistiquée ; elle se montrait distante et lointaine, telle une déité. Que pouvait bien lui importer le sort de Theodora ?

Néanmoins, cet air impérieux et inaccessible n'était peut-être qu'une façade. Après tout, cette réception ne devait pas

1. Allusion aux chiens de la reine d'Angleterre. (N.d.T.)

être facile pour elle. Theodora se demanda si la comtesse était triste de perdre sa demeure. L'hôtel Lambert était dans sa famille depuis des générations et des générations. Theodora savait que la récente crise financière mondiale avait frappé même les plus grandes maisons et les plus riches familles. Les Hazard-Perry avaient bien investi leur fortune : Oliver lui avait dit qu'ils étaient sortis du marché boursier bien avant son effondrement. Mais dans tout l'Upper East Side, d'après ce qu'elle avait entendu, on vendait des bijoux aux enchères, on faisait évaluer des tableaux, on liquidait des portefeuilles d'actions. C'était la même chose en Europe. Aucune autre famille sang-bleu n'aurait pu s'offrir l'hôtel Lambert. Il ne pouvait être vendu qu'à une corporation, et c'était ce qui se passait.

La comtesse salua ses invités de la main tandis que les applaudissements explosaient dans la salle de bal. Theodora et Oliver tapèrent dans leurs mains avec autant d'enthousiasme que les autres. Puis Isabelle se retira, la musique reprit et la tension dans la pièce retomba. Ce fut comme un gros soupir de soulagement collectif.

– Alors, qu'a dit le baron ? demanda Theodora pendant qu'Oliver la faisait virevolter jusqu'à un recoin discret.

Le baron de Coubertin était employé par la comtesse et suivait sa dame en tant qu'Intermédiaire, comme Oliver avec Theodora. Anderson leur avait expliqué que le baron ne pourrait que faciliter une rencontre avec la comtesse. Il était la clé pour obtenir une audience. Sans sa permission, ils ne pourraient même pas approcher d'elle. Ils avaient prévu qu'Oliver se présente à la minute où le baron arriverait au bal, en l'arrêtant dès sa descente du bateau.

– On ne va pas tarder à le savoir, dit-il avec un air d'appréhension. Ne lève pas la tête. Il vient vers nous.

ONZE

Mimi

Les quatre *Venator* firent très peu de bruit en se posant sur le toit. Leurs pas auraient pu être pris pour un froufroutement d'ailes d'oiseau, ou pour quelques cailloux roulant sur la colline. C'était leur quatrième nuit à Rio, et ils étaient dans la favela de Rocinha, où ils examinaient systématiquement la population, maison par maison, rue par rue, taudis par taudis. Ils recherchaient le moindre indice – un lambeau de souvenir, un mot, une image – susceptible de jeter un peu de lumière sur ce qui était arrivé à Jordan et sur l'endroit où elle pouvait se trouver.

Mimi connaissait tellement bien la procédure qu'elle aurait pu la mener à bien pendant son sommeil. Ou, plus précisément, *leur* sommeil. *Regardez-moi ces sang-rouge, douillettement endormis, qui se croient en sécurité*, pensait-elle. Ils ne se doutaient pas que des vampires traversaient leurs rêves à pas de loup.

Les souvenirs sont retors, se dit-elle en pénétrant le monde crépusculaire du *Glom*. Aucune stabilité. Leur perception change avec le temps. Elle les voyait se modifier, comprenait comment le passage des ans les affectait. Un travailleur endurci pouvait se souvenir d'une enfance pleine de malheur et de dureté, gâchée par les brimades et les injures des caïds sur le terrain de jeux, mais avoir plus tard une compréhension bien plus indulgente des injustices passées. Les vêtements cousus à la maison qu'il avait été forcé à porter devenaient un témoignage de l'amour de sa mère, chaque pièce et chaque reprise une preuve de son dévouement et non une marque de pauvreté. Il se souvenait de son père restant debout pour l'aider à faire ses devoirs, de la patience et du dévouement du vieux, et non de sa rudesse de caractère lorsqu'il rentrait, tard, de l'usine.

Cela fonctionnait aussi dans l'autre sens. Mimi avait scruté des milliers de mémoires de femmes rejetées par leurs beaux amants de jeunesse, lesquels dans leurs souvenirs devenaient affreux et méchants – le nez droit mais trop long, les yeux de plus en plus petits et cruels –, tandis que les garçons ordinaires qui étaient devenus leurs maris embellissaient au fil des ans, au point que lorsqu'on leur demandait si elles avaient eu le coup de foudre, elles répondaient gaiement par l'affirmative.

Les souvenirs étaient des images mouvantes dont le sens évoluait constamment. C'étaient des histoires que se racontaient les gens. Utiliser le *Glom* – le monde souterrain des souvenirs et des ombres, un espace auquel les vampires avaient accès à volonté lorsqu'ils voulaient lire et contrôler les esprits –, c'était comme entrer dans une chambre noire, un labo où les photographes développent leurs clichés en les trempant dans des bains de produits chimiques, en les faisant sécher sur des fils de Nylon. Mimi se souvint de la chambre noire de

Duchesne, où elle allait se cacher avec ses familiers. En passant la porte à tambour, en quittant le monde en Technicolor du lycée, elle entrait dans un petit espace confiné, si sombre qu'elle avait un instant l'impression d'être aveugle. Mais les vampires voyaient dans le noir, bien sûr.

Est-ce que cela existait encore, les chambres noires, ailleurs que dans les films où l'on traque un tueur en série ? se demanda-t-elle. Aujourd'hui, tout le monde avait des appareils numériques. Le labo photo, c'était de la préhistoire. Comme les lettres écrites à la main et les premiers rendez-vous chastes.

Les labos photo, Force ? Je ne te vois pas photographe.

Et moi je te vois venir avec tes gros sabots, lui renvoya Mimi.

Ha, ha.

Occupe-toi de ton patient. Tu vas réveiller le mien.

C'était contraire au protocole que Kingsley vienne faire un tour dans son espace mental. Les quatre *Venator* se percevaient mutuellement, mais ils étaient censés rester sur des canaux séparés pour regarder des rêves différents. Ils étaient entrés dans un foyer pour femmes, un lieu en ville où les filles des provinces éloignées trouvaient un lit pour une somme dérisoire.

Mimi se trouvait dans l'esprit d'une jeune fille. Celle-ci avait à peu près le même âge qu'elle, du moins dans ce cycle : dix-sept ans.

Elle travaillait comme femme de chambre dans un hôtel. Mimi passa en revue les trois derniers mois de sa vie. Elle la vit faire les lits, sortir les ordures, aspirer les tapis et empocher les menus pourboires que les clients laissaient sur les tables de chevet. Elle la vit attendre son petit ami, un coursier à vélo, dans un café après le travail. Travail, petit ami, travail, petit ami. *Qu'est-ce que c'est que ça ?* Le gérant de l'hôtel forçait la fille à entrer dans son bureau et l'obligeait à se déshabiller. Intéressant. Mais était-ce vrai ?

Grâce à sa formation de *Venator*, Mimi avait appris à distinguer la fiction de la réalité, les souhaits de leur réalisation. La fille était-elle réellement malmenée par son patron, ou craignait-elle seulement que cela n'arrive ? Cela ressemblait à une image créée par la peur. Mimi introduisit une compulsion : elle imagina la fille repoussant son patron, le frappant exactement là où ça fait mal. Voilà. Si jamais cela arrivait, la fille saurait quoi faire.

– Appel à Lennox Un ? résonna la voix de Kingsley dans le noir.

– Négatif.

– Deux ?

– Négatif.

– Force ?

Mimi soupira. Il n'y avait aucun signe de la Vigie dans les pensées de la fille.

– Négatif.

Elle se força à ouvrir les yeux. Elle était debout au-dessus de sa patiente, qui dormait profondément sous ses couvertures. Mimi eut l'impression qu'elle avait un petit sourire aux lèvres. *N'aie pas peur*, lui envoya-t-elle mentalement. *Les filles peuvent faire tout ce qu'elles veulent.*

– Bien. On se tire.

Kingsley les entraîna dans la nuit, dans les rues de terre battue et sur les marches branlantes qui menaient de plus en plus loin dans l'amoncellement hétéroclite de maisons et d'immeubles accrochés de guingois à la colline.

Mimi gravit le coteau avec l'équipe, passant devant des poubelles débordantes et des tas d'ordures pourrissantes. Ce n'était pas si différent de certains quartiers de Manhattan, se dit-elle, bien que ce soit étonnant de voir dans quelle promiscuité vivaient les gens et comme leurs priorités étaient déformées. Elle avait vu des maisons – ou plutôt des cabanes, en réalité – sans eau courante ni toilettes, mais fièrement équipées d'un téléviseur à écran plat de quarante-deux pouces et d'antennes satellites. Il y avait des berlines allemandes rutilantes dans les garages de fortune alors que les enfants n'avaient pas de chaussures.

À propos d'enfants, elle les entendit avant de les voir. La joyeuse petite bande de mioches qui les suivaient partout depuis une semaine. Leurs visages crasseux, tachés de goudron, leurs haillons sur lesquels on distinguait les logos délavés d'équipes sportives américaines, leurs mains tendues, paumes vers le ciel, vides. Cela lui rappelait une fameuse campagne de sensibilisation publique qui passait autrefois le soir à la télé : « Il est vingt-deux heures. Savez-vous où sont vos enfants ? »

– *Senhora bonita, Senhora bonita*, répétaient-ils tandis que leurs pieds nus claquaient sur le sentier mouillé.

– Pchhht ! souffla Mimi en les repoussant du geste comme des mouches envahissantes. Je n'ai rien pour vous aujourd'hui. *Nada para voce. Deixe-me sozinho !* Laissez-moi tranquille.

Leur mendicité lui donnait la migraine. Elle n'était pas responsable de ces gens, de ces enfants... Elle était un *Venator* en mission officielle, pas une célébrité en campagne de presse. D'autre part on était au Brésil, un pays émergent. Il y avait des endroits bien pires au monde. Pour tout dire, ces gamins des rues n'avaient pas idée de leur chance.

– *Senhora, senhora !*

La petite – un amour de fillette en maillot de corps taché, dont les boucles brunes rebondissaient sur ses épaules – l'avait attrapée par le dos de son chemisier. Comme les autres *Venator*, Mimi portait un manteau en vinyle noir et un pantalon en Nylon imperméable, leur costume standard. Elle avait refusé les lourdes bottes (elles lui faisaient de gros pieds), et portait de nouveau les siennes, en poulain, à talons hauts.

– Bon, d'accord, dit Mimi.

C'était sa faute si les enfants l'entouraient ainsi. Car elle avait beau s'efforcer de durcir son cœur, de rester impassible, stoïque, indifférente face à cette pauvreté véritablement consternante – elle qui considérait déjà sa chambre ordinaire, à l'hôtel (même pas une suite !) comme une privation –, elle constatait que quand les enfants s'amassaient autour d'elle, elle avait toujours quelque chose à leur donner.

Un bonbon. Un dollar. (Hier, dix dollars chacun.) Une barre chocolatée. Quelque chose. Les enfants l'appelaient la « belle dame », *senhora bonita*.

– Rien pour vous aujourd'hui ! C'est vrai ! Je n'ai plus rien ! protesta-t-elle.

– Ils ne te croiront jamais. Pas depuis que tu as cédé le premier jour, commenta Kingsley d'un air amusé.

– Parce que tu fais mieux, peut-être, bougonna Mimi en plongeant la main dans son sac à dos.

Tous les quatre étaient faciles à attendrir. Les jumeaux taciturnes distribuaient les chewing-gums et on pouvait toujours compter sur Kingsley pour payer sa tournée de beignets *kibe* achetés dans la rue.

La petite fille aux boucles brunes attendit patiemment que

Mimi sorte un chien en peluche qu'elle avait acheté spécialement pour elle à la boutique de l'hôtel le matin même. La tête
du jouet lui rappelait son propre chien. Elle aurait aimé que
ce bon toutou soit là pour l'accompagner, mais le besoin de
protection par les familiers canins s'estompait dans les dernières années de la transformation.

– Tiens. Et partagez-vous tout ça, dit-elle en leur tendant
une énorme boîte de bonbons. Et maintenant, ouste !

– *Obrigado ! Obrigado, senhora !* crièrent-ils en s'enfuyant avec
leur butin.

– Tu les aimes bien, dit Kingsley avec un demi-sourire de
travers que Mimi trouva exaspérant car il le rendait plus beau
que nécessaire.

– Pas du tout.

Elle secoua la tête sans croiser son regard. Peut-être avait-
elle bu trop de ce Coca-Cola mexicain hyper-sucré qu'ils
avaient ici. Ou peut-être était-elle simplement fatiguée, seule,
et loin de chez elle. Car quelque part au centre du cœur noir,
sec et blindé d'Azraël, quelque chose était en train de fondre.

Disparu

– *Tu dois demander à Charles... Tu dois l'interroger sur les portes...
sur l'héritage des Van Alen et sur les chemins des Morts.*

Tels avaient été les derniers mots de son grand-père.

Mais Charles Force n'était plus là lorsque Theodora était rentrée de
Rio. Oliver avait découvert, grâce à ses contacts au Sanctuaire, qu'il
était parti un après-midi faire sa promenade habituelle à Central
Park, et qu'il n'était jamais rentré. Il y avait une semaine de cela.
L'ancien Rex n'avait laissé aucune lettre, aucune explication. Apparemment, il avait tout laissé dans le chaos derrière lui. Le groupe Force
avait perdu la moitié de sa valeur dans le krach boursier, le conseil
d'administration était furieux : l'entreprise sombrait et il n'y avait
pas de capitaine à la barre.

Mais quelqu'un devait bien savoir où il était, se disait Theodora ;
et un matin, elle avait coincé Trinity Force au salon de coiffure où elle
faisait faire ses balayages. La doyenne de la scène mondaine new-
yorkaise était drapée dans un peignoir de soie, assise sous le casque.

– *Je suppose que tu as appris la nouvelle*, dit-elle sèchement en posant son magazine pendant que Theodora prenait le siège à côté d'elle. *Charles doit avoir de bonnes raisons pour agir comme il le fait. Seulement, j'aurais préféré qu'il m'en fasse part.*

Theodora lui répéta alors les derniers mots de Lawrence au sommet du mont, en espérant que Trinity pourrait l'éclairer un peu sur son message.

– L'héritage des Van Alen, dit la femme en s'observant dans le miroir et en tapotant le bonnet de plastique qui couvrait ses papillotes. Quoi que cela signifie, il y a longtemps que Charles a tourné le dos à tout ce qui concernait sa « famille ». Lawrence vivait dans le passé, comme il l'a toujours fait.

– Mais Lawrence soutenait que Charles était la clé.

– Lawrence est terminé.

Trinity avait dit cela comme si Lawrence avait été un acteur qui aurait simplement achevé son rôle dans une pièce. Pas comme s'il s'était éteint. Pas comme s'il était mort. Parti pour toujours.

Terminé.

Il y avait autre chose... une chose étrange que son grand-père avait dite, et dont Theodora voulait confirmation. Elle ne savait pas si Trinity était au courant, mais il fallait qu'elle pose la question.

– Il a dit aussi que j'avais une sœur, et qu'elle serait... qu'elle serait *notre mort.*

Theodora se sentait bête de répéter une révélation aussi fracassante.

– J'ai une sœur ?

Pendant longtemps, Trinity ne répondit rien. Le bruit des sèche-cheveux et des clientes bavardant avec leurs coiffeuses emplissait le silence. Lorsqu'elle finit par parler, sa voix était calme et maîtrisée.

– Dans le sens où ta mère a eu une autre fille, oui. Mais c'était il y a longtemps, bien avant ta naissance, dans un autre cycle, à un autre siècle. Et la fille, on s'est occupé d'elle. Lawrence et Charles y ont veillé.

90

Lawrence... Une des raisons pour lesquelles il s'est exilé est qu'il n'a jamais renoncé à ses fantasmes. Il était mourant, Theodora, et il va falloir que tu comprennes... Il se raccrochait au moindre espoir, il tentait de recoller les morceaux. Il n'avait sans doute même pas toute sa tête.

Lawrence avait donc dit la vérité. Elle avait une sœur. Qui ? Quand ? Elle était déjà morte ? On s'était occupé d'elle ? Qu'est-ce que cela signifiait ? Mais Trinity refusa d'en dire plus.

– J'en ai déjà trop dit, conclut-elle, le sourcil froncé.

– Le Conclave m'a demandé de faire une déposition demain sur ce qui s'est passé à Rio. Serez-vous là ? lui demanda Theodora avec une pointe de mélancolie.

Elle s'était soudain rendu compte qu'elle avait terriblement besoin d'une mère dans sa vie. Trinity n'avait jamais essayé de remplir ce rôle, mais elle avait quelque chose de pragmatique et de sensé qui lui rappelait Cordelia. C'était déjà mieux que rien.

– Je suis navrée, Theodora, mais je ne pourrai pas venir. Comme d'habitude, les sang-rouge ont laissé la cupidité prendre le dessus dans leur système financier. Depuis le départ de Charles, je suis tenue envers le conseil d'administration de faire le peu qui est en mon pouvoir pour étancher le bain de sang. Je pars pour Washington ce soir.

– Ça ne fait rien.

De toute manière, elle ne s'était pas attendue à autre chose.

– Et aussi, Theodora ? ajouta Trinity en la regardant gentiment, comme l'aurait fait une mère rabrouant sa fille rebelle. Depuis ton retour, ta chambre est restée vide.

– Je sais, répondit simplement Theodora. Je ne vais plus vivre avec votre famille.

Trinity soupira.

– Je ne t'arrêterai pas. Mais sache que lorsque tu n'es pas chez nous, tu n'es pas sous notre protection. Nous ne pouvons pas t'aider.

91

– Je comprends. Je prends le risque.

Par habitude, Theodora et Trinity échangèrent des bises distraites pour se dire au revoir. Theodora sortit du cocon chaud et apaisant du salon de beauté pour s'en aller dans les rues de New York, seule.

Charles Force était parti. Charles Force était une impasse. Il avait disparu en emportant ses secrets avec lui.

Elle devrait découvrir toute seule l'héritage des Van Alen.

DOUZE

Theodora

L e baron de Coubertin était déguisé en Attila, en armure de
guerre complète, avec arc et flèches dans un carquois
passé sur une épaule, bouclier et lance. Il était coiffé d'un
casque pointu sur une perruque de longs cheveux noirs. La
longue barbe était fausse également. Il se rapprocha, le visage
terriblement renfrogné, et tapa sur l'épaule de Theodora.

– La comtesse désire que vous me suiviez, je vous prie, dit-
il avant de tourner brusquement les talons.

Theodora et Oliver commencèrent à l'accompagner
ensemble, mais le baron les arrêta.

– La comtesse accorde un entretien à Miss Van Alen uniquement, dit-il dans un anglais parfait en regardant Oliver d'un
air sévère, comme si ce dernier l'incommodait. Vous, vous restez ici.

Theodora acquiesça malgré les protestations d'Oliver.

– Tout ira bien, dit-elle. Je te retrouve après. Ne t'inquiète
pas.

Elle sentit le regard des autres invités se tourner vers eux.

À qui parlait donc le baron ? *Qui sont ces deux-là ?* Ils commençaient à sortir de l'anonymat. Il allait falloir qu'ils se fondent dans le décor avant de se faire remarquer.

– Ne pas m'inquiéter ? Mais si je ne m'inquiétais pas, je serais au chômage ! répondit Oliver en haussant les sourcils.

– Je suis capable de m'en tirer, insista Theodora.

– C'est bien ce qui m'inquiète, soupira-t-il.

Il pressa son épaule nue. Il avait les mains calleuses à force de voyager et de travailler. Ce n'étaient plus les mains douces du garçon qui passait ses après-midi dans les musées. L'Oliver que Theodora avait connu n'avait jamais dormi de sa vie dans un hôtel de moins de cinq étoiles, et encore moins dans des auberges pouilleuses comme celles où ils séjournaient à présent. Elle l'avait vu marchander des nouilles chinoises à Shanghaï, discuter pour cinq centimes.

– Tout va bien se passer, promit-elle avant d'ajouter à voix basse, afin que le baron n'entende pas : Je crois bien que je n'ai pas d'autre moyen de rencontrer la comtesse.

– Laisse-moi lui reparler ; peut-être qu'il m'écoutera, chuchota à son tour Oliver en regardant d'abord le baron, puis Theodora. Si jamais il t'arrive quoi que ce soit...

– « ... je ne me le pardonnerai jamais ». (Elle retira doucement sa main.) Moi aussi j'ai peur, Ollie. Mais on s'est mis d'accord. Il faut le faire.

Oliver serra les dents.

– Je n'aime pas ça, dit-il en lançant un regard noir au baron.

Pourtant il la laissa partir.

Theodora suivit le baron. Ils sortirent de la cour et rentrèrent dans le grand hall. Il lui fit traverser une enfilade de pièces, parmi lesquelles la bibliothèque et bien d'autres. Au

94

bout d'un long couloir, il ouvrit une porte qui donnait sur une antichambre et la fit entrer. C'était une petite pièce décorée de mosaïques dorées, vide à l'exception d'un banc de velours rouge au centre.

– Attendez ici.

Il sortit et ferma la porte au verrou derrière lui.

Theodora regarda autour d'elle. Il y avait une autre porte dans le fond de la pièce, qui devait communiquer avec le bureau de la comtesse. Theodora sentait les protections en place, qui gardaient la pièce. Il n'y avait aucune issue à part les deux portes fermées à clé. L'un des enseignements de Lawrence avait été de percevoir les protections invisibles autour de soi, afin de trouver comment les surmonter. Une évasion, c'était quatre-vingt-dix pour cent de préparation et dix pour cent de chance, comme il aimait à le répéter.

Theodora attendit pendant ce qui lui parut des heures, seule dans l'antichambre. La pièce était complètement isolée des bruits extérieurs. Elle n'entendait pas le moindre son venant du bal. Enfin, la porte s'ouvrit.

– Monsieur de Coubertin ? appela-t-elle.

– Essaie autre chose.

Elle connaissait bien cette voix ; elle la connaissait si bien qu'elle en eut le souffle coupé.

Non. Ce n'était pas possible. Theodora se sentait paralysée. C'était comme si le passé revenait se moquer d'elle. Quelqu'un lui jouait un sale tour. Il n'était pas envisageable qu'*il* soit ici. La seule personne à New York qu'elle ait essayé si fort d'oublier...

Jack Force entra. À la différence des autres fêtards, il était habillé simplement, tout en noir. Un uniforme de *Venator*. Ses cheveux blond platine étaient coupés court, une coupe militaire qui faisait ressortir encore davantage ses traits aristocratiques acérés. Il se déplaçait avec une grâce naturelle, faisant le tour de la pièce tel un fauve rôdant autour de sa proie. Comme il était beau ! Elle avait oublié... ou peut-être avait-elle seulement imaginé avoir oublié.

Ils ne s'étaient pas vus depuis le dernier soir dans l'appartement de Perry Street. Le soir où elle lui avait dit qu'elle en aimait un autre. Comme cela faisait mal de voir son beau visage si grave et si sérieux, comme s'il avait vieilli de toute une vie en un an !

La douleur était presque physique : un désir qu'elle avait réprimé et qui flambait de nouveau, rouge, vif, virulent, surprenant d'intensité. Une envie impossible : un trou dans son cœur qui ne demandait qu'à être comblé. *Non. Stop. Ne va pas par là.* Elle était furieuse contre elle-même de ressentir cela. C'était *mal*, et incroyablement déloyal envers l'existence qu'elle menait depuis un an. Une trahison envers la vie qu'Oliver et elle avaient construite ensemble.

Si seulement il y avait eu quelque chose à faire pour maîtriser son cœur ! Son cœur plein de traîtrise, aux battements sauvages. Car elle n'avait envie que d'une chose : courir se jeter dans les bras de Jack.

– Jack, dit-elle dans un souffle.

Même prononcer son prénom était difficile. Était-ce si terrible d'avoir tant voulu le revoir ? Dieu savait qu'elle avait essayé de cesser de penser à lui, qu'elle avait banni toute pensée de lui dans le coin le plus sombre de son âme.

Pourtant il était toujours là : dans ses rêves, elle retournait sans cesse jusqu'à l'appartement au-dessus de la ville, devant la cheminée, près du feu. On ne pouvait pas s'empêcher de rêver, n'est-ce pas ? Ce n'était pas sa faute. C'était ça, le problème. Quelle que fût sa volonté, son inconscient la ramenait toujours à lui.

Le voir vivre et respirer juste devant elle, comme cela, c'était comme une attaque directe contre tout ce à quoi elle avait essayé de se raccrocher pendant son exil de plus d'un an. Elle s'était persuadée que son amour pour lui était mort et enterré, enfermé dans un coffre aux trésors englouti, qui ne devait jamais être rouvert. Elle avait fait son choix. Elle aimait Oliver. Ils étaient heureux, ou du moins aussi heureux que peuvent l'être deux personnes dont la tête est mise à prix. Elle n'avait pas le droit d'aimer Jack, et ne l'avait jamais eu. Ce qu'ils avaient autrefois signifié l'un pour l'autre n'était plus. Il était un étranger pour elle.

De toute manière, il était désormais uni à sa jumelle vampirique, à Mimi, sa sœur. Les sentiments que Theodora éprouvait encore – malheureusement – pour lui n'entraient pas en ligne de compte. Ils n'avaient aucune importance. Il était déjà uni à une autre. Elle n'était rien pour lui, ni lui pour elle.

– Qu'est-ce que tu fais là ? lui demanda-t-elle comme il se contentait de l'observer en silence, même après qu'elle eut prononcé son nom.

– Je suis venu te chercher, dit-il, la bouche figée dans une ligne sévère.

Alors, elle sut. Jack était présent à la demande du Conclave. Il était là pour la ramener à New York. Pour la ramener en captivité. Il était là pour la ramener face à l'inquisiteur, pour sa condamnation. Coupable ou innocente, cela n'avait pas d'importance, elle savait ce que serait le verdict : ils s'étaient retournés contre elle. Jack était des leurs, à présent. Il faisait partie du Conclave. Il était l'ennemi.

Theodora recula pour aller se coller contre le mur opposé, tournée vers l'autre porte, tout en sachant que c'était inutile. Vu les protections en place, il n'y avait pas d'autre issue que l'évasion. Il faudrait qu'elle essaie. Partir en courant depuis le mur et sauter assez haut pour traverser la verrière.

Jack vit le rapide mouvement de ses yeux vers le plafond.

– Tu détruiras cette pièce si tu essaies.

– Qu'est-ce que ça peut me faire ?

– Je pense que ça t'ennuierait. Je pense que tu aimes l'hôtel Lambert autant que moi. Tu n'es pas la seule à avoir joué dans ses jardins.

Bien sûr, Jack était déjà venu. Son père était l'ancien *Rex*. Les Force avaient probablement séjourné dans l'aile réservée aux invités, comme Cordelia et elle. Et alors ?

– Je le ferai si je n'ai pas le choix. Tu vas voir.

Jack fit un pas vers elle.

– Je ne suis pas ton ennemi, Theodora. Quoi que tu en penses. Tu te trompes. Tu n'as aucune chance de cette manière. Il y a une protection que tu ne sens pas, une que Lawrence ne t'a pas enseignée. Tu te fracasserais contre le verre. Et je ne veux pas qu'il t'arrive le moindre mal.

– Ah non ?

– Tu n'as pas le choix. Viens avec moi, Theodora, je t'en prie.

Jack tendit la main. Ses yeux vert bouteille étincelants se faisaient doux et suppliants. Son expression menaçante avait entièrement disparu. Il avait l'air vulnérable et perdu. C'était ainsi qu'il l'avait regardée cette nuit-là. Lorsqu'il lui avait demandé de rester.

Elle lui donna la même réponse qu'alors.

– Non.

Avant même d'avoir pu respirer elle courait déjà sur le côté et vers le haut, si vite qu'elle n'était qu'une tache floue et rose sur le mur, puis elle bondit, traversa le plafond de verre, envoyant une pluie de débris cristallins s'écraser sur le sol de marbre. Tout fut terminé en un instant.

Il se trompait. Elle connaissait le sortilège qui faisait tenir la verrière, et elle connaissait le contre-sort qui l'avait détruite. Le *Contineo* et le *Frango*. Lawrence lui avait donné une instruction très complète. En cela au moins, elle se montrerait à la hauteur de son grand-père.

Désolée, Jack. Mais je ne peux pas retourner là-bas.

Jamais.

Puis elle disparut dans la nuit.

TREIZE

Bliss

– Écoutez-moi ! Je ne partirai pas tant que je n'aurai pas vu Bliss ! J'insiste ! Il vous faudra appeler la police si vous voulez vous débarrasser de moi !

La voix était forte, agressive et tonnante, pleine d'elle-même, débordante de la certitude totale et entière d'avoir raison à cent pour cent, remplie du genre d'arrogance new-yorkaise que seul un citadin blasé peut rassembler. C'était le genre de voix qui se déchaîne contre les coursiers à vélo et aboie des ordres à des subalternes courant dans tous les sens pour lui trouver un café demi-caféiné sans mousse. Elle était si impérieuse et insistante qu'elle perçait à travers le coton qui isolait Bliss du monde extérieur.

Le Visiteur remua. C'était comme regarder un serpent lové se préparant à bondir. Bliss retint sa respiration.

La voix poursuivait sa tirade.

– Vous pouvez au moins lui dire qui est là ?

Que signifient ces absurdités ?

Bliss sursauta. C'était la première fois en un an que le Visiteur s'adressait directement à elle.

Brutalement, les lumières s'allumèrent et elle constata qu'elle y voyait, et même qu'elle regardait par la fenêtre. Un petit homme chauve était à la porte, l'air furieux, et il s'énervait contre la bonne.

C'est Henri, dit-elle.

Qui ça ?

Mon manager.

Explique-moi ça.

Bliss envoya au Visiteur des images et des souvenirs : l'attente devant le bureau de l'agence Farnsworth, son book sur les genoux, les cappuccinos chez Balthazar avec Henri pour le petit déj', avant les cours, le podium pendant la *Fashion Week* de New York, les séances de pose dans les lofts de l'immeuble Starrett-Lehigh − siège des principales maisons de couture −, elle et ses campagnes de pub pour Civilisation Couture, les vols en jet privé pour aller faire des photos dans les Caraïbes, les images d'elle sur les panneaux d'affichage, en double page dans les magazines, sur les flancs des bus et les toits des taxis.

Je suis mannequin, vous savez ? lui rappela-t-elle.

Le cobra se détendit, déroulant ses anneaux, rentrant sa langue bifide. Mais une méfiance crispée demeurait. Tout cela n'amusait pas le Visiteur.

Mannequin. Une statue vivante.

Il prit rapidement une décision.

Débarrasse-toi de lui. J'ai été négligent, je n'aurais jamais dû laisser cela arriver. Nous maintiendrons les apparences. Personne ne doit soupçonner que tu n'es pas toi. Ne me déçois pas.

Que voulez-vous dire... que voulez-vous que je fasse ? demanda Bliss, mais avant d'avoir eu le temps de finir, ZOUM, elle était de retour dans son corps, qu'elle contrôlait parfaitement.

Rien à voir avec la pitoyable tentative de la semaine précédente pour balayer la frange de son front. Elle avait compris quelle quantité d'elle-même il lui cachait, et s'efforçait de le lui dissimuler.

C'était comme revenir à la vie après avoir été enfermée dans un cercueil. Elle chancelait sur ses jambes comme un poulain nouveau-né. C'était comme si le monde redevenait net après avoir été observé durant des années dans une version cinématographique floue et granuleuse. Elle sentait le parfum des roses trémières derrière sa fenêtre, le goût du sel dans l'air marin. Ses mains... ses mains étaient les siennes. Elles lui paraissaient légères et fortes, pas lourdes et lestées. Ses jambes bougeaient ; elle marchait ! Elle trébucha sur le tapis. Aïe ! Elle se releva et continua avec plus de prudence.

Mais sa liberté avait un prix, car elle le sentait, elle sentait une présence, dans l'espace juste derrière elle (cette satanée banquette arrière), qui attendait, qui observait. *C'est un test*, se dit-elle. *Il veut voir ce que je vais faire. Je dois réussir... me débarrasser d'Henri. Mais Henri ne doit pas soupçonner que quoi que ce soit de bizarre m'est arrivé.*

Elle ouvrit la porte de sa chambre, savourant la sensation du bouton de porte en bronze froid dans sa main, et dévala l'escalier.

— Attendez ! Manuela ! Laissez-le entrer ! cria-t-elle en courant vers l'entrée.

C'était une joie d'entendre sa voix de retour dans le monde... sa merveilleuse voix de gorge qui portait dans l'air.

Elle avait un son différent dans sa tête. Bliss avait envie de chanter.

– Bliss ! Bliss ! s'écria le petit chauve.

Henri n'avait pas changé d'un iota : mêmes lunettes sans monture, même garde-robe monochrome. Il était tout de blanc vêtu, dans son uniforme d'été : chemise en lin et pantalon assorti.

– Henri !

Il la noya sous un nuage de baisers.

– J'essaie de te joindre depuis des mois ! Tout le monde est horrifié de ce qui s'est passé ! Oh, mon Dieu ! Je n'y crois toujours pas ! Je suis si heureux de voir que tu vas bien ! Je peux entrer ?

– Bien sûr.

Elle l'emmena dans le salon baigné de soleil où la famille recevait ses invités. En matière de décoration, BobiAnne s'était quelque peu laissé emporter par le thème nautique. Des avirons étaient accrochés aux murs, les coussins bleu et blanc étaient garnis d'une ganse en cordage, et il y avait des phares miniatures un peu partout. Bliss demanda à la bonne d'apporter des rafraîchissements et s'installa parmi les coussins. Jouer les hôtesses lui venait facilement ; elle avait été élevée pour cela toute sa vie. Cela aidait, bien sûr. Elle se retint de frotter ses pieds nus contre le plaid ou de sauter et rebondir sur les coussins moelleux.

Elle était en vie ! Dans son corps à elle ! Elle parlait avec un ami ! Mais elle composa ses traits avec autant de soin que ses pensées. Ce ne serait pas convenable de sembler délirante de joie alors que la moitié de sa famille était morte ou portée disparue. Cela soulèverait certainement des soupçons.

– Avant tout, mes condoléances pour BobiAnne, dit Henri en retirant ses lunettes de luxe et en nettoyant les verres avec le coin de sa chemise. Tu as bien reçu nos fleurs, n'est-ce pas ? Mais nous n'attendions pas de carte de remerciement ni rien. Ne t'en fais pas pour cela.

Des fleurs ? Quelles fleurs ? Comme Bliss ne répondait pas, Henri eut l'air inquiet, et elle masqua immédiatement sa confusion en lui prenant la main.

– Bien sûr ! Bien sûr... Elles étaient superbes, quelle délicate attention.

Évidemment, l'agence avait envoyé des fleurs pour la cérémonie en mémoire de BobiAnne.

Entre les lignes de leur conversation, Bliss comprit que les journaux avait expliqué les morts du Conclave par un incendie à la villa Almeida. On soupçonnait une malveillance, mais vu la lenteur de la *polícia*, il y avait peu d'espoir que justice soit faite un jour.

La bonne revint avec un pichet de la boisson préférée de BobiAnne : moitié thé glacé, moitié citronnade (à base de citrons fraîchement cueillis dans le verger).

– Un an que je ne t'ai pas vue, je n'arrive pas à le croire ! dit Henri en acceptant un verre givré rempli de la boisson ambrée.

Un an !

C'était un choc. Bliss faillit en lâcher son verre, tant ses mains tremblaient. Elle ne se doutait pas qu'il s'était écoulé tellement de temps depuis la dernière fois qu'elle avait contrôlé son corps et sa vie. Pas étonnant qu'elle ait eu tant de mal à se rappeler les choses.

Cela signifiait qu'elle avait raté son dernier anniversaire.

L'année de ses quinze ans, sa famille avait fêté l'événement au *Rainbow Room*. Mais il n'y avait eu personne pour fêter ses seize ans. Pas même elle-même, pensa-t-elle avec une froide ironie. *Je n'étais même pas là pour mon propre anniversaire.* Toute une année s'était écoulée, pendant laquelle elle avait lutté pour s'accrocher à un semblant de conscience de soi. Elle ne la retrouverait jamais, et le temps était de plus en plus précieux.

Une colère flamboyante monta en elle – elle s'était fait voler toute une année ! – mais de nouveau, elle la réprima. Il ne fallait pas que le passager de sa banquette arrière sût ce qu'elle ressentait. C'était trop dangereux. Elle devait rester sereine.

Elle fit face à son agent, son ami, et s'efforça de cacher son impression d'avoir reçu un coup de poing dans l'estomac.

QUATORZE

Mimi

L'aube se levait sur les collines. Encore une nuit sans résultat dans les bidonvilles. Ils avaient passé en revue tous les hommes, femmes et enfants de la zone qu'ils avaient délimitée. Demain ils remettraient ça, en commençant par les taudis de Jacarezinho, au nord. Le moral de l'équipe commençait à flancher. Mimi pensait qu'ils ne retrouveraient jamais Jordan. Du moins pas à Rio. Kingsley faisait bonne figure, mais Mimi voyait bien qu'il était dépité.

– Mon instinct me dit que j'ai raison, qu'elle est ici, déclarat-il tandis qu'ils descendaient rapidement l'enchevêtrement d'escaliers de fortune taillés à flanc de colline.

Les ruelles étaient vides, hormis les chiens errants et un coq par-ci par-là.

– Le *Glom* dit que tu te trompes, boss.

Il détestait qu'elle l'appelle ainsi, elle le savait.

Il recracha une bouchée de tabac, une giclée marron qui surgit de sa bouche en arc de cercle. Impressionnant, si ça n'avait pas été aussi dégoûtant.

– Je préférerais que tu t'abstiennes, dit Mimi.

– Tu ferais mieux de me dire ce que tu voudrais que je fasse, sourit Kingsley.

Mimi ne lui fit pas l'honneur de le taquiner en retour. Elle se demandait quel effet cela faisait d'être un sang-d'argent repenti... quoi que cela veuille dire. Avait-il encore une âme sœur ? Les mêmes règles s'appliquaient-elles ? Et que faisaient les sang-d'argent, d'ailleurs ? Avaient-ils encore besoin des sang-rouge pour subsister ? Ou vivaient-ils uniquement de caféine et de sucre, comme Kingsley semblait le faire ? Il avait beau être très mince, il était capable d'engloutir une douzaine de donuts d'un coup.

– Chef, cria Ted Lennox. Cette petite veut parler à Force.

C'était la fillette qui les avait suivis la veille au soir. Celle à qui Mimi avait donné la peluche, qu'elle serrait à présent dans ses bras.

– Ma chérie, que fais-tu toute seule comme ça ? lui demanda Mimi. Tu devrais être au lit. Il est cinq heures du matin.

– *Senhora. Senhora.* Vous cherchez quelqu'un, oui ? demanda la petite en portugais, d'une voix hésitante.

Mimi opina. Les *Venator* avaient une couverture. Si quelqu'un leur demandait ce qu'ils faisaient dans le bidonville, ils jouaient les policiers à la recherche d'une personne disparue.

– Oui, c'est ça, répondit-elle dans la langue maternelle de la fillette.

– Une petite fille comme moi.

– Comment le sais-tu ? demanda Mimi d'une voix sévère.

Cela ne faisait pas partie de l'histoire qu'ils avaient inventée. Ils disaient rechercher un voleur, un criminel, un prisonnier évadé, un homme adulte. Personne ne savait qu'ils cherchaient une fillette, car cela aurait faussé les rêves. Si les gens savaient qui ils cherchaient, ils en rêveraient à coup sûr, et cela compliquerait beaucoup le travail des *Venator*.

– Comment sais-tu que nous cherchons une fille ?

– Parce qu'elle me l'a dit.

– Qui te l'a dit ? Et t'a dit quoi ? la pressa Mimi.

La petite secoua la tête, l'air soudain effrayé.

– Tu l'as scannée ? demanda Kingsley en inclinant la tête.

Mimi acquiesça. Le soir de leur arrivée, elle avait fouillé l'esprit de tous les enfants. Elle n'avait rien trouvé. Mais avait-elle cherché à fond ? Ou avait-elle été trop douce ? Le *Glom* était imprévisible : certains humains ne réagissaient pas très bien à l'invasion de leur conscience. S'ils se réveillaient en cours de séance, ils risquaient d'en souffrir, voire de sombrer dans la démence. Il n'y avait qu'à voir ce qu'était devenu leur prétendu témoin.

Les *Venator* étaient habiles et méticuleux, et ils n'avaient encore endommagé aucun sang-rouge. Mais peut-être Mimi n'avait-elle pas voulu prendre de risque. En tout cas pas avec cette petite fille. Elle l'avait examinée sommairement et avait résisté à sonder le fond de son subconscient.

Sam sortit une image de sa poche. C'était la photo scolaire de Jordan. Elle avait un air soucieux et sérieux, dans son uniforme à carreaux.

– Tu l'as vue ? Est-ce que c'est elle ?

La gamine hocha la tête en serrant le chiot en peluche contre elle comme si sa vie en dépendait.

– Eh bien, que sais-tu ? On dit que la vérité sort de la bouche des enfants, intervint Kingsley.

– Chut ! le gronda Mimi.

Son cœur se mit à tambouriner. Était-il possible que la solution de leur quête ait été sous leur nez depuis le départ ? Qu'elle les ait suivis à chaque pas ? Quand les enfants avaient-ils commencé à les suivre ? Ils étaient là depuis le début, depuis le premier soir. Seraient-ils passés à côté parce que Mimi avait été trop faible, trop gentille pour sonder correctement l'âme de la fillette ?

– Tu en es sûre ? Tu es sûre que tu l'as vue ?

Mimi avait envie de la secouer, même si au fond c'est elle-même qu'elle aurait voulu secouer. Elle avait laissé ses sentiments envers elle interférer avec son travail. Et depuis quand Azraël avait-elle des sentiments ?

La petite hocha la tête.

– Oui. C'est elle. Sophia.

Elle appelait Jordan par son vrai nom. Mimi sentit des frissons remonter le long de son échine.

Ted s'agenouilla devant la fillette.

– Comment la connais-tu ?

– Elle habitait ici. Avec sa grand-mère. Nous, on avait peur de la dame. Sophia aussi.

– Et maintenant, où est-elle ?

– Je sais pas. Ils l'ont emmenée.

– Qui ça ?

La petite ne voulut pas le dire.

– *Propone amiciis*, dit Mimi à voix basse dans les intonations autoritaires de la langue sacrée. « Dis-le à tes amis. »

Elle utilisait la compulsion. Elle ne voulait faire aucun mal à la petite, mais il fallait qu'ils sachent.

– Il ne t'arrivera rien. Dis-nous ce dont tu te souviens.

110

– Des méchants. Un monsieur et une dame. Ils l'ont emmenée, dit l'enfant d'une voix neutre. Lundi.

Les *Venator* échangèrent des regards vifs. C'était le jour où ils étaient arrivés à Rio.

– Et cette grand-mère... elle est encore là ? demanda Mimi.

– Non. Elle est partie quelques jours après, expliqua la fillette en les regardant avec de grands yeux craintifs. Sophia a dit que des gens viendraient la chercher, des bons et des méchants. Au départ, on ne savait pas lesquels vous étiez. Mais elle nous a dit que les bons viendraient avec une belle dame, et que vous me donneriez un chien en peluche, poursuivit-elle d'une voix mal assurée.

– Elle t'a dit que nous viendrions ? s'écria Mimi.

– Elle a dit que quand les gentils viendraient, il faudrait leur donner ceci.

Et la petite sortit une enveloppe de sa poche. Elle était maculée de traînées crasseuses. Mais l'écriture était superbement calligraphiée, comme celle que l'on voyait habituellement sur les enveloppes ivoire annonçant une union.

Elle était adressée à *Araquiel*.

L'ange du Jugement, Mimi le savait. Aussi appelé l'ange aux deux visages. L'ange qui portait en lui les ténèbres et la lumière.

Kingsley Martin.

QUINZE

Theodora

L'expression de Jack, au moment où elle brisa la verrière, fut un mélange de stupéfaction et de fierté, mais Theodora ne s'autorisa qu'un rapide coup d'œil. Il fallait absolument qu'elle cesse de penser à lui pour se concentrer sur ce qu'elle faisait. Elle avait bondi de la pièce dans le ciel, atterri sur un treillage et sauté du toit sur le sol. Elle courait dehors, en plein milieu du bal, mais n'était qu'une brume rose aux yeux des invités.

Il était minuit passé et les festivités avaient pris un tour plus sombre : c'était ce moment qui arrive dans toute soirée inoubliable, où l'on a l'impression que tout est possible, que tout peut arriver à n'importe qui. Il y avait une ambiance torride de sauvage abandon tandis que les stars de Bollywood dansaient et se trémoussaient, ondulant du ventre en courbes serpentines, et que cent percussionnistes frappaient des tambours *dhol* en bois sur un rythme régulier et lancinant. Theodora n'aurait su dire précisément pourquoi, mais il y avait quelque chose de presque lugubre dans la nature hypnotique de la musique, dont la séduction devenait quasi menaçante.

L'écouter, c'était un peu comme être chatouillé trop fort : ce moment où les chatouilles cessent d'être amusantes pour devenir une forme de torture, et où le rire devient pénible et incontrôlable.

Elle traversa telle une tornade une ligne de danseurs de *bhangra* qui faisaient claquer leurs cymbales et renversa l'un des acrobates sur échasses, lequel manqua de peu un groupe de porteurs de torches qui montaient la garde autour du périmètre.

Mais où qu'elle aille, il était toujours dans son dos. À peine à un battement de cœur d'écart.

Theodora !

Elle entendit clairement la voix dans son esprit. Jack utilisait le *Glom* avec elle. Ce n'était pas juste. S'il avait prononcé son nom à voix haute, elle lui aurait peut-être pardonné ; mais savoir qu'il était dans sa tête, que cela lui venait aussi facilement qu'avant : ça, c'était inquiétant.

Elle passa en courant devant des dompteurs de tigres et des cracheurs de feu, devant un groupe d'aristocrates européens enivrés et repus de sang, qui avaient laissé leurs familiers humains s'évanouir près des murailles côté fleuve. Ce n'était plus une fête, c'était autre chose. Quelque chose de malsain et de dépravé... une orgie, une ode aux excès les plus monstrueux, pernicieux et pervers. Theodora ne pouvait s'empêcher de penser que quelque chose − ou quelqu'un − poussait tout ce petit monde jusqu'à la limite du désastre. Et elle entendait toujours les pas de Jack, légers et rapides derrière elle.

D'une certaine manière, la poursuite la stimulait : courir si vite, utiliser ses muscles vampiriques et les exercer comme jamais elle ne l'avait fait... Dieu, qu'il était rapide ! *Mais je le*

114

suis encore plus, pensa-t-elle. *Je peux te semer, Jack Force. Essaie un peu ; tu ne me rattraperas pas.*

Je peux le faire, et je le ferai.

Theodora ferma son esprit au *Glom*, comme Lawrence le lui avait enseigné. Voilà qui la débarrasserait de lui.

Il y avait forcément un endroit où elle pouvait se cacher. Elle connaissait bien les lieux. Cordelia l'y avait laissée pendant des heures lors de leurs visites, et enfant elle avait exploré le vaste domaine jusqu'au dernier centimètre. Elle en connaissait chaque recoin, chaque cachette secrète. Elle sèmerait Jack dans l'aile résidentielle, où il y avait tant de placards camouflés et de cagibis dérobés. Elle rentra en courant dans le château par l'entrée de service.

Tout en courant, elle envoya un message personnel par voie de *Glom*.

Oliver !

Oliver !

Elle s'efforçait de localiser son signal. *Oliver !*

Mais les humains n'étaient pas aussi sensibles qu'eux aux communications crépusculaires du *Glom*. Oliver n'avait jamais su lire dans ses pensées, et encore moins s'adresser directement à elles. Et bien qu'ils aient essayé de s'entraîner à renforcer le pont mental qui liait un vampire à son Intermédiaire humain, ils s'étaient découragés. Ils étaient jeunes, et il fallait toute une vie pour bâtir un tel pont, comme celui qui existait entre Lawrence Van Alen et Christopher Anderson. Peut-être que dans cinquante ans ils pourraient communiquer par télépathie, mais pour l'instant, non.

Il fallait qu'elle trouve Oliver. Il devait être malade d'inquiétude. Il arpentait sans doute la fête, indifférent au feu d'artifice, en buvant trop de cocktails afin de se calmer les nerfs. Il avait renoncé à tant de choses pour être avec elle... Bien sûr, il lui dirait que ce n'était que son devoir, sa destinée même, de vivre et de mourir à ses côtés. Mais tout de même, elle ne pouvait s'empêcher de se considérer comme un fardeau pour lui, de penser qu'elle lui en avait trop mis sur les épaules en l'obligeant à vivre une cavale sans fin. Il lui avait tout donné – son amitié, sa fortune, sa vie – et tout ce qu'elle pouvait lui offrir en retour, c'était son cœur. Son cœur capricieux, futile, coupable, indigne de confiance. Elle se détestait.

Une idée terrible la frappa : s'ils avaient attrapé Oliver en premier ? *Ils ne lui feraient pas de mal*, se dit-elle. Qu'ils *essaient un peu... S'il lui arrivait quoi que ce soit...* Elle ne voulait même pas y penser.

Alors qu'elle fonçait dans le couloir, tout devint soudain noir. Quelqu'un avait éteint toutes les lumières du palais. Elle pensait connaître le coupable.

Très bien, mais tout comme toi, Jack, je vois dans le noir. Elle trouva la porte d'accès à un escalier dérobé qui descendait au sous-sol, dépassait les cuisines et plongeait dans les oubliettes, vestiges d'une époque révolue. Peu de gens savaient que l'hôtel Lambert était construit sur les ruines d'un château médiéval et que ses fondations cachaient des secrets accumulés.

Seigneur, faites que ce ne soit pas un squelette sur lequel je viens de marcher, pria-t-elle lorsque sa sandale écrasa quelque chose avec un craquement dérangeant.

Elle voyait le contour des marches, délabrées et raides, qui descendaient, descendaient encore... Il fallait qu'elle descende... Il fallait qu'elle s'échappe.

Oliver !

Rien.

Elle allait devoir trouver un moyen de revenir le chercher.

Car elle était enfin arrivée. Au fin fond des oubliettes, dans le cachot isolé qui avait abrité derrière ses barreaux de fer allez savoir combien de prisonniers, d'âmes misérables.

Il ne me trouvera jamais ici.

Elle avait le vertige, la tête lui tournait, et tout son corps était agité de tremblements incontrôlables lorsqu'elle entra.

Et qu'elle tomba droit dans les bras de son ancien amour et poursuivant actuel.

Jack Force.

Ses bras la tenaient en étau. Sa voix était plus froide que l'air autour d'eux.

– Je te l'ai dit, Theodora, tu n'est pas la seule à connaître les secrets de l'hôtel Lambert.

Seize

Bliss

Ce qu'il y avait de bien, avec les gens de la mode, c'est qu'ils étaient en général totalement indifférents aux réactions des autres. Si bien qu'Henri ne remarqua pas un instant l'agitation de Bliss en cancanant sur les derniers potins de New York. La plupart des nouvelles étaient sinistres : tels magazines avaient périclité, tels stylistes avaient fait faillite.

– C'est l'horreur en ce moment, vraiment l'horreur, dit-il en secouant la tête. Mais tu sais, la vie continue... Et notre devise, c'est « Ne jamais se rendre ». Il y a encore du travail, ajouta-t-il avec un regard bien intentionné. Je sais que c'est beaucoup te demander, bien sûr, et je comprendrai totalement si tu n'es pas prête... ?

Il l'observa attentivement par-dessus ses lunettes.

C'est seulement là que Bliss comprit, avec un coup au cœur, qu'Henri lui parlait de reprendre le travail.

Percevant son hésitation, qu'il interpréta comme un assentiment, il passa directement en mode professionnel et posa ses lunettes pour prendre son BlackBerry.

– Rien de trop difficile, juste un petit boulot simple pour te remettre dans le coup. Tu connais le défilé de mode caritatif qu'organise Muffie Astor Carter tous les ans ?

Bliss connaissait. Sa belle-mère se plaignait toujours que Muffie ne lui accorde pas de siège au premier rang alors qu'elle commandait des camions entiers de vêtements à chaque défilé.

– Tu serais parfaite pour. Tu m'autorises à lui dire que tu acceptes ? la cajola-t-il.

– Je ne sais pas...

Le mannequinat. Comme cela lui semblait précieux à présent, comme c'était futile... Comme ce serait amusant de reprendre cette ancienne vie : les *go-see*, les essayages, les bavardages avec les coiffeuses, les stylistes qui vous flattaient, le maquillage professionnel, les fêtes... Cette vie lui était-elle donc encore ouverte ? Elle avait complètement renoncé à l'envisager. Elle avait totalement supposé que tout cela était terminé pour elle, vu ce qui s'était passé. Mais qu'avait dit le Visiteur ? *Personne ne doit rien soupçonner.* Après tout, un an s'était écoulé. Personne ne lui en voudrait de reprendre le travail, si ?

Et le meilleur moyen de surmonter le chagrin et la perte, n'était-ce pas de trouver des distractions ? Et quoi de plus distrayant qu'un bon gros défilé de mode bien idiot, bien frivole ? Comme l'avait dit Henri, regarde un peu tous ces gens qui ont perdu l'argent des autres par tonnes et provoqué le krach... Est-ce que la vie ne continuait pas pour eux comme si de rien n'était ? Est-ce qu'ils ne continuaient pas à donner des soirées de charité et à faire leur shopping chez Hermès pendant que les victimes de leur insatiable avidité pleuraient dans leurs verres en cristal ?

Elle se souvint d'une jeune veuve, une prof de Duchesne, qui était revenue enseigner après le décès brutal de son mari. Reprendre le travail, reprendre son ancienne vie... cela lui semblait soudain... pas impossible.

Débarrasse-toi de lui, lui avait ordonné le Visiteur. Eh bien, donner à Henri ce qu'il voulait était le meilleur moyen de le faire partir. Dès qu'il serait sûr d'avoir retrouvé son ancienne cliente, il lui annoncerait sans aucun doute qu'il avait d'autres choses urgentes à faire. Venir prendre de ses nouvelles n'avait certainement été qu'un prétexte pour savoir s'il pouvait l'inscrire au défilé de mode.

– C'est d'accord, dit-elle en poussant un long soupir.

– C'est d'accord ? répéta-t-il en arrondissant les sourcils.

– D'accord.

Bliss sourit.

Après avoir dit au revoir à son ancien manager, elle resta longtemps assise sur le canapé. À un moment, pendant la visite d'Henri, elle avait senti un changement en elle. Le Visiteur était parti. Le siège arrière était vide, pour autant qu'elle le sût. Peut-être avait-elle passé le test avec succès. Quoi qu'il en soit, il avait quitté les lieux. Mais il avait laissé la porte ouverte. Il lui avait rendu sans le savoir la clé de son propre corps. Ou avait oublié de la reprendre. Comme un parent qui laisse les clés de la Ferrari sur la table. Comme dans ce vieux film qu'elle regardait quand elle était petite chaque fois qu'il passait sur la chaîne USA : *La Folle Journée de...* elle ne savait plus qui. Le jeune héros emplafonnait la Ferrari dans une vitrine. Elle ne ferait jamais une telle bêtise, bien sûr. C'était son corps. Elle disposait de peu de temps et devait l'utiliser judicieusement.

Elle décida de prendre un bain et monta à l'étage. Chacune des dix chambres de la maison avait sa propre salle de bains, immense, et BobiAnne avait laissé Bliss participer à la conception de la sienne. C'était un très bel espace : tout en marbre travertin chaleureux et en éclairages flatteurs. Elle ouvrit le robinet et remplit la baignoire ancienne à pieds de lion, sans oublier d'y verser une dose généreuse de son gel de bain parfumé favori. Puis elle se débarrassa rapidement de ses vêtements et entra dans la baignoire en se délectant des bulles de savon et de la sensation douce de l'eau chaude coulant sur son dos nu.

Ensuite, elle enfila l'un des moelleux peignoirs turcs que sa belle-mère avait accumulés dans la maison et descendit à la cuisine, où elle demanda à la cuisinière de lui préparer le déjeuner. Elle mangea un cheeseburger – saignant, avec du jus qui coulait et se mêlait à la moutarde de Dijon d'une manière qui la rendait toujours heureuse d'être carnivore.

C'est alors que Bliss se rendit compte qu'elle n'avait pas faim au sens véritable. Le sens vampirique. Sa vieille soif de sang s'était éteinte. La fringale n'était plus là. Qu'est-ce que ça voulait dire ?

Elle repoussa l'assiette vide et passa la main dans ses cheveux. Il fallait qu'elle prenne rendez-vous chez le coiffeur le plus vite possible. Le Visiteur voulait qu'elle maintienne les apparences, n'est-ce pas ? Rien de plus naturel pour la fille de Forsyth Llewellyn.

Quand votre père était sénateur à New York, on ne pouvait pas échapper au regard des autres.

DIX-SEPT

Mimi

L e visage de Kingsley était indéchiffrable, et Mimi n'en pouvait plus.

– Alors ? Quoi ? Elle est partie à un concert de Miley Cyrus ? Elle a écrit un roman pour téléphone portable ? Qu'est-ce que ça dit ?

Il la calma d'un regard et leur montra la lettre. Une ligne, tracée de la même écriture superbe. *Phoebus ostendet viam.*

Phoebus était le nom du Roi-Soleil dans la vieille langue, Mimi le savait, et le reste était facile à comprendre.

– « Le soleil montrera la voie », dit-elle. Qu'est-ce que ça veut dire ?

En réponse, Kingsley replia soigneusement le message et le fourra dans la poche de sa veste.

Il n'en sait rien, en fait, pensa Mimi.

– Pourquoi la Vigie prend-elle la peine de nous envoyer un mot si c'est pour écrire une phrase qui n'a aucun sens ? demanda-t-elle, contrariée. Et puis comment a-t-elle su que je venais ? Et que j'apportais une peluche ?

– Tu oublies une chose. La Vigie peut lire l'avenir. Si elle était retenue par des sang-d'argent – comme elle l'était certainement –, elle a dû se sentir assez menacée pour ne se permettre que la communication la plus cryptique.

– C'est une devinette. Un indice, dit soudain Ted. Un indice pour nous dire où elle est. « Le soleil montrera la voie. »

C'était la phrase la plus longue qu'il eût prononcée depuis un an. Même Sam eut l'air surpris de voir son frère si bavard. Kingsley opina.

– Bien sûr. Sophia disait toujours que la sagesse, ça se méritait.

Une devinette. Super. Un an passé à chercher la Vigie, et quand ils arrivaient enfin à quelque chose, ils trouvaient une sorte de sphinx cyclope au milieu du chemin. Ça lui aurait fait mal d'écrire « Suis retenue prisonnière au 101, allée des Favelas ! Venez vite et apportez-moi un Nuts pendant que vous y êtes » ? C'était trop demander ?

Tu fais des plaisanteries futiles, lui dit mentalement Kingsley.

J'essaie juste de continuer à m'intéresser, lui rétorqua silencieusement Mimi. *Et sors de ma tête. Ce n'est pas chez toi, ici.*

Pendant ce temps, les autres *Venator* s'étaient profondément enfoncés dans le *Glom* pour consulter leur mémoire, pour tenter d'élucider le sens du message. Ted finit par ouvrir les yeux pour parler.

– Il y a un bar pas très loin d'ici appelé *El Sol de Ajuste*. « Le Soleil couchant ».

– Et alors ? demanda Mimi.

– C'est une vieille expression sang-d'argent : le soleil couchant décrit la chute de Lucifer sur terre, lui expliqua Kingsley. Ça pourrait être ça.

Ah oui, se rappela Mimi. Lucifer était le prince des Cieux.

L'Étoile du matin. Il était logique que pour les sang-d'argent, sa damnation soit associée au coucher du soleil.

– Alors, qu'est-ce qu'on attend ? demanda-t-elle. On a une Vigie disparue à retrouver, et je ne sais pas pour vous, les gars, mais moi je boirais bien quelque chose.

DIX-HUIT

Theodora

– Il n'y a rien à craindre. Je t'en prie, ne me fuis pas encore une fois.

Le souffle de Jack était chaud dans son oreille, et Theodora ressentait chaque mot comme une caresse. Mais ses mains ne relâchaient pas leur emprise, ses doigts restaient serrés autour de ses bras.

– Lâche-moi ! dit-elle. Tu me fais mal.

Elle reprit son souffle même si, à sa grande surprise, ses tremblements avaient diminué à l'instant où il l'avait touchée.

Elle le sentit lâcher prise, et quelque chose s'affaissa un peu en elle à l'idée qu'il ait cédé si rapidement. Cette partie d'elle condamnable, détestable, qui se languissait de son contact dès qu'il ne la touchait plus. Elle serra les bras autour de ses côtes en tâchant de ne pas se sentir si abandonnée. Pourquoi éprouvait-elle cela ? C'était elle qui l'avait rejeté. C'était elle qui était partie. Jack n'était plus rien pour elle. Plus rien du tout.

– Excuse-moi, chuchota-t-il. Qu'est-ce qui ne va pas ? Tu vas bien ? (Il l'observa avec sollicitude.) Tu trembles.

– C'est juste un truc... Je me mets à trembler, parfois. Ce n'est rien. (Elle se tourna pour le regarder bien en face.) Mais de toute façon, je ne rentre pas. Je ne retournerai pas à New York.

Elle constata avec étonnement que Jack paraissait soudain soulagé, comme si un lourd poids venait d'être soulevé de ses épaules.

– C'est pour ça que tu t'es enfuie ? Parce que tu croyais que je te ramenais à New York ? Ce n'est pas du tout la raison de ma présence.

C'était à son tour d'être perdue.

– Pourquoi, alors ?

– Tu ne le sais vraiment pas ?

Elle secoua la tête.

– Tu es en danger, ici, Theodora, dit-il en jetant un regard prudent autour de lui. Ça grouille de sang-d'argent. Tu ne les sens pas ? Tu ne sens pas leur faim ?

À l'instant où il le dit, elle ressentit précisément ce dont il parlait : une voracité profonde et ardente, un désir indomptable. C'était ça qu'elle avait ressenti au bal, un appétit sans fond de possession, de sexe et de désir, cet envoûtant hurlement de sirène appelant à la dépravation. Cela bourdonnait en bruit de fond, comme un son que l'on n'arrive pas à distinguer mais dont on sait qu'il est là. *Croatan*. Elle avait donc eu de bonnes raisons d'avoir peur. Elle l'avait senti.

Jack l'avait fait reculer dans un coin du cachot, et Theodora commençait à souffrir de claustrophobie dans cet espace confiné. Elle savait d'instinct que beaucoup d'âmes avaient souffert et étaient mortes à l'endroit même où elle se tenait. Elle ressentait une douleur primale, un sentiment d'injustice qui ne trompait pas. À l'époque, les prisonniers étaient envoyés aux oubliettes pour y mourir – pour pourrir en sous-sol, sans jamais revoir le soleil.

C'était amusant que la Conspiration fasse croire aux humains que les vampires craignaient le soleil, alors que c'était tout le contraire. Ils l'aimaient tant qu'ils s'étaient exilés du paradis par amour pour la lumière de Lucifer.

Theodora frissonna tandis que Jack poursuivait ses explications.

– La fête est un guet-apens. Ils sont là pour toi.

– Mais pourquoi les sang-d'argent se soucient-ils de moi ? Qu'est-ce que j'ai de tellement important ? demanda-t-elle en tâchant de ne pas avoir l'air de s'énerver ni de s'apitoyer sur elle-même.

Pourquoi elle ? Elle n'avait pas choisi tout cela. Tout ce qu'elle voulait, c'était qu'on la laisse en paix, mais elle avait l'impression d'être une cible depuis sa naissance.

Quand Jack répondit, ce fut avec l'assurance et la gravité d'une entité bien plus âgée, qui laissaient entrevoir la très ancienne créature cachée derrière le masque de jeune vampire. Comment Lawrence l'appelait-il ? *Abbadon.* L'ange de la Destruction. L'ange de l'Apocalypse. L'un des plus redoutables des anciens généraux de Lucifer.

– Les cycles sont la clé de notre existence ; ils garantissent notre invisibilité persistante dans le monde des humains. D'après le Code des vampires, l'expression de chaque esprit est surveillée de près et enregistrée. Il y a des listes et des règlements pour décider de qui est appelé, par qui et quand. Mais aucun registre ne prévoyait qu'Allegra soit autorisée à mettre au monde une fille dans ce cycle. Donc le seul fait que tu sois née était déjà une transgression.

De naissance, elle était une erreur, pensa-t-elle. Sa mère... cette silhouette immobile et silencieuse couchée sur un lit d'hôpital... *Pourquoi a-t-elle choisi de m'avoir ?* se demanda Theodora.

– Mais quand bien même ? Ça n'explique toujours pas tout. En quoi est-ce que ça les intéresse ? Qu'est-ce que ça peut leur faire ? Ça n'a pas de sens.

– Je sais, soupira Jack.

– Tu ne me dis pas tout, comprit Theodora.

Il la protégeait.

– Dis-moi la vérité. Il y a forcément une raison pour qu'ils essaient de me tuer.

Jack baissa la tête. Enfin, il parla.

– Il y a longtemps, pendant la crise de Rome, Pistis Sophia a vu l'avenir. Elle a dit qu'un jour, le lien irrévocable entre les Incorrompus serait brisé. Que Gabrielle répudierait Michel et qu'elle engendrerait une fille avec un sang-rouge. Et que cette fille serait la mort des sang-d'argent. Sophia ne s'est jamais trompée.

– Alors, je suis leur mort ?

Theodora trouvait cela absurdement comique.

– Moi ? Ils ont peur... de moi ?

Un glapissement à demi hystérique lui échappa avant qu'elle ait pu l'arrêter. C'était d'un ridicule absolu. Comment aurait-elle pu leur faire du mal ? Comme l'avait fait remarquer l'inquisiteur, elle avait raté son coup avec l'épée de sa mère ! Elle était peut-être rapide, forte et légère, mais elle n'était pas une combattante, ni une guerrière, ni une soldate.

130

Jack croisa les bras.

– Il n'y a pas de quoi rire. Le Léviathan t'aurait supprimée sur-le-champ, le fameux soir à Rio, s'il avait su qui tu étais. Et comme il est à présent conscient qu'il est passé si près de toi sans te tuer, il t'a pourchassée jusqu'ici pour terminer le travail.

– Mais comment sais-tu que le Léviathan a retrouvé ma trace ?

– Parce que je l'ai suivi, dit Jack d'un ton lugubre. Mon père et moi le traquons depuis des mois.

– Charles est ici ?

Elle se demandait pourquoi la nouvelle ne la rassurait pas davantage. Charles Force était le meilleur d'entre eux. Il était Michel, le Cœur pur, le Vaillant, prince des Anges, le commandant en chef de l'armée du Seigneur. Elle-même, elle avait cherché Charles, et savoir qu'il était ici, à Paris, et qu'il était son protecteur – ou l'un d'entre eux, en tout cas –, cela aurait dû lui réjouir le cœur. Mais ce n'était pas le cas. Charles Force n'était pas son ami. Ce n'était pas un ennemi, mais pas un ami non plus.

Au moins allait-elle peut-être enfin pouvoir comprendre ce que Lawrence lui avait demandé de faire. Charles serait obligé de lui parler de l'héritage des Van Alen. Theodora avait besoin de savoir. Elle le devait à son grand-père.

Jack opina.

– Oui. Il a décidé de venir en personne lorsque le Conclave a refusé d'envoyer les *Venator* à la poursuite du Léviathan, suite à ta déposition. Pendant des mois, nous avons eu deux villes de retard sur lui. Quand le Léviathan nous a menés ici, à ce bal, nous avons pensé qu'il en avait après la comtesse, car elle avait joué un rôle capital dans son emprisonnement au Corcovado. Mais en te voyant dans la salle de bal, nous avons su quelles étaient ses vraies intentions. Charles m'a envoyé m'assurer de ta sécurité pour aller s'occuper lui-même du Léviathan.

Conclusion : elle était menacée par le pire démon existant. Merveilleux. Elle fuyait les *Venator* alors qu'elle aurait sans doute mieux fait de courir *vers* eux, maintenant qu'elle savait qui lui en voulait vraiment.

– Alors tu me crois ? Tu crois que je n'ai pas tué Lawrence, comme le Conclave le pense ? demanda-t-elle.

Il baissa les yeux.

– Je ne peux pas parler au nom du Conclave. Mais je t'ai toujours crue. J'ai toujours cru en toi, dit-il à voix basse.

– Bien.

Elle hocha la tête en tâchant de se donner un air professionnel, de cacher qu'elle était émue par sa confiance. Jack la croyait. Il était avec elle. Il ne la haïssait pas, au moins. Il ne la haïssait pas de lui avoir brisé le cœur.

– Qu'est-ce qu'on fait, maintenant ?

– On fait les choses dans l'ordre, dit-il avec énergie. Sortons de cette oubliette. Je craignais bien que tu choisisses cet endroit comme cachette. Et comme tu dois l'avoir remarqué, ça sent vraiment mauvais par ici.

DIX-NEUF

Bliss

Muffie Astor Carter (Muriel de son vrai nom) était une sang-bleu dans tous les sens du terme. Elle avait fait ses études dans l'institution pour jeunes filles de Miss Porter et à Vassar, et avait travaillé au service de presse de la marque Harry Winston avant d'épouser le Dr Sheldon Carter, devenu célèbre pour être *le* chirurgien esthétique de la bonne société de Park Avenue. Leur union était l'une des plus controversées de l'histoire récente, car il leur avait fallu un certain nombre de tentatives avant de se trouver : il était son second mari, et elle sa troisième femme.

Elle était aussi l'une des mondaines les plus demandées de New York. Ses rivales jalouses insinuaient sournoisement que le public s'était simplement entiché de son nom. Il était tellement exagérément BCBG qu'on aurait dit une blague. Mais ce n'en était pas une ; c'était du vrai, comme Muffie elle-même, qui incarnait authentiquement la haute bourgeoisie ancienne et passionnée de chevaux, à une époque où fourmillaient les nouveaux riches vulgaires qui ajoutaient des particules à leur nom et ne savaient pas reconnaître un bijou Verdura d'un véritable Van Cleef.

Chaque année, Muffie ouvrait son immense domaine des Hamptons, « Ocean's End », pour un défilé de mode au profit de la Banque du sang de New York. C'était le point d'orgue du calendrier mondain du mois d'août. Située tout au bout de Gin Lane, la propriété s'étendait sur deux hectares et demi et comprenait un manoir, une maison d'hôtes indépendante et tout aussi luxueuse, un garage pour douze voitures et des communs. On trouvait dans le vaste parc deux piscines (une salée et une d'eau douce), des courts de tennis, un étang aux nénuphars et des jardins entretenus par des professionnels. Le gazon des Bermudes était taillé à la main, aux ciseaux, un jour sur deux, afin qu'il soit toujours exactement à la bonne hauteur.

Lorsque Bliss arriva pour l'événement le dimanche en début d'après-midi, elle trouva une longue file de cabriolets sport européens attendant d'être garés par les voituriers. Il y avait une semaine qu'Henri était venu la voir chez elle. Jusqu'à présent, le Visiteur n'avait rien fait contre sa décision de reprendre son identité pour dissimuler leur secret. Elle avait pu aller se faire couper les cheveux, acheter quelques vêtements neufs, et même se rendre à un ou deux cours de Pilates. Les muscles vampiriques avaient beau déployer une force surnaturelle, ils n'en avaient pas moins besoin d'être *raffermis*. Même si le Visiteur semblait satisfait de la nouvelle organisation, il y avait des moments où il revenait brusquement et la renvoyait à son néant. Il était comme ces types qui prennent des voitures en otage, se disait-elle, il brandissait une arme à feu et la repoussait sans ménagement sur la banquette arrière de son esprit.

Mais là, il était absent depuis le matin et Bliss était heureuse de se retrouver parmi des gens, de *sortir de sa tête*, pour ainsi dire. Elle considérait que le seul moyen d'affronter ce qui lui arrivait était d'en rire. Elle se découvrait un penchant pour l'humour noir qu'elle avait toujours ignoré posséder. Elle souriait encore en tendant ses clés au voiturier. Elle était venue dans l'une des automobiles de la maison, un des véhicules « assignés » par la famille à chacune de ses demeures. À Palm Beach, les Llewellyn entretenaient une écurie de grands classiques : une Rolls Royce Phantom, une Bentley de 1955 et une Lincoln Continental de 1969 en parfait état. À New York, ils avaient ajouté à cela une flotte de 4 x 4 noirs, une fois que BobiAnne avait compris que la Rolls Silver Shadow était trop voyante pour Manhattan.

Dans les Hamptons, ils disposaient de plusieurs Mercedes décapotables SLK, des pièces vintage du début des années quatre-vingt-dix qui étaient, curieusement, les véhicules les plus répandus dans l'East End. BobiAnne avait toujours tenté de s'intégrer le plus possible. Bliss avait choisi le modèle rouge vif, assorti à sa bonne humeur. Autant profiter des voitures maintenant : elle ignorait pendant combien de temps ils les posséderaient encore, puisque Forsyth les vendait avec la maison afin que les Llewellyn puissent au moins conserver leur vaste appartement en ville.

Elle s'approcha du devant de la maison, où Balthazar Verdugo, le styliste dont la collection d'automne était présentée ce jour-là, se tenait en tête de la file des hôtes, à côté de la maîtresse des lieux. Balthazar était très apprécié de ses clientes : il en avait même épousé une. Il sentait l'huile de coco et le gel capillaire appliqué à la truelle. Bliss ne l'avait jamais aimé, ni ses créations, d'ailleurs – elles étaient un peu trop chichiteuses à son goût –, mais elle bavarda comme on le fait toujours.

– Belle journée, n'est-ce pas ? J'ai hâte de porter les vêtements ! Merci beaucoup d'avoir fait appel à moi ! Oh, mais
comment s'appelle ce petit amour ? ajouta-t-elle gaiement en
caressant le chihuahua miniature niché au creux du bras du
styliste.

Balthazar serra mollement la main de Bliss et l'abandonna
à Muffie avec un sourire blême.

– Quelle joie de te voir si en forme, ma chérie, lui dit la
femme en l'embrassant de la manière la plus impersonnelle
qui soit.

Muffie avait un front large et plat absolument dépourvu de
rides (la meilleure publicité pour son chirurgien esthétique de
mari), et la coiffure d'un blond parfait que l'on voyait partout
dans l'Upper East Side. Elle était l'incarnation même de la
femme dite racée : bronzée, mince, gracieuse et comme il faut.
Elle était tout ce que BobiAnne avait toujours voulu être sans
jamais y arriver.

– Merci, dit Bliss en tâchant de ne pas se sentir trop mal à
l'aise. C'est bon d'être ici.

– Tu trouveras les autres mannequins à l'arrière. Je crois
bien que nous sommes en retard, comme d'habitude, pépia
gaiement Muffie.

Bliss avança vers les coulisses du chapiteau et prit au passage un canapé sur un plateau et une flûte de champagne au
buffet.

Henri avait raison : c'était un job facile. Ce n'était pas un
vrai défilé de mode, plutôt une simple présentation à des
clients fortunés, sous prétexte de charité. Alors que les véritables défilés étaient des explosions chaotiques d'énergie et
d'angoisse, fréquentés par des centaines de journalistes, de

vendeurs, de célébrités, et couverts par des centaines de supports médiatiques dans le monde entier, le show de Balthazar Verdugo sur les terres de Muffie Carter tenait davantage de la vente de luxe privée, avec des mannequins en prime.

C'était étrange d'être de retour dans le monde réel, de marcher dans l'herbe humide (ou du moins d'y enfoncer ses talons aiguilles), de grignoter des petits-fours en contemplant la vue sublime sur l'océan – une ligne bleue ininterrompue d'un bout à l'autre de l'horizon –, et de se rendre compte que dans certains endroits du monde, même de *leur* monde – le monde du Comité et de l'Assemblée –, certains restaient indifférents aux événements de Rio ; ils ne s'y intéressaient même pas une seconde.

Muffie et les autres femmes du Comité que rencontra Bliss pendant la réception ne firent pas une allusion à la mort de BobiAnne ni au massacre du Conclave. Bliss comprit qu'elles ne faisaient que vivre leur vie : organiser des fêtes, donner des galas de charité, faire la tournée des défilés de couture, des courses de chevaux et des bonnes causes, ce qui remplissait leurs journées. Elles ne paraissaient pas trop inquiètes ni déstabilisées. Cordelia Van Alen avait raison : elles étaient dans le déni le plus profond. Elles ne voulaient pas accepter le retour des sang-d'argent. Elles ne voulaient pas accepter la *réalité* de ce qu'ils avaient fait ni de ce qu'ils comptaient faire. Elle étaient satisfaites de leur vie et voulaient que rien ne change.

Il y avait si longtemps qu'elles n'avaient pas été des guerrières, des soldates, au coude à coude et côte à côte dans la bataille contre le prince des Ténèbres et ses légions... On avait peine à imaginer cette clique de mondaines botoxées et sous-alimentées, ainsi que leurs enfants apathiques, en guerriers endurcis engagés dans une guerre pour le paradis et pour la terre. C'était comme l'avait dit Cordelia à Theodora : les vampires devenaient paresseux et laxistes, ils ressemblaient chaque jour un peu plus aux humains, et ils étaient de moins en moins enclins à accomplir leur destinée céleste.

Bliss comprit lentement que c'était ce qui séparait Cordelia et Lawrence des autres : *ils ne s'en fichaient pas.* Ils avaient maintenu leur vigilance contre les forces de l'enfer et avaient sonné l'alarme. Une alarme que personne n'avait envie d'entendre. Les Van Alen étaient l'exception qui confirmait la règle. C'était logique que Theodora soit exactement comme eux. Son amie n'avait jamais été à l'aise dans le monde des riches oisifs, bien qu'elle fût née dedans. Mais Theodora n'était pas la seule. Même Mimi et Jack Force étaient différents des autres. Ils n'avaient pas oublié leur glorieux passé. Il suffisait de regarder une fois la manière dont Mimi exhibait ses extraordinaires talents vampiriques pour être convaincu que cette garce filiforme en avait plus sous le capot que sa capacité à faire du shopping.

Mais ces gens – cette élite si satisfaite d'elle-même qui avait à peine cillé en apprenant le massacre –, ces gens-là se considéraient comme des vampires ?

Exactement. Tout comme les membres du Conclave, ils seront faciles à renverser quand l'heure sera venue.

Bliss frémit. Elle s'était habituée à être seule et avait oublié que le Visiteur pouvait surgir à tout moment.

Que voulez-vous dire ? Qu'est-ce qui les attend ?

Mais le Visiteur ne répondit pas.

Vingt

Mimi

El Sol de Ajuste se trouvait dans la Cidade de Deus, la « Cité de Dieu », le bidonville à l'ouest de la capitale qui avait inspiré le célèbre film du même nom puis une série télé, *La Cité des hommes*. Bien sûr, la vraie ville ne ressemblait en rien à la version hollywoodienne proprette, laquelle était l'équivalent de ces « visites des favelas » organisées par les concierges d'hôtel : une crasse tendance et branchée donnée en spectacle. La réalité de la misère était bien plus dure et bien plus laide : montagnes d'ordures menaçant de s'effondrer, puanteur d'égouts et de poubelles, enfants traînant cul nu dans la rue en fumant des cigarettes ; la manière dont personne ne chassait les mouches... ils n'en étaient plus à se soucier de quelque chose d'aussi anodin que des *mouches*.

Le bar n'était guère qu'une cabane en tôle, un abri garni d'un toit et d'un comptoir en bois criblé de trous. Lorsque Mimi et les garçons arrivèrent, une bande de petites frappes malmenait le garçon qui essuyait le comptoir et nettoyait la bière renversée à l'aide de serviettes en lambeaux. Mimi reconnut les impressionnants tatouages imprimés sur les joues des jeunes : ils étaient membres du Commando Prata, le « Commando Argent », un célèbre gang de rue responsable de l'essentiel de l'activité criminelle dans cette partie du ghetto. Voilà qui allait être intéressant.

– *Você deve três pesos !* insistait le garçon de salle. Vous me devez trois pesos.

– *Caralho ! Vaî-te foder !* s'esclaffa le gros en l'injuriant et en le poussant contre le mur.

Le vieux propriétaire se leva de son siège, l'air terrifié et frustré de voir son employé se faire maltraiter ; dans le même temps, il remarqua que son petit établissement était soudain envahi d'étrangers bizarres habillés de noir.

– Que puis-je vous servir ? leur demanda-t-il d'un air renfrogné en portugais, sans quitter son barman du regard. Hé, vous ! Laissez-le tranquille ! s'écria-t-il comme l'un des gangsters faisait trébucher le garçon tête la première par terre.

En réponse, la brute obèse envoya au jeune homme pantelant un grand coup de pied dans la tête. On entendit le craquement écœurant d'une botte ferrée contre de l'os, et d'un mouvement preste, l'un des garçons plaqua un couteau contre la gorge du patron.

– T'avais quelque chose à nous dire, le vieux ?

– Pose cette lame, lui ordonna calmement Kingsley.

– Toi, casse-toi, répondit le chef.

C'était un gamin maigre au visage grêlé, assis dans le fond. Il brandissait son arme automatique avec autant de naturel que si ç'avait été une canette de soda. Les barons locaux de la drogue faisaient office de présence policière officieuse dans les taudis, ils se faisaient juges ou bourreaux selon l'humeur du jour. Mais la seule loi qu'ils défendaient étaient la leur.

– Avec plaisir, dès que tu laisseras ces bonnes gens tranquilles, dit très doucement Kingsley.

Les membres du gang étaient une vingtaine contre seulement quatre *Venator*, ce qui n'était pas équitable pour la minable bande de sang-rouge. S'ils l'avaient voulu, les vampires auraient pu massacrer tout ce petit monde sans sommation. Mimi voyait d'ici la scène : un monceau de cadavres au sol.

Elle sentit son sang s'apprêter à relever le défi, mais c'était superficiel : le genre d'excitation sans profondeur que l'on éprouve en regardant un match de boxe dont on connaît déjà le résultat. Ces voyous se prenaient pour des durs, mais ils n'étaient rien : des puces sur le dos d'un buffle, des hyènes face à des lions. Mimi aurait préféré que l'affrontement ait un peu plus d'envergure.

Les gangsters des rues n'avaient pas peur des étrangers, toutefois, et ils étaient plus rapides que ne l'auraient cru les *Venator*. Avant d'avoir pu se retourner, Kingsley fut atteint par une lame de couteau : une déchirure dans sa manche révélait une vilaine estafilade.

C'en était assez. Mimi fit volte-face, en frappa deux qui tombèrent au sol et en força un autre à se mettre à genoux. Elle allait tirer *Eversor luminis*, le Brise-lumière, lorsqu'elle entendit la voix de Kingsley dans sa tête.

Pas d'armes ! Pas de morts !

Bien qu'il lui en coûtât, elle laissa l'épée dans son fourreau. Deux gangsters baraqués tentèrent un plaquage, mais elle se baissa et, emportés par leur élan, ils allèrent s'écraser contre les tables branlantes. Un autre sortit son pistolet, mais avant qu'il n'ait pu tirer, Mimi avait envoyé valser l'arme d'un coup de talon. *Du gâteau.* Elle voyait que même les frères Lennox prenaient plaisir à entrechoquer les crânes et à triompher de leurs adversaires. Visionner des rêves et fouiller les mémoires, ça ne vaudrait jamais une bonne vieille bagarre à l'ancienne.

L'un des voyous ramassa un pied de chaise et le pointa vers le torse de Kingsley, mais Mimi en fit du petit bois avant qu'il n'ait touché sa cible.

– Merci, dit Kingsley. Je ne savais pas que tu tenais autant à moi.

Il lui adressa un grand sourire tout en réglant rapidement son compte à un garçon qui brandissait un Uzi.

Mimi s'esclaffa. C'était à peine si elle transpirait, bien qu'elle fût un peu essoufflée. Comme l'avait exigé Kingsley, leurs adversaires survivraient à cette journée. Elle enjamba le tas de corps inertes ; Ted l'aida à rejoindre les autres près du bar.

Le propriétaire du bar sortit de sous une table en s'inclinant avec gratitude.

– Que puis-je vous offrir ?

– Quelle est votre spécialité ? demanda Kingsley.

– Ah ! fit l'homme avec un grand sourire édenté. Va chercher la Leblon, dit-il au garçon de salle, dont le crâne avait cessé de saigner.

Le jeune homme disparut dans le placard du fond et en sortit avec une bouteille de cachaça, de l'alcool de canne à sucre. Le patron en versa dans quatre petits verres.

– Le petit déjeuner.

Kingsley opina et leva son verre.

– *Saúde*, dit Mimi en buvant le sien cul sec. Santé.

– Nous cherchons cette jeune fille. L'auriez-vous déjà vue ?

142

demanda Kingsley en montrant à leurs nouveaux amis la photo de Jordan. Dites-le-nous, insista-t-il en employant une petite compulsion.

Le garçon fit non de la tête, mais le patron contempla longuement le cliché. Puis lui aussi secoua lentement la tête.

– Je ne l'ai jamais vue de ma vie. Mais les gens n'amènent pas leurs enfants ici.

Mimi et Kingsley échangèrent un regard rapide, et les épaules des jumeaux se voûtèrent légèrement. Ils quittèrent le bar après avoir vidé la bouteille. Il était midi. Le soleil était haut et il faisait une chaleur de fournaise. Quelques curieux s'étaient rassemblés autour de l'entrée du bar, attirés par la rixe, mais ils se tenaient à distance de la bande des quatre. Les regards étaient empreints de respect. Personne n'avait jamais vu le Commando Argent se faire battre.

– Pour vous, dit une dame âgée en tendant à Mimi une bouteille d'eau. *Obrigado.*

La femme se signa, et Mimi y vit un geste de gratitude pour avoir apporté une petite dose de justice dans un lieu sans loi.

– Merci, dit-elle en acceptant l'eau avec un hochement de tête.

Une fois de plus, elle fut frappée par sa propre impuissance. *Les problèmes de ces gens ne sont pas les tiens*, se dit-elle. *Tu ne peux rien pour eux.*

Elle se sentait très loin du monde protégé et exclusif de l'Upper East Side, sur ce trottoir poussiéreux du bidonville, les muscles encore tendus de la rencontre. C'était pour cela qu'elle s'était portée volontaire pour la mission, pour secouer un peu sa vie, pour voir un côté du monde qui n'était pas accessible depuis la banquette arrière d'une limousine. Elle était peut-être une princesse pourrie gâtée dans cette incarnation, mais par nature elle était une guerrière. Azraël avait *besoin* de cela.

Mais c'était frustrant. Il y avait un an qu'ils étaient à la recherche de la Vigie et leurs efforts n'avaient encore rien produit, à part une lettre qui ne leur apprenait rien.

– Peut-être que la Vigie ne veut pas être retrouvée, réfléchit Mimi en prenant une gorgée d'eau avant de passer la bouteille à Kingsley. Tu y as déjà pensé, à ça ?

– C'est possible, admit-il après avoir bu un coup et lancé la bouteille à l'un des Lennox. Mais peu probable. Elle sait à quel point sa sagesse est précieuse pour notre communauté. Elle savait qu'on m'enverrait la chercher. Crois-moi, elle veut qu'on la trouve.

– Repasse-moi la lettre.

Kingsley tendit le morceau de papier à Mimi. Elle relut le message. En levant la feuille au-dessus de ses yeux, elle remarqua une chose qu'elle n'avait pas encore vue. Une chose qui était cachée quand ils avaient lu la lettre à l'aube, à une heure où il faisait trop sombre pour qu'on y voie clair.

– Regarde, dit-elle en tenant la feuille directement face aux rayons du soleil.

La lumière, en traversant le papier, révélait un motif invisible auparavant, comme en filigrane. *Phoebus ostendet viam*, en effet. Le soleil montrera la voie.

Au centre de la page, il y avait une carte.

VINGT ET UN

Theodora

– C'est par là, dit Jack. Quand j'étais petit, les cuisinières me chassaient d'ici.

Il montra à Theodora les passages secrets qui serpentaient entre les vastes garde-manger, sous le château.

Cette demeure historique avait été conçue pour accueillir une cour au complet. Une aile entière était réservée aux domestiques, et les cuisines et celliers occupaient trois niveaux en sous-sol. Sous l'Ancien Régime, le couple royal donnait des fêtes somptueuses, qui pouvaient durer un mois, pour leurs invités et la suite de ces derniers. Le château était conçu pour un train de vie de plus en plus démodé, et surtout incroyablement coûteux. Il n'était pas étonnant que les promoteurs aient prévu de le diviser en appartements : vivre avec soixante domestiques était devenu intenable même pour la comtesse, qui déménageait dans sa villa de Saint-Tropez avec un personnel bien plus restreint.

Mais si la demeure cachait des dizaines de pièces dérobées et un dédale de passages secrets, il n'y avait qu'une issue pour sortir de l'hôtel Lambert. Tout le monde, de l'aristocrate le plus gradé au plus humble des grouillots, devait passer par la cour centrale et par le grand portail. Jack et Theodora savaient qu'ils n'avaient pas le choix : ils devraient traverser le nœud de vipères pour retrouver la liberté.

L'escalier qui partait de l'aile des domestiques menait directement au grand hall, d'où Jack et Theodora entendaient s'élever des rires hystériques et une gaieté incontrôlable, tout aussi exagérés et frénétiques que la musique étourdissante, de plus en plus rapide et tonitruante.

– Qu'est-ce qu'ils font ? chuchota Theodora en se cachant avec Jack derrière une colonne cannelée. Pourquoi est-ce que j'ai envie... envie... envie de faire... du mal à quelqu'un ?

– Ce sont les sang-d'argent qui font ça. Ils *poussent*... ils utilisent le *Glom* comme nous, sauf qu'ils poussent dans la direction opposée. Ils font ressortir le pire en chacun.

– Est-ce qu'il ne faudrait pas avertir tout le monde ?

– On n'est pas à Rio, ici. Il y en aurait trop à neutraliser ; les sang-d'argent ne tenteront rien de plus risqué qu'une compulsion. Ils ne sont là que pour toi, dit Jack en tâchant d'adoucir la gravité de leur situation avec un de ses sourires rassurants.

Theodora ne voulait pas être terrassée par sa propre peur, elle se reprit en se concentrant sur la lutte contre la nausée montante, envahissante, provoquée par le sortilège des sang-d'argent.

Il fallait qu'ils trouvent Oliver, après quoi ils devraient sortir de là le plus discrètement possible. Elle avait semé la pagaille en fuyant Jack, mais les chorégraphies et les cabrioles extravagantes du spectacle bollywoodien l'avaient en grande partie couverte. Les invités avaient cru que cela faisait partie du spectacle, surtout vu comme elle était habillée. Avec son sari, elle s'était fondue dans le décor.

– Tiens, dit Jack en lui tendant un petit crucifix d'argent suspendu à une chaîne. Ça devrait t'aider. (Il en tira un autre, identique, de sous sa chemise.) Ça fait partie de l'uniforme des *Venator*.

Ils se faufilèrent jusqu'aux jardins et trouvèrent Oliver seul, debout sous un superbe hêtre, un verre à la main. S'il était surpris de voir Theodora avec Jack, il ne le montra pas, hormis par un léger haussement de sourcils. Mais Theodora fut peinée de remarquer qu'un peu de lumière s'éteignait dans ses yeux.

Ce n'est pas ce que tu crois, avait-elle envie de lui dire. *Je t'aime.*

Quoi qu'il en soit, quand Oliver se tourna vers Jack, ce fut avec amabilité ; il lui serra la main presque trop chaleureusement.

– Content de te revoir, vieux. Ça fait un bail.

Pour sa part, Jack serra la main d'Oliver d'une poigne ferme. Tous deux s'appliquaient à agir comme s'ils se rencontraient par hasard à un bal de terminales, comme s'ils n'étaient que des lycéens de la haute société échangeant les dernières nouvelles et les derniers potins.

– Alors, qu'est-ce qui t'amène ici, Force ? Pas le Comité, j'espère, dit Oliver dont le ton léger masquait une inquiétude souterraine.

– Pas du tout, répondit Jack.

Theodora mit rapidement Oliver au courant.

Une fois informé, celui-ci comprit immédiatement le danger qui les guettait.

– Alors, vous pensiez à quoi ? leur demanda-t-il. J'ai l'impression qu'on n'arrivera pas à sortir d'ici sans se faire remarquer.

– Ils ne se sont pas encore rendu compte que Theodora n'était plus en train d'attendre la comtesse dans l'antichambre, dit Jack en regardant autour de lui. Je crois qu'on peut arriver jusqu'à Lu...

Mais avant d'avoir pu terminer sa phrase, il se figea, une expression de stupéfaction peinte sur le visage.

Theodora regarda par-dessus son épaule. Le baron de Coubertin était réapparu à l'autre bout de la cour. Mais il avait quelque chose de changé. Même de loin, Theodora vit que ses yeux étaient bordés de feu écarlate. Ses pupilles, argentées.

Le Léviathan.

Immobile, il scrutait la pièce de ces redoutables yeux d'argent.

Theodora, pivotant vers Oliver, comprit que lui aussi avait remarqué. Il était blême.

– Je t'ai laissée partir avec lui... Quel idiot j'ai été... Je savais que quelque chose clochait. Quand je suis allé lui parler, au bateau, il était différent, jovial même. J'aurais dû me rendre compte que quelque chose n'allait pas.

– Je n'ai rien vu non plus, Ollie. Tu ne pouvais pas savoir.

Theodora revit son grand-père lui apprendre que les sang-d'argent étaient habiles à changer de forme. C'était le Léviathan qui l'avait enfermée dans cette pièce, sans doute dans l'intention de disposer d'elle plus tard. Elle frissonna en pensant à ce qu'il avait eu l'intention de lui faire.

– Écoute, si je reste avec toi, je ne ferai que te ralentir. Il vaut mieux que je le ralentisse, lui, dit Oliver en retirant son turban et en le jetant par terre.

148

– Non ! s'exclama Theodora. On s'en sortira tous ensemble ou pas du tout. Oliver ! Écoute-moi ! le supplia-t-elle car elle comprenait peu à peu ce qu'il avait l'intention de faire.

– Trop tard. (Il s'empara d'une torche et se mit à courir vers l'entrée gardée par les éléphants.) Attrapez-moi si vous le pouvez ! cria-t-il en agitant sa torche comme un fou.

Les éléphants se cabrèrent sur leurs pattes arrière, faisant tomber le roi et la reine de Siam, et se mirent à charger Oliver entre les buis taillés. Les cornacs poussèrent de hauts cris, et des invités éméchés s'enfuirent dans toutes les directions pour essayer d'échapper aux bêtes qui saccageaient tout sur leur passage.

– Vite ! dit Jack. Avant qu'ils ne ferment le portail.

Il tendit la main à Theodora.

– Mais... Oliver ! protesta-t-elle en regardant partout autour d'elle. Oliver, non ! Oliver !

– Il est humain. Ce n'est pas après lui qu'ils en ont... Theodora, il faut te sortir d'ici ! Je t'en prie ! insista Jack, la main toujours tendue.

– Non ! Je ne peux pas ! Je ne peux pas le laisser !

Elle regarda Oliver courir de plus en plus loin, poursuivi par la charge des éléphants.

Mais rester ne l'aiderait en rien. Pas pour le moment. Et elle ne faisait qu'aggraver le danger en hésitant. Elle avait envie de se jeter sur les traces d'Oliver, mais elle laissa Jack l'entraîner derrière lui. Ils coururent, slalomant entre les porteurs de torches et les domestiques désorientés, se baissant pour éviter les éléphants toujours déchaînés, les invités hurlants et les serveurs ébahis. Elle sentait la rage du démon Léviathan, sentait ses yeux lui vriller l'arrière du crâne, sentait sa malveillance lourde et délibérée.

149

D'un instant à l'autre il serait sur eux.

Mais si elle ne savait pas bien se battre, Theodora savait courir. Jack et elle, ensemble, traversèrent en volant la cour pavée et franchirent le portail. Elle jeta un dernier regard par-dessus son épaule et aperçut le bras levé d'Oliver qui disparaissait dans la foule déchaînée.

Il lui faisait au revoir de la main.

Vingt-deux

Bliss

L e défilé de mode se déroula sans encombre. Bliss réussit à exécuter sans incident ses deux passages sur le podium, même si elle était encore secouée par la voix menaçante du Visiteur dans sa tête. Que mijotait-il ? Qu'entendait-il par « ils seront faciles à renverser... » ? Mais en fait, elle savait ce qu'il voulait dire, n'est-ce pas ? N'était-elle pas en plein déni à propos de tout ce qui se passait ? Car il y avait forcément une raison à la présence du Visiteur dans sa vie ; on ne pouvait pas dire qu'il traînait simplement dans le coin pour faire connaissance avec sa fille, si ? S'il était là, c'était pour une bonne raison.

Et quelle que fût cette raison, Bliss était impliquée car, d'un point de vue pratique, *elle* était *lui*. Quoi que fasse ou non le Visiteur, personne ne verrait Lucifer derrière ses actes : on ne verrait que Bliss. Eh bien, peut-être y pouvait-elle quelque chose. Peut-être devrait-elle faire l'effort de découvrir ce que trafiquait le Visiteur lorsqu'il n'était pas en elle. Ce serait sans doute une bonne idée de ne pas rester autant dans le noir.

Elle se massa les tempes. Heureusement, la plupart des

autres mannequins lui fichaient la paix. Les filles connaissaient son histoire, et personne ne se risquait à lui accorder davantage que quelques regards compatissants. Bliss se dit qu'elle aurait aussi bien pu avoir le mot SURVIVANTE tamponné sur le front, vu tout ce qu'on chuchotait sur elle. *Sa belle-mère assassinée... Sa sœur disparue... sans doute tuée... Affreux... C'est le genre de choses qui arrivent à Rio, n'est-ce pas ?*

Bliss trouvait cela terriblement injuste. Ce qui était arrivé à ses proches n'avait rien à voir avec le pays où ils s'étaient rendus, mais bien sûr elle ne pouvait le dire à personne. Tout ce qu'elle voulait, c'était partir d'ici. Elle se dépouilla de sa dernière tenue – une robe de bal en tulle qu'une grande dame porterait pour assister au premier ballet de rentrée – et remit sa robe bain de soleil blanche toute simple. Elle traversait la pelouse, en évitant quelques visages connus et en espérant pouvoir rentrer chez elle sans parler à personne, lorsqu'elle entendit qu'on la hélait.

– Bliss ! C'est toi ? Coucou !

Une jolie fille aux longs cheveux blonds, coiffée d'une capeline en paille et d'une robe très couture découvrant une épaule, la rejoignit.

Bliss la reconnut immédiatement. c'était Allison Ellison – dite Ally Elli –, une sang-rouge de Duchesne.

Ally était boursière ; ses parents vivaient dans le Queens ou quelque chose comme ça, un quartier populaire en tout cas, et elle avait quelque chose comme deux heures de trajet en bus à faire pour venir en cours. Bliss aurait cru que cela ferait d'elle une paria au lycée, mais c'était tout le contraire. Les jeunes de l'Upper East Side appréciaient ses étonnantes histoires de banlieusarde et son drôle de regard sur les choses.

152

Bliss se rappelait qu'une fois, Mimi, elle et toute une bande étaient sorties avec Ally, qui avait veillé à ce que chacun paie exactement ce qu'il devait à table, jusqu'au dernier centime. Personne ne s'en était tiré avec le fameux « J'ai oublié mon porte-monnaie, je vous revaudrai ça plus tard » que sortaient toujours les richissimes rentiers comme Mimi.

C'était une chose de voir Ally en cours, mais c'en était une autre de la croiser à la réception « Shopping, Champagne et Charité » annuelle de Muffy Astor Carter. Que faisait-elle donc là, dans une authentique robe Balthazar Verdugo dont le prix devait bien afficher quatre zéros, comme si elle avait toujours passé tous ses étés à Southampton ?

Bliss eut la réponse lorsque Jaime Kip vint l'embrasser. D'accord. Ally était le familier humain de l'un des garçons sangbleu les plus populaires. Sa tenue coûteuse et sa présence à la fête s'expliquaient donc.

– Salut, Ally, fit Bliss avec un signe de tête. Salut, Jaime.

Celui-ci s'éclipsa en toussotant poliment, et les deux filles se retrouvèrent seules.

– Comment vas-tu ? Ça fait plaisir de te revoir, dit la jolie blonde en posant la main sur le bras de Bliss.

Celle-ci fut touchée de la chaleur inattendue qui passait dans sa voix.

– Ça va... Merci, lui répondit-elle.

– Tu nous as manqué à la cérémonie en mémoire de Dylan. Mais ne t'en fais pas, personne ne t'en a voulu de ne pas y être. Ton père a dit que tu avais besoin de repos.

– Une cérémonie ? Il y a eu une cérémonie ? Pour Dylan ? Quand ça ? demanda Bliss en s'efforçant de ne pas avoir l'air au bord de la crise de nerfs.

Allison eut l'air gênée.

– Ça fait presque un an. Oui, je sais. Ça fait bizarre, hein ? Je veux dire, on ne le voyait plus, tu sais ? On racontait que ses parents avaient déménagé à Grosse Pointe ou je ne sais où, alors qu'en fait il était en désintox au centre Transitions ; mais il a eu une permission de sortie de quarante-huit heures, et il a fait une overdose.

Encore un bobard, pensa Bliss. Les sang-bleu ne laissaient pas de traces. Facile d'expliquer la mort de Dylan par une overdose dans la jeunesse dorée, une de plus. D'autant plus qu'il était en désintox. Une histoire totalement plausible, sauf qu'il n'y avait pas un mot de vrai là-dedans.

Allison passait d'un pied sur l'autre d'un air embarrassé.

– Moi, je ne le connaissais même pas si bien que ça, mais vous deux, vous étiez amis, non ?

– En effet, dit Bliss. Est-ce que c'était... Comment ça s'est... Est-ce qu'il y avait d'autres gens ?

La fille de Duchesne paraissait de plus en plus gênée.

– Non. Pas vraiment. Il n'y avait pas tant de monde que ça. Je crois que j'étais pratiquement la seule de Duchesne. Il y avait des gens du centre de désintox, mais ça c'est normal puisque c'étaient eux qui avaient organisé la cérémonie. J'ai appris la nouvelle par hasard de Wes McCall. Lui aussi avait fait un séjour à Transitions. Je me suis dit... bon, Dylan et moi, on était dans la même classe en anglais et il était... sympa. Un personnage. Mais gentil, tu vois ?

– Oui, dit Bliss.

Elle s'aperçut que ses yeux s'étaient soudain remplis de larmes.

– Oh, mon Dieu, tu pleures. Je suis désolée. Je ne voulais

pas te faire de peine, dit Allison. Tiens, ajouta-t-elle en lui tendant un mouchoir parfumé pris dans son sac.

– Ça va, ça va... C'est juste que... C'était compliqué, bredouilla Bliss, contente de prendre le mouchoir pour s'essuyer les yeux.

– C'est sûr, la vie est compliquée, approuva Allison. Mais ça fait plaisir de te voir... dehors. Ça doit être tellement dur ! Je dis tout ce qu'il ne faut pas, hein ?

– Pas du tout. C'est bien de pouvoir parler avec quelqu'un, protesta Bliss avec un sourire.

– Tu peux me parler quand tu veux, tu sais. Tu reprends les cours en septembre ?

Bliss opina.

– Oui. C'est bizarre de rester longtemps isolée. Je ne connais plus personne.

Le Visiteur avait accepté que Bliss retourne au lycée. Ç'aurait été bizarre que la fille du sénateur abandonne sa scolarité.

– Eh bien déjà, moi, tu me connais, et on sera toutes les deux en première. Ce ne sera pas si affreux, dit Allison en la serrant affectueusement dans ses bras.

– Ça fait plaisir à entendre, répondit Bliss en souriant. Merci, Ally. À plus.

– À plus.

Bliss retourna vers sa voiture. Tout ce qu'elle voulait, c'était se retrouver seule pour digérer la nouvelle. Il y avait eu une cérémonie en souvenir de Dylan, et personne n'y était allé. Pour les sang-rouge, il n'était qu'un élément perturbateur ; pour les vampires, un dommage collatéral. Personne ne se souciait ni ne se souvenait de lui.

Elle n'avait même pas été là pour lui rendre hommage. Pour le voir une dernière fois avant qu'il ne soit mis en terre. Il était parti pour toujours, et elle ne le reverrait plus jamais.

VINGT-TROIS

Mimi

La carte les mena à la forêt de Tijuca, en plein cœur de la ville, pas très loin des beaux quartiers des plages, le long de la côte. Rio était une ville étonnante, pensa Mimi. Où d'autre au monde pouvait-on passer si rapidement des tours de verre d'un quartier d'affaires moderne à une jungle luxuriante ?

Dans le taxi qui les menait à la Barra da Tijuca, Kingsley examina de nouveau la carte soigneusement tracée.

– On dirait qu'il y a une sorte de bicoque dans les bois, près d'une cascade. Ça doit être là qu'ils l'ont emmenée.

– Tu crois qu'elle est encore en vie ? lui demanda Mimi.

Tout d'abord, Kingsley ne répondit pas. Il replia simplement le message dans sa poche.

– Ils l'ont gardée en vie plus d'un an, on sait au moins ça. S'ils avaient voulu la tuer, pourquoi attendre si longtemps ?

– J'ai un mauvais pressentiment. L'impression que nous arrivons trop tard.

Le message était vieux de quatre jours. Les paroles de la

petite fille résonnaient encore dans sa tête. *Des méchants. Ils l'ont emmenée.*

Le chauffeur de taxi les déposa sur un parking, devant l'entrée la plus proche de la cascade de Taunay. Il ne pouvait pas aller plus loin. Le parking était un petit plateau encerclé par les arbres les plus hauts que Mimi eût jamais vus. Ils déployaient une majesté imposante, le genre de beauté naturelle que l'on ne voit que dans les films, tellement hauts, verts et larges qu'ils semblaient irréels.

Elle descendit de voiture et inspira profondément l'air frais de la montagne. Il avait presque un goût : un goût de rosée et de soleil mêlé à une odeur verte et terreuse. Mimi regarda autour d'elle : il y avait plusieurs sentiers qui semblaient correctement entretenus, mais qui disparaissaient abruptement dans la montagne en zigzaguant vers ce qui ressemblait à des rochers escarpés. La balade promettait d'être plutôt ardue, où que l'on aille, et elle maudit une fois de plus sa vanité. Si seulement elle avait mis les chaussures réglementaires ! Elle n'arriverait jamais en haut de ce sentier dans ses bottes à talons.

Il y avait là plusieurs Jeep brinquebalantes dont les chauffeurs s'escrimaient à persuader les petits groupes de promeneurs et de randonneurs de les louer à la journée. Mais Kingsley avait lu dans les pensées de Mimi et rejeta catégoriquement l'idée avant même qu'elle n'en ait parlé.

– Non, nous ne ferons courir de risque à personne d'autre, dit-il. Un guide ne ferait que rendre notre groupe plus vulnérable.

Très bien, pensa-t-elle. *Il y a quarante-huit heures que nous avons quitté l'hôtel. Excuse-moi si j'ai envie d'y aller en voiture plutôt qu'à pied.* Même les vampires se fatiguaient si on les poussait à bout.

Entre-temps, les frères Lennox avaient trouvé un guide naturaliste.

– Le chemin le plus court pour les chutes cachées ?

Le guide était tellement brûlé par le soleil que sa peau avait pris la couleur de l'acajou. Il avait l'accent britannique et leur expliqua qu'il était membre de la National Geographic Society.

– Le mieux serait sans doute de prendre la piste de Pico ; il y a un sentier non balisé qui part à travers bois, et qu'on peut suivre dans la jungle. Mais c'est assez épuisant. Vous êtes sûrs de ne pas vouloir prendre une Jeep ? Les chutes de Taunay sont tout près d'ici. Elles sont tout aussi spectaculaires... Non, vraiment ? Bon, alors bonne chance. Le parc ferme au coucher du soleil : veillez à être de retour d'ici là.

Mimi regarda ses pieds. Elle savait ce qu'il lui restait à faire. Elle s'assit sur un tronc, retira ses bottes et en détacha les talons aiguilles avec son couteau, les traits un peu crispés par cette destruction. Puis elle les rechaussa. Voilà qui était mieux. Elle but un grand coup à sa gourde, en regrettant une fois de plus de ne pas être sur une plage à Capri.

– Attrape ! lui dit Kingsley en lui lançant quelque chose.

C'était une petite canette de lait de coco.

– C'est pour quoi faire ? lui demanda-t-elle en l'ouvrant.

Elle goûta une petite gorgée. C'était étonnamment rafraîchissant.

– J'ai trouvé ça à la boutique de l'hôtel, dit-il. Je sais que ce n'est pas du *limoncello*, mais il paraît que c'est très bon pour la santé.

Pourquoi avait-il toujours l'air de savoir à quoi elle pensait ?

Cela l'énervait et lui plaisait à la fois : un curieux mélange de sentiments.

Ils partirent d'un bon pas et ne tardèrent pas à dépasser la plupart des autres randonneurs sur la piste principale ; bientôt, ils atteignirent le sommet. L'air était si calme que c'était comme entrer dans une sorte d'église naturelle. De là-haut, le regard embrassait toute la ville jusqu'à la côte. C'était un panorama sublime, devant lequel on se sentait tout petit.

– Voici sans doute le sentier dont parlait le guide, dit Kingsley en les entraînant sous la voûte de verdure, de l'autre côté de la colline. Je crois que j'entends la chute d'eau.

Mimi s'arrêta pour écouter. Elle aussi l'entendait : un bruit de torrent, une sorte de chuintement, à peine audible, sans doute à des kilomètres et des kilomètres. Descendre était plus facile que monter ; ils glissaient presque : c'était un des avantages de l'agilité vampirique. Ils s'enfoncèrent en silence dans le cœur noir et désolé de la jungle en se fiant à la carte. La chaleur était oppressante, envahissante, l'air tellement humide que c'était presque comme respirer sous l'eau. La végétation primaire était dense, les racines des arbres imitant les griffes d'un monstre immobile, le ciel entièrement recouvert d'un dais de verdure, et partout, les bruits furtifs d'animaux en fuite. Mimi aperçut un ou deux aras vivement colorés, mais fut déçue de ne voir aucun singe.

Finalement, ils atteignirent une clairière qui s'ouvrait sur la cascade cachée, exactement comme indiqué sur la carte. Un torrent coulait entre les rochers avant de tomber avec une grâce merveilleuse dans une rivière dont les méandres s'en allaient serpenter dans la jungle.

– D'après la carte, il va falloir traverser la rivière pour

atteindre l'autre rive, dit Kingsley en dénouant ses lacets pour retirer ses chaussures.

Les Lennox étaient déjà dans l'eau. Ils avaient dézippé les jambes de leurs pantalons et tenaient leurs sacs à dos au-dessus de leur tête. Kingsley fit de même, à ceci près qu'il retira aussi son tee-shirt, exposant son torse large, lisse et hâlé. Quand avait-il le temps de travailler son bronzage ? se demanda Mimi.

Bon, au moins elle n'aurait plus à porter ses chaussures inconfortables. Même après l'ablation des talons, celles-ci ne se révélaient pas adéquates. Elle les retira d'un coup de pied, se déshabilla jusqu'à se retrouver en caraco et sous-vêtements et entra dans l'eau en portant son sac sur sa tête.

L'eau devait couler d'une source d'altitude, car elle était froide, presque gelée ; mais c'était une sensation merveilleuse après deux jours passés à arpenter la ville brûlante sans prendre une douche digne de ce nom. Le courant était fort et menaçait d'emporter Mimi. Elle fit appel à chaque fibre de ses muscles pour atteindre l'autre côté. Lorsqu'elle eut repris pied en eau peu profonde, Kingsley lui tendit la main et la tira sur la berge, mais elle trébucha et lui tomba dans les bras ; tout son corps fut momentanément écrasé contre lui.

Mimi rougit de cette intimité inattendue, et eut la surprise de trouver à Kingsley un air légèrement gêné aussi. Car il avait beau parler et flirter, il se comportait en vrai gentleman.

– Pardon, dit-il en se redressant.

– Pas de problème.

Mimi eut un sourire insinuant que personne ne pouvait lui résister lorsqu'elle était en caraco mouillé, pas même le grand Kingsley Martin. Mais son masque enjoué n'était rien de plus que cela – un masque –, car elle sentait une étincelle s'allumer entre eux lorsque Kingsley la touchait. Une chose qu'elle n'avait pas envie d'admettre en ce moment, ni *jamais*, mais elle ressentait une connexion avec lui... et pas seulement cela : un *désir*, assez différent de sa voracité habituelle envers les familiers humains, ces jouets au sang rouge dont elle disposait à volonté (elle en avait déjà laissé deux à l'hôtel). Non, c'était une impression plus profonde, qui remuait quelque chose en elle... un souvenir, peut-être ? S'étaient-ils connus dans une vie antérieure ? Et si oui, que s'était-il passé entre eux ? Rien ? Tout ? Mais elle n'eut pas le temps de s'y attarder, car les garçons commençaient déjà à escalader la berge.

Elle sortit ses vêtements du sac imperméable et se mit à s'habiller en évitant de regarder Kingsley, qui faisait de même.

– Nous ne devons plus être trop loin, dit-il en consultant la carte une fois qu'ils furent prêts.

Ils se frayèrent un chemin dans la jungle jusqu'à atteindre un bouquet d'arbres et de verdure qui formait un rideau autour d'une petite construction en bois. C'était plus qu'une cabane, mais ce n'était pas une maison non plus. Un étrange symbole figurait sur la porte : une étoile à cinq branches. La marque de Lucifer. Mimi frissonna et remarqua que le reste de l'équipe avait l'air tout aussi tendu. Ceci n'allait pas être aussi facile que d'envoyer paître une bande de petits dealers.

– C'est là, dit Kingsley. Force et moi, on entre par-devant ; vous deux, vous couvrez la porte de derrière, ordonna-t-il.

Mimi le suivit et ils s'avancèrent prudemment vers la porte.

– À trois.

Kingsley hocha la tête. Il brandissait son épée, dont la lame argentée étincelait au soleil.

Mimi tira la sienne de l'armature de son soutien-gorge : l'épingle se déploya jusqu'à sa pleine longueur. Une image lui vint soudain : une chasse aux démons dans un tunnel obscur, des cris stridents, puis le silence. Un souvenir ? Mimi cligna des yeux. Ou une projection ? N'était-ce pas la voix de Jack ? Elle n'arrivait pas à en être sûre. La connexion entre eux n'était plus ce qu'elle avait été.

Concentre-toi. Kingsley comptait.

– Un, deux...

Il hocha la tête en direction de Mimi et elle enfonça la porte d'un coup de pied. Celle-ci s'ouvrit avec fracas.

VINGT-QUATRE

Theodora

Jack entraîna Theodora dans les rues de l'île Saint-Louis et lui fit franchir le pont qui menait à l'île de la Cité, où elle aperçut Notre-Dame en traversant le square avant de s'engouffrer dans le métro.

– Où allons-nous ? demanda-t-elle, hors d'haleine, tandis qu'ils sautaient par-dessus les tourniquets immobilisés.

Les trains ne roulaient plus depuis une heure.

– À l'abri, dit-il en courant avec elle jusqu'au bout du quai vide.

Theodora était habituée à l'esthétique du métro, mais elle s'émerveillait toujours qu'une chose aussi belle pût s'étendre sous Paris. La voûte de la station Cité était éclairée par des globes lumineux suspendus au-dessus des voies avec la plus grande élégance.

– Il y a une ancienne station en dessous de celle-ci ; elle a été fermée lorsque le métro a été modernisé, dit Jack en ouvrant une porte dérobée tout au bout du quai pour faire passer Theodora dans un escalier poussiéreux.

La station du dessous semblait figée dans le temps, comme

si hier seulement les voyageurs avaient attendu les wagons à sièges de bois qui les amèneraient à bon port. Theodora et Jack marchèrent sur l'ancienne voie jusqu'à la fin des rails, là où les tunnels s'enfonçaient dans des cavernes menant encore plus profondément sous terre. L'obscurité les ensevelissait comme une couverture. Theodora se félicitait de l'existence de l'*illuminata* : c'était le seul moyen qu'elle eût de voir Jack.

Les boyaux étroits et sinueux rappelèrent à Theodora une chose qu'elle avait vue dans un vieux grimoire du Sanctuaire.

— Est-ce que ça ne serait pas...

— Lutèce, confirma Jack.

L'ancienne cité gauloise. Lorsqu'ils avaient conquis la Gaule, les sang-bleu romains avaient baptisé les lieux d'après les marais qui entouraient la zone. Les vampires avaient creusé un énorme réseau de tunnels sous la ville. Les sang-rouge croyaient que tout ce qu'il restait de Lutèce étaient les vestiges des arènes, dans le quartier Latin. Ils ignoraient que l'essentiel de la ville était resté intact, loin dans les catacombes.

À la différence des oubliettes sous l'hôtel Lambert, les catacombes de Lutèce étaient étonnamment bien aérées. Elles étaient propres. Protégées par un sortilège, devina Theodora. Il n'y avait pas de rats trottinant entre les murs, pas d'odeurs d'égouts et de pourriture.

— Tu crois qu'il nous suit toujours ? demanda-t-elle en suivant Jack de près.

Elle avait l'impression que tout son être était un diapason vibrant de peur. Comme ils s'enfonçaient dans les souterrains, elle s'aperçut qu'elle ne pouvait plus percer l'obscurité totale, même avec sa vue vampirique.

— J'espère, répondit Jack.

J'espère ? En courant, Theodora comprit que les tunnels formaient un labyrinthe : il y avait au moins cent couloirs différents menant dans cent directions différentes.

– On pourrait se perdre pour l'éternité, ici, dit-elle.

– C'est tout l'intérêt, lui expliqua son compagnon. Seuls les sang-bleu connaissent la sortie. Ces tunnels sont protégés par un enchantement contre l'*animadverto*. Essaie de te rappeler par où nous sommes entrés. Tu n'y arriveras pas.

Il avait raison. Elle ne se rappelait plus le chemin, ce qui était étrange et déroutant car être doué de la vision vampirique, c'était un peu comme regarder un film sur un lecteur de DVD. On pouvait revenir en arrière à n'importe quel point et se souvenir de tout : chaque détail de n'importe quelle pièce, chaque nuance, chaque expression sur le visage de chacun, chaque mot prononcé. C'était donc pour cela que Jack disait espérer que le Léviathan les avait suivis, bien que Theodora ne fût pas convaincue qu'un simple labyrinthe puisse arrêter un démon.

– Et tous ceux qu'on a laissés là-bas ?

– Charles y est. Il ne laissera aucun mal leur arriver. Il gardait le Léviathan à l'œil quand je suis allé te chercher dans l'antichambre. Il fait largement le poids face au démon.

Ils parcoururent encore des kilomètres sous terre, lui sembla-t-il. Theodora n'avait aucune idée de l'endroit où ils étaient, et elle espérait que Jack savait ce qu'il faisait. Elle crut que son cœur allait exploser d'épuisement, et ses muscles commençaient à faiblir. Combien de temps encore pourraient-ils courir ?

On y est presque, lui dit mentalement Jack. *On arrive à l'intersection. Viens.*

Il enfila un tunnel étroit, presque comme une crevasse dans la roche, si resserré qu'ils durent marcher de profil et progresser centimètre par centimètre le long de la paroi. Enfin, ils se retrouvèrent à une sorte de carrefour, un espace ouvert qui s'ouvrait en éventail sur plusieurs boyaux.

– Où sommes-nous ?

– Sous la tour Eiffel. Tous les tunnels finissent par aboutir ici.

– Tous les chemins mènent à Rome. C'est la même idée, c'est ça ?

– En quelque sorte, répondit Jack en concédant un sourire.

Theodora regarda autour d'elle. Au-dessus des sept couloirs étaient gravés des symboles qui ne lui étaient pas inconnus. Elle se demanda où elle les avait déjà vus avant de comprendre : c'étaient ceux qui claquaient au vent sur les pavillons des jonques chinoises. C'étaient les blasons de chacune des grandes maisons, dans la langue sacrée. Au-dessus du tunnel central trônait le symbole que Theodora portait au poignet : une épée traversant des nuages. La marque de l'archange.

À côté des sept embouchures de tunnels, on voyait aussi sept torches en bois posées contre la muraille. Jack en prit une et passa la main au-dessus, ce qui fit surgir une petite flamme blanche.

– On appelle ça le souffle de Dieu. Tout sang-bleu peut faire apparaître la lumière dans les tunnels. Allez, viens, la sortie est par là.

Il plongea dans le couloir de gauche en éclairant le chemin. À ce moment précis, une silhouette sombre fondit sur eux par l'autre côté.

Theodora faillit hurler, mais son cri mourut dans sa gorge lorsqu'elle reconnut l'homme en noir. Tout comme Jack, il portait l'uniforme des *Venator*.

– Père ! s'exclama Jack.

Charles Force fit un bref signe du menton. Comme d'habitude, il accorda à Theodora le regard distant et méprisant qu'il semblait lui réserver tout spécialement. Elle se demandait pourquoi il daignait même l'aider alors que chacun de ses gestes montrait clairement qu'il ne pouvait pas supporter sa vue.

– Bien joué, Jack. Ils sont derrière nous, bloqués pour le moment à la jonction sud par un *obsidio*, mais cela ne les retiendra pas éternellement. Vite ! Montez. Jusqu'à l'intersection qu'ils ne peuvent pas traverser. Tout de suite.

Une petite porte s'ouvrait sur un escalier. Theodora commença à le gravir quatre à quatre mais fut soudain tirée vers le bas, éloignée de ses compagnons par une chose qui lui serrait les jambes comme un étau. Elle tomba sur les marches de pierre et se cogna violemment la tête, au point qu'elle s'évanouit un instant.

En reprenant conscience, elle découvrit qu'elle était prise au piège dans une fumée dense et grise, et une sensation de joie intense, vorace, l'envahit. C'était la joie de l'ennemi, comprit-elle ; il se nourrissait de sa peur, il la consommait, la dévorait. Le brouillard était impénétrable, solide au toucher. Il paraissait amorphe mais avait une densité physique, un poids impossible, aussi infranchissable que les barreaux d'une cage ou d'un cachot.

Puis elle les entendit : un son qui évoquait le hurlement du vent entre les arbres, ou le grincement d'une craie sur un tableau, à vous vriller les tympans. Il s'accompagnait d'un étrange cliquètement, comme des griffes tambourinant sur une surface. *Clicclicclac...* des sabots de diable sur un toit.

Les sang-d'argent allaient l'emporter. Elle était cernée, terrassée. Non. Elle ne céderait pas au désespoir ; elle se battrait... mais avec quoi ? Il fallait qu'elle reste éveillée, et surtout pas qu'elle s'abandonne à la lourde somnolence qui l'envahissait. Puis elle vit les yeux qui brillaient dans le noir, leur regard surnaturel, menaçant, écarlate. Des yeux qui étincelaient du feu de l'enfer. Le Léviathan était venu achever ce qu'il avait commencé.

Une lumière aveuglante perça la nuée. Tout d'abord, Theodora la prit pour une torche, mais elle vit ensuite que c'était une épée. Elle n'en avait jamais vu de telle. L'épée de sa mère émettait une flamme claire et blanche, pure comme l'ivoire et belle comme les rayons du soleil. Celle-ci était différente. Elle était presque de la même couleur que la fumée, un gris sombre ourlé d'argent, et elle portait de terrifiantes marques noires. Elle ressemblait moins à une épée qu'à une hache, rustique et primitive, et avait pour seul fourreau un étui de cuir usé.

– Cours, Theodora ! hurla Jack. VAS-Y !

De sa vilaine lame, il taillada la créature... ou bien y en avait-il plusieurs ? S'agissait-il seulement du Léviathan, ou de plus que cela ?

Le monstre glapit de douleur et Theodora ressentit sa peur. Elle entrevit un reflet de ce qu'il voyait.

Car Jack s'était transformé. Il n'était plus là. Il ne restait qu'Abbadon.

Theodora ne voulait pas se retourner. Elle ne voulait pas voir ce qu'était devenu Jack, mais elle aperçut le feu noir qui l'entourait, qui éclairait son image et le rendait terrible et majestueux, tel un dieu vengeur et plein de colère. Effroyable et admirable à regarder : une puissance qui n'était pas de ce monde, une puissance d'une autre nature.

Theodora n'aurait jamais voulu l'admettre, mais Abbadon n'était pas si différent du Léviathan, le démon surgi de la terre.

Mais elle n'avait pas le temps d'y penser.

Elle partit en courant.

VINGT-CINQ

Bliss

Bien sûr, ce n'était pas parce que Bliss était autorisée à reprendre le contrôle de temps à autre que les choses étaient revenues à la normale. Chaque fois qu'elle commençait à se réhabituer à sa vie, le Visiteur revenait et prenait ses aises, jusqu'à la fois suivante. Elle gardait le compte : du lundi au mercredi, puis absent presque tout le jeudi, puis le week-end qui se fondait dans le flou, puis le retour ! Elle confondait encore les jours, croyait qu'on était jeudi alors qu'on était samedi. Avec le temps, elle avait de plus en plus de mal à s'adapter aux heures de présence du Visiteur, où elle se retrouvait soudain rejetée hors de la lumière et du monde pour retourner à ce néant de souvenirs et d'impatience, froid et vide.

Elle décida que la prochaine fois, elle ne se laisserait pas évincer. Il devait bien y avoir un moyen de *rester*. Il fallait qu'elle comprenne les desseins du Visiteur, qu'elle devine où il voulait en venir. D'accord, il lui avait rendu une partie de sa vie, mais comment savoir si cela continuerait ? En outre, elle ne voulait pas partager. Elle voulait récupérer *tout* son être. Elle ne pouvait pas vivre ainsi, comme une folle. Elle avait d'autres gens à qui penser ; le Visiteur était dangereux, maléfique. Elle ne pouvait pas laisser les événements de Rio se reproduire.

Cette idée lui glaça les entrailles. Si seulement il y avait plus de défilés de mode à faire, ou plus de réceptions pour la distraire ! Mais la vie sociale se calmait dans les Hamptons, et elle avait de moins en moins d'excuses pour sortir dans le monde.

Elle passa l'après-midi à paresser au soleil dans le jardin. Elle était si pâle qu'elle prenait toujours des coups de soleil, et elle s'était tartinée d'un écran total de marque française du genre SPF 100 : aussi bien, elle aurait pu être sous une couverture. Elle lézarda en se réjouissant de la chaleur qui lui réchauffait lentement le corps. Après une année passée dans les limbes, c'était le paradis d'être dehors, sur un matelas pneumatique, à flotter doucement au milieu de la piscine en trempant les mains dans l'eau tiède.

Alors elle le sentit : un assombrissement... comme une ombre passant sur le soleil, puis la *poussée*, le retour du Visiteur. Mais au lieu de lui laisser sagement la place, Bliss s'accrocha. Dans sa tête, elle se fit très, très discrète, roulée en boule, telle une ombre sur le mur, afin que le Visiteur ne remarque pas qu'elle était encore là. Elle savait, d'instinct, qu'il ne devait pas se rendre compte de sa présence. Elle s'efforça de devenir un océan d'immobilité, sans une vaguelette à la surface.

Elle se força à tenir. Et d'une manière ou d'une autre, cela fonctionna. Le Visiteur avait repris les commandes, mais elle était *toujours là*. Cette fois, elle voyait tout ce qu'il voyait ; elle pouvait même l'entendre parler (de sa voix à elle).

Ils (elle devait à présent penser à elle-même au pluriel) se levaient, enfilaient un peignoir puis rentraient dans la maison. Ils gravissaient l'escalier quatre à quatre et entraient au pas de charge dans le bureau de Forsyth.

Le sénateur était là pour toute la durée des vacances parlementaires. Il était assis à son bureau, un cigare aux lèvres, et sursauta en les voyant entrer sans prévenir.

– Je ne t'ai donc pas appris à frapper ? gronda-t-il.

– C'est moi, Forsyth, dit le Visiteur par la voix de Bliss.

– Oh ! Monseigneur, je suis navré. Absolument navré. J'ignorais que vous reviendriez si vite, dit-il en se jetant à ses pieds.

C'était très troublant de voir Forsyth par les yeux du Visiteur : il n'était plus qu'un humble vermisseau prosterné devant elle.

– Dites-moi comment je peux vous servir, monseigneur, ajouta le sénateur, toujours à genoux.

– Des nouvelles, Forsyth. Parlez-moi du Conclave.

Forsyth faillit *glousser de rire*. Bliss n'avait jamais vu son « père » si content de lui, ce qui n'était pas peu dire pour un politicien.

– Nous n'avons rien à craindre de ce groupe, monseigneur. La moitié d'entre eux a besoin d'appareils auditifs sang-rouge pour entendre les rapports. C'est très amusant, à la vérité. Vous ai-je déjà dit qu'Ambrose Barlow était devenu membre électeur ? Bien sûr, vous le connaissez sous le nom de Britannicus.

– Britannicus... répéta le Visiteur. Ce nom me dit quelque chose.

– Il était votre larbin en chef, autrefois. C'est lui qui emmenait les enfants aux bains.

Le Visiteur trouva cela incroyablement drôle.

– Excellent. Je peux en conclure que tout se met en place, donc ? Les *Venator* ne vous donnent pas de fil à retordre ?

– Pas du tout. Tout se déroule comme prévu. Charles Force est à Paris en ce moment même. Il est plus facile à manipuler qu'une marionnette, déclara Forsyth avec un rire dur qui ressemblait à un aboiement.

Un sentiment de profonde satisfaction s'installa en Bliss. Les nouvelles plaisaient énormément au Visiteur. Tel un chat trop nourri qui vient de dévorer toute une cage de canaris.

– Excellent. Excellent. Et mon frère ?

Forsyth prit une bouteille de scotch sous son bureau et servit deux grands verres.

– Vous n'avez qu'un mot à dire et le Léviathan frappera. La fille est à sa portée. Il n'aura aucun mal à infiltrer la réception. Au fait, ceci va sans doute vous amuser : d'après mes sources, Charles n'a même pas été capable de se faire inviter au bal.

– Quelle chance que le schisme tienne encore, opina le Visiteur, l'air toujours aussi ravi. Je savais que je pouvais compter sur ma chère sœur pour garder si longtemps sa rancune. Cela fait nos affaires. (Le Visiteur siffla le scotch d'un seul mouvement fluide.) Et mon autre sœur, Sophia ?

– Hélas, elle refuse de divulguer ses informations concernant l'Ordre. Elle jure qu'elle ne sait rien. Même au bout d'un an avec Harbonah... Elle dit peut-être bien la vérité.

– Je vois.

– La bonne nouvelle est que Kingsley et son équipe sont toujours dans le brouillard. Ils suivent les fausses pistes depuis des mois sans se douter que leur mission est parfaitement inutile.

– Kingsley, s'exclama le visiteur avec un reniflement méprisant. Ce traître. Nous lui réglerons bientôt son affaire.

– Que faire de Sophia ? demanda Forsyth. Continuons-nous à retenir la Vigie ?

– Non. (Le Visiteur passa un doigt sur le bord du verre vide, produisant un petit grincement aigu.) Si ma sœur ignore réellement l'identité des Sept, elle ne m'est rien. Son entêtement commence à m'ennuyer. Emmenez-la. Tuez-la.

Ses paroles avaient un ton brutal et impulsif, mais c'est autre chose qui terrifia soudain Bliss.

Lorsque le Visiteur avait appelé Sophia « ma sœur », une image lui était venue en tête : Jordan.

Le Visiteur parlait-il bien de Jordan ? Et si oui, cela signifiait-il qu'elle était encore en vie ? Où ? Comment ? Bliss sentit qu'elle commençait à s'agiter. Il fallait qu'elle se calme. Elle voulait en entendre plus... Elle devait... Elle devait découvrir...

Trop tard. Elle fut rejetée hors de la lumière, dans le froid, seule et impuissante à agir sur ce qu'elle avait entendu. Qu'allait-il se passer à Paris ? Pourquoi avaient-ils voulu y envoyer Charles Force ? Et Sophia... Était-ce le vrai nom de Jordan ? Qu'avait prévu le Visiteur pour elle ? Et qui était la fille après qui courait le Léviathan ?

Pouvait-elle faire quoi que ce soit pour empêcher cela ? Ou allait-elle être condamnée à savoir que la fin du monde arrivait... totalement impuissante, alors qu'elle était aux premières loges ?

VINGT-SIX

Mimi

Son coup de pied avait été si fort que la porte était tombée d'un coup dans un fracas terrible. Mais ensuite, plus un bruit. Leur provocation n'entraîna aucune réaction. Mimi se plaqua dans l'encadrement de la porte en tâtant le mur à la recherche d'un interrupteur. Lorsqu'elle l'eut allumé, elle constata qu'elle se trouvait dans un bric-à-brac d'une saleté repoussante ; tout était saccagé et en désordre.

– Hum, euh... beuh ? bougonna Mimi en faisant une grimace à Kingsley, qui de son côté posait sur ce lieu sordide un regard de pierre.

Mimi se boucha le nez et retint sa respiration.

– Qu'est-ce que c'est que ça ? demanda-t-elle en suffoquant presque.

L'odeur était douceâtre et rance. Comme si quelque chose était resté pourrir sur place.

Kingsley secoua la tête. Mimi en conclut qu'elle ne voulait pas vraiment savoir.

Elle entendait les frères Lennox fracturer l'autre porte. Ils avancèrent lentement dans le fatras. L'étendue du désastre avait quelque chose de pathologique, depuis le canapé retourné dont quelqu'un avait déchiqueté les coussins, envoyant des plumes partout, jusqu'aux tiroirs des tables et des bureaux, systématiquement forcés, et dont le contenu était répandu au sol.

Tout ce désordre rappelait quelque chose à Mimi. Elle se rendit compte qu'elle avait déjà vu cela : l'hôtel particulier des Force avait été cambriolé quelques années plus tôt, et la chambre de ses parents avait été saccagée exactement de la même manière : tout était retourné, renversé, tout avait été fouillé. Elle se rappela comme cela lui avait paru bizarre de voir la boîte à bijoux de Trinity au milieu du lit, brisée et vide, parmi un tas de vêtements et de vieilles photos de famille que les voleurs avaient exhumés du placard.

Ici, c'était pareil : chaque objet de la pièce avait été méthodiquement examiné et rejeté. Quelqu'un avait cherché quelque chose.

Kingsley fit signe à Mimi d'avancer et ils continuèrent de longer lentement le couloir. Ils trouvèrent deux chambres, toutes deux aussi désordonnées et retournées que le reste de la maison. Sam et Ted sortirent de la cuisine pour les rejoindre.

– Trouvé quelque chose ? leur demanda Kingsley, toujours prêt à dégainer son arme.

– Rien, chef.

– C'est récent, dit Kingsley en ramassant un sac en papier portant le logo McDonald's. Il est encore tiède. Ouvrez l'œil, ajouta-t-il en les pressant de rester sur leurs gardes.

Mimi continua sa visite. Lors du cambriolage de New York, les voleurs étaient partis avec les diamants de sa mère, d'une valeur de quatre millions de dollars. Mais le pire n'avait pas été le vol. Elle se rappelait comme elle s'était sentie violée à l'idée que des inconnus soient entrés chez eux. L'un d'entre eux avait abandonné, sur la table de la salle à manger, une tasse de café qui avait laissé une vilaine marque sur le bois.

Ce n'était pas tant la perte des pierres qui l'irritait – même si Mimi avait été contrariée de ne pas en hériter –, c'était le principe : savoir que quelqu'un s'était introduit sur votre territoire, une personne qui n'était ni invitée ni bienvenue et qui avait utilisé votre maison comme son terrain de jeux personnel. Elle avait trouvé une trace de semelle boueuse sur sa tête de lit, une tache de chocolat (du moins Mimi espérait que c'était bien du chocolat) sur son couvre-lit en soie.

La police était venue, avait relevé les empreintes et fait son rapport. Il n'en était jamais rien sorti, bien sûr. Charles avait dit que la plupart des voleurs de bijoux les écoulaient au marché noir, où les objets étaient démantelés, les pierres déguisées et blanchies clandestinement, puis revendues à des marchands sans scrupules de la Cinquième Avenue. Par chance, comme l'assurance couvrait l'essentiel des dommages ainsi que les pierres, il n'y avait pas vraiment eu de perte financière : juste la valeur affective, et un sentiment d'injustice lancinant.

Les parents de Mimi avaient fait repeindre tout l'appartement entre le soir même et le week-end suivant. Les domestiques avaient tout remis en ordre. Une fois le chèque de l'assurance arrivé, Trinity avait obligé Harry Winston et plusieurs salles des ventes à rester vigilants. Au bout de quelques mois, Mimi avait tout oublié : la vie continuait.

Mais face au désastre, elle repensa à cette nuit horrible. Le visage blême de Charles, Trinity versant une larme et Jack tapant du poing dans un des coussins du canapé. Mimi avait contemplé une bonne fois pour toutes le viol et le pillage de leur belle maison, puis avait déclaré : « Je prends une suite au *St. Regis.* »

Mais ici, qu'avaient-ils bien pu chercher ? se demandait-elle. C'était une hutte au milieu de la jungle. Que pouvait-elle bien contenir qui puisse avoir de la valeur pour quiconque ? Et où était Jordan ? S'ils l'avaient emmenée, pourquoi cherchaient-ils autre chose ? Mimi s'agenouilla et fouilla les décombres pour tenter de comprendre. Repoussant un tas de carton pourri, elle mit au jour des taches étranges sur le tapis.

Des traces de pas.

Petites.

Qui menaient à – ou sortaient de – la salle de bains. Mimi entra dans la petite pièce. Celle-ci aussi avait été retournée, le rideau de douche bon marché en plastique avait été arraché de ses anneaux, une montagne de serviettes jetées dans la baignoire, le miroir au-dessus du lavabo réduit en miettes... Il y avait du sang sur le verre.

On voyait des signes de lutte, les vestiges d'une bagarre... Mimi poussa les serviettes.

Il y avait quelque chose

Caché sous le rideau de douche tombé à terre...

Mimi poussa du pied le plastique froissé, le cœur battant... Se pourrait-il que ce soit... Les mains tremblantes, elle ramassa les éclats de verre et souleva le tas de serviettes sales.

Dans la baignoire, il y avait un petit corps sans vie, vêtu d'un pyjama en flanelle sale. Non. Non. Non. Non. Non. NON !

Ils étaient bien arrivés trop tard ; c'était ce qu'elle avait senti. Ils avaient marché dans le brouillard, trop longtemps... Ils avaient été trop lents... Pourtant, elle ne voulait toujours pas le croire. NON !

    – Kingsley ! cria-t-elle.

Elle ne voulait pas être seule pour retourner le cadavre.

Theodora

Elle avait l'habitude d'être seule. Elle l'avait été presque toute sa vie. Sa grand-mère n'avait pas adopté les pratiques d'éducation des parents modernes et stressés qui voltigent en tout sens comme des hélicoptères. Il n'y avait eu personne de chez elle pour assister aux quelques pièces de théâtre scolaires dans lesquelles elle avait joué, personne pour l'acclamer depuis les tribunes pendant les matchs de foot du samedi. Avec Cordelia, ç'avait été « marche ou crève » : aucun risque d'être noyée sous les attentions. Son enfance pouvait paraître solitaire, vue de l'extérieur : pas de frères et sœurs, pas de parents et, jusqu'à ce qu'Oliver arrive dans sa vie, pas d'amis.

Mais tel était son secret : elle ne s'était jamais sentie seule. Elle avait la peinture, le dessin, l'art et les livres. Elle aimait être seule. C'était la compagnie qui l'angoissait : elle ne savait pas bavarder de tout et de rien, ni interpréter et reproduire les comportements sociaux qui unissaient les gens. Elle serait toujours la Petite Fille aux allumettes frissonnant dans le froid derrière la fenêtre. Mais si les gens lui faisaient peur, le noir en revanche ne l'avait jamais effrayée.

Du moins jusqu'à présent. Les ténèbres qui l'entouraient étaient absolues. Si profondes que même la vue vampirique ne lui servait à rien. Elle se cacha dans un tunnel jusqu'à ce que les hurlements et les bruits de la rixe se soient apaisés, fondus dans le noir.

Qu'avait-elle dans le crâne ? Elle aurait dû rester. Pourquoi l'avait-elle laissé seul ? Elle avait abandonné d'abord Oliver, et maintenant Jack. Mais elle n'avait pas d'arme ; elle n'avait rien. Jack avait voulu qu'elle s'enfuie, et elle s'était exécutée.

– Jack ? Jack ? appela-t-elle, et sa voix résonna sur toute la longueur du tunnel. Ça va ? Jack !

Pas de réponse.

Le silence était encore plus inquiétant. Il était si profond qu'elle entendait la pluie tomber quelque part au-dessus des catacombes, elle percevait le goutte-à-goutte de chaque ruisselet qui traversait les fissures et allait frapper le sol. Elle serra les bras autour d'elle sans bien savoir que faire. Elle avait les épaules endolories et l'impression que ses muscles étaient gelés. C'était donc cela, la peur du noir. Être seule et terrifiée dans les ténèbres.

Theodora appela Jack pendant des heures, lui sembla-t-il, mais aucune réponse ne lui parvint. Aucun signe des sang-d'argent non plus, mais cela ne voulait rien dire. Peut-être étaient-ils partis pour revenir plus tard. Elle ne voulait pas penser à ce qui avait pu arriver à Jack... Était-il possible qu'ils l'aient emmené ? Était-il détruit ? Perdu ? Brisé ?

Jack n'était plus. *Non.* Theodora secoua la tête, même si elle ne faisait qu'argumenter avec elle-même. Il ne pouvait pas être tombé. Pas lui. Pas cette lumière éblouissante et terrifiante qu'il était. Non. Elle avait vu sa forme véritable et elle était merveilleuse à contempler. Une colonne de feu. Mille soleils splendides brûlant de flammes sombres comme la nuit la plus profonde. Terrible, magnifique et plus effrayant que tout ce qu'elle avait jamais vu.

Non !

Il reviendra me chercher.

Elle y croyait. Elle regarda le dédale de tunnels autour d'elle. Elle ignorait totalement où elle était et d'où elle venait. On pouvait se perdre là-dedans pendant des siècles, avait-elle dit à Jack.

C'est tout l'intérêt.

Qu'est-ce que je fais ? Quelle idiote. L'intersection ! C'était le seul endroit évident. Qu'avait dit Charles ? L'intersection. *L'endroit où ils ne peuvent pas traverser.* Tous les tunnels y menaient. Où était-ce ? Comme elle n'y voyait rien, elle suivit la paroi à tâtons. Elle trouva une ouverture. Elle en toucha une autre. Deux tunnels. Une bifurcation. Il fallait bien choisir. Mais lequel ? Elle tâta la surface en s'efforçant de percevoir quelque chose. Si elle n'y voyait pas, peut-être pouvait-elle flairer...

L'air sentait le propre à cet endroit, elle se rappelait l'avoir pensé. Elle s'était attendue à ce que la caverne souterraine sente le moisi, comme une serviette mouillée laissée trop longtemps par terre. Mais quand Jack et elle s'étaient engouffrés dans les catacombes, elle s'était étonnée d'inhaler de l'air frais.

Celui-ci, pensa-t-elle. Celui-ci a une odeur un peu plus légère, cela signifie peut-être qu'il mène vers plus d'air du dehors, peut-être vers l'escalier de sortie. Elle prit une décision. Elle entra dans le tunnel obscur, avec le bout de ses doigts pour seul guide.

Elle eut l'impression de parcourir des kilomètres dans le noir, mais son nez ne l'avait pas trompée : l'air s'était éclairci, et de loin elle voyait quelque chose... une lumière qui brillait dans le noir. Jack. C'était forcément Jack.

Enfin, elle atteignit l'intersection.

Mais la lumière était celle de la torche que Jack tenait avant qu'ils ne soient attaqués.

Et il n'y avait personne.

Vingt-huit

Bliss

C'était la dernière semaine d'août, et « Cotswold » avait enfin été vendu moyennant une ristourne d'une centaine de milliers de dollars. Un oligarque russe avait acheté la maison des Hamptons avec tout son contenu, jusqu'au dernier coussin à décoration nautique, ainsi que la collection de voitures. Comme les nouveaux propriétaires désiraient en prendre possession immédiatement, le délai entre la promesse de vente et la vente effective fut des plus brefs. Et depuis le jour où Bliss avait entendu la conversation dans le bureau de Forsyth, le Visiteur s'était retiré pour la plus longue de ses absences. Le samedi, jour de leur retour à New York, il ne s'était toujours pas manifesté, pour le cinquième jour d'affilée. Presque toute une semaine.

C'était un soulagement d'être de retour en ville. Elle en avait assez des Hamptons, comme tout le monde. Et tant qu'elle était libre, Bliss s'efforçait de comprendre ce qui se passait. Elle avait appelé chez les Force, sans savoir précisément ce qu'elle pourrait bien dire ; mais cela n'avait plus d'importance, puisque leur bonne l'avait informée qu'il n'y avait personne. Charles était parti, Trinity était à Washington et les jumeaux n'étaient pas là non plus. Puis elle avait appelé Theodora sur son portable, mais son abonnement avait été résilié. Elle avait appelé la maison de Riverside Drive, et Hattie lui avait répondu que Theodora était... loin. La gouvernante était apparemment trop terrorisée pour lui dire quoi que ce soit d'autre. Les Hazard-Perry passaient l'été dans le Maine, mais quand Bliss avait appelé ce numéro, personne n'avait répondu. Il n'y avait même pas de répondeur. Tout cela était bien étrange et pas très prometteur.

Elle avait fouillé le bureau de Forsyth avant que les affaires ne soient emballées, et tenté d'appeler la Sentinelle Ambrose Barlow. Elle avait décidé que si Forsyth et le Visiteur s'étaient moqués de lui, c'était peut-être le signe qu'il faisait partie des gentils. Mais lorsqu'elle avait appelé la résidence des Barlow, la Sentinelle ne s'y trouvait pas. Et elle ne savait pas quel message elle aurait pu laisser sans que le Visiteur l'apprenne. Elle devait veiller à ce qu'il ne sache rien de ce qu'elle mijotait dans son coin.

Finalement, elle se résolut à envoyer une lettre anonyme. Pas un e-mail, à partir duquel on aurait pu remonter jusqu'à son ordinateur, mais une lettre sur du beau papier, de manière à attirer l'attention des Barlow, pour qu'ils n'aillent pas croire que c'était de la pub. BobiAnne avait une belle collection de blocs de papier à lettre, parmi lesquels Bliss fit son choix.

Chère Sentinelle Barlow,

Vous ne me connaissez pas, mais je me dois de vous avertir de quelque chose. Gardez-vous de Forsyth Llewellyn. Il n'est pas celui que vous croyez.

Signé : une amie.

Seigneur, c'était vraiment nul. Mais que pouvait-elle faire sans se trahir ? Ce n'était pas plus effrayant qu'un panneau « Chien méchant » sur une pelouse abandonnée, mais Bliss ne voyait pas comment agir autrement. Elle ne pouvait pas prendre le risque que le Visiteur s'aperçût de ses manœuvres, et si un membre du Conclave venait la demander, Forsyth saurait ce qui s'était passé.

C'était mieux que rien.

Peut-être même que cela aiderait. Elle l'espérait.

Après avoir posté la lettre, elle erra sans but sur la Cinquième Avenue, en passant devant le musée Guggenheim. Il faisait chaud et lourd, c'était l'une de ces journées typiques de New York, à cuire des œufs au plat sur le trottoir, mais Bliss n'en avait cure. Elle était simplement heureuse d'être rentrée chez elle. De retour dans la ville qu'elle aimait tant.

Puis elle retourna en flânant vers le Metropolitan Museum of Art. Elle gravit l'escalier majestueux en évitant les groupes de touristes pique-niquant au soleil. Alors qu'elle pénétrait dans le grand hall de marbre et franchissait le barrage de sécurité, en attendant patiemment qu'un gardien blasé ait fini de tâter le contenu de son sac à l'aide d'une matraque, elle eut un coup au cœur.

C'était là que Dylan l'avait emmenée lors de leur premier tête-à-tête.

Le souvenir était trop bon pour ne pas lui faire mal : elle se rappelait que Dylan avait payé dix centimes pour eux deux. Mais en s'approchant de la caisse, elle constata qu'elle n'avait pas son audace et consentit à payer intégralement le tarif « suggéré »[1].

---

1. On peut entrer au Met en ne payant qu'une somme symbolique si on le souhaite. (N.d.T.)

Il y avait presque deux ans qu'il l'avait amenée au musée. Il s'était montré impatient de la conduire dans l'aile égyptienne, et inconsciemment Bliss prit cette direction, passant devant des vitrines de scarabées et de colliers précieux. Elle dépassa les sarcophages. Elle se souvint que Dylan lui avait demandé de fermer les yeux et l'avait guidée dans les couloirs ; quand elle avait rouvert les paupières, elle se trouvait là. Devant le temple de Dendour. Un vrai temple égyptien reconstruit dans une salle du Metropolitan. Comme un fragment d'histoire revenu à la vie.

Si ancien, et si beau.

Et si romantique. Elle se souvenait que Dylan était resté planté là, les yeux brillants comme des étoiles. Bliss repassa lentement devant, en se rappelant... La lumière tombait en biais dans la salle, projetant des ombres sur le monument. Elle fut frappée par une tristesse tellement immense qu'elle dut se retenir de tomber.

– Ça va ? lui demanda une jeune fille.

– Je vais bien, fit Bliss en hochant la tête.

Elle s'assit sur les gradins en face de la ruine et respira un grand coup.

– Je vais bien, répéta-t-elle.

La fille lui jeta de nouveau un regard curieux, mais la laissa tranquille.

Bliss était encore enracinée au même endroit quatre heures plus tard, lorsque les lumières se mirent à clignoter et qu'une annonce résonna dans les haut-parleurs. « Le Metropolitan Museum fermera ses portes dans trente minutes. Veuillez vous diriger vers la sortie. » Cette annonce fut répétée à intervalles réguliers dans de nombreuses langues.

Bliss ne bougea pas de son siège. À part elle, tout le monde dans la salle – des étudiants en art, quelques touristes, un groupe mené par un guide – prit le chemin de la sortie. *Qu'est-ce que je suis en train de faire ?* se demanda-t-elle. *Je devrais rentrer.*

Mais les minutes s'écoulaient et les plafonniers continuaient de clignoter en signe d'avertissement, et quand Bliss entendit les pas du gardien de musée, elle se cacha dans une fissure de la muraille du temple et se rendit invisible aux yeux des humains. Après un temps qui lui parut incroyablement long, les lumières s'éteignirent enfin, le silence complet se fit, et un clair de lune fantomatique s'engouffra dans le musée.

Elle était seule.

Elle entra directement dans le temple, toucha les pierres rugueuses, passa les doigts dans les creux des hiéroglyphes gravés. C'était précisément là que Dylan l'avait embrassée pour la première fois.

Comme il lui manquait !

Toi aussi, tu me manques.

Quoi ?

Elle parcourut des yeux la pièce vide. La lumière projetait sur toute chose des ombres fantastiques, lui rappelant sa peur du saule qui étendait ses branches au-dessus de sa chambre lorsqu'elle était petite.

Elle s'approcha de la fontaine, le long du mur, et jeta une pièce dans l'eau en la regardant couler. L'espace d'un instant elle avait cru entendre sa voix... Elle était vraiment en train de devenir folle, n'est-ce pas ?

Tu n'es pas folle.

Elle était irritée, agitée. Celui qui lui parlait devait cesser.

– Il y a quelqu'un ? Hé, ho ?

Sa voix résonna dans toute la chambre vide.

La seule réponse qu'elle reçut fut l'écho de sa question : *héhohéhohého...*

Mais si la voix n'était pas là... alors peut-être... peut-être... qu'elle venait de quelque part... *à l'intérieur*... Pourtant ce n'était pas la voix du Visiteur, elle en était sûre. Elle ferma les yeux. Quel mal y avait-il à cela ? Ce n'était pas comme s'il ne lui était jamais rien arrivé de plus étrange. Elle regarda à l'intérieur d'elle-même. Il y avait un vide là où se trouvait habituellement le Visiteur, un creux. Décidément, il était bel et bien absent.

Mais pour la première fois elle perçut une *autre* présence, et une autre, et encore une autre... tant d'autres présences... des centaines... Oh Seigneur, était-ce donc ce que faisaient les sang-d'argent ? Ils prenaient le sang, la conscience immortelle, afin que leurs victimes continuent de vivre à l'intérieur de leur ravisseur. Une multitude d'âmes piégées dans un seul corps. *L'abomination.*

Il y avait des centaines d'âmes juste en deçà de sa conscience ; tout comme elle, elles étaient reléguées sur la banquette arrière (peut-être même dans le coffre ?). C'était comme regarder dans une fosse commune... sauf qu'au lieu d'être des cadavres, ils étaient encore tous en vie...

Elle avait envie de hurler... C'était bien pire que d'héberger le Visiteur. C'était... Elle faillit craquer, mais alors... de nouveau, cette voix...

Grave, sensuelle et rauque, comme si son propriétaire avait fumé trop de cigarettes et passé trop de nuits à brailler dans un bar bondé en ville. C'était la voix d'un garçon qui avait tout vu et avait survécu avec une drôle d'histoire à raconter...

Une voix profonde et rude, mais avec quelque chose de doux à vous transpercer le cœur.

Était-ce possible ?

Comment était-ce possible ?

– Dylan ? murmura-t-elle. C'est toi ?

Il y eut un silence.

Puis, surgissant de la nuit, elle le vit se matérialiser devant elle – elle vit sa silhouette, elle vit son visage... ses beaux yeux tristes, son sourire de travers, ses cheveux noirs ébouriffés. Il sortit du néant et entra dans la lumière.

– Je n'ai pas beaucoup de temps, dit-il. Ton Visiteur sera bientôt de retour.

VINGT-NEUF

Mimi

Mimi sentit quelqu'un s'approcher derrière elle, mais en se retournant ce ne fut pas le beau *Venator* qu'elle vit : c'était un spectre. Une silhouette noircie, calcinée. Un cadavre ambulant avec des trous à la place des yeux et une balafre en guise de bouche, le torse bandé. Brûlé, défiguré, mais pourtant... vivant, à vous retourner l'estomac.

– Toi... fit le spectre en pointant un doigt osseux sur Mimi, dans un chuchotement sifflant, râpeux, qui rappelait un craquement de feuilles mortes. Tu oses...

Cette voix. Même dans sa sinistre incarnation présente, Mimi reconnut cette voix. Elle avait autrefois prononcé des discours sur des podiums, avait un jour accueilli des groupes d'invités d'élite à une réception particulièrement spectaculaire sur Park Avenue.

– Sentinelle Cutler ? chuchota Mimi. Mais je... je vous ai tuée.

Cela paraissait absurde même en le disant. Mais elle avait tranché Nan Cutler en deux, l'avait laissée brûler dans le feu noir, à la villa Almeida. Comment la Sentinelle avait-elle pu

197

survivre ? C'était grotesque. Et c'était tout aussi absurde, de la part de Mimi, de s'entretenir avec un spectre ambulant et parlant.

– Fais encore un pas et je prends ton sang, croassa l'horreur défigurée.

Ce qui n'était pas carbonisé ou couvert d'ampoules sur son corps était de l'os. C'était écœurant à voir.

La main de Mimi tressaillit à peine. Elle n'aurait pas dû ranger son épée. Avait-elle le temps ? Où était donc passé le reste de l'équipe ? Kingsley l'avait-il entendue ? Où étaient les garçons quand on avait besoin d'eux ? Pourquoi s'était-elle éloignée du groupe, alors qu'à la formation de *Venator* on leur apprenait à rester toujours par deux ? Quelle bêtise d'avoir suivi ces traces de pas ! Cela sentait le piège à cent mètres.

Aurait-elle le temps de sortir son arme avant que Nan n'avance sur elle ? Pas le temps de réfléchir : Mimi dégaina, mais au même instant elle se retrouva saisie par la poigne d'acier de la sang-d'argent à demi morte.

Le monstre qui avait jadis été l'hôtesse la plus recherchée de New York avait une force terrible, et Mimi avait beau distribuer les coups de pied et les coups de griffes, le démon ne lâchait pas prise. Mimi sentait son haleine fétide dans son cou, elle savait qu'avant longtemps ses crocs lui perceraient la peau et aspireraient son sang...

Non !

Elle repoussa violemment la Sentinelle contre le mur, de toutes ses forces. Mais Nan avait le dessus et précipita Mimi contre le sol en ciment. Cela aurait anéanti plus d'un vampire, mais Azraël était faite d'une étoffe plus solide. Néanmoins, la tête lui tournait et elle sentait une fissure dans son crâne, la blessure qui saignait... Elle perdait peu à peu conscience...

À cet instant, Kingsley apparut. Mimi se dit qu'elle n'avait jamais été aussi heureuse de voir quelqu'un de sa vie.

– Croatan ! cria-t-il. *Reverte ! Reverte ad infernos !* « Retourne en enfer ! »

Et d'un puissant coup d'épée, il lui transperça le cœur.

Il y eut un sifflement, comme celui d'un pneu qui se dégonfle, quelque peu trivial, jusqu'au moment où la silhouette explosa soudain en une flamme vive et argentée, un éblouissement momentané, et où la température dans la pièce atteignit un niveau solaire, tandis que l'esprit s'effondrait en supernova.

Mimi se couvrit les yeux jusqu'à ce qu'il n'y ait plus de danger à les rouvrir. Elle s'attendait à ce que la Sentinelle ait disparu, mais le cadavre était toujours là. Sauf qu'à présent, il n'avait plus rien de menaçant. Ce n'était plus qu'un tas d'ossements.

Kingsley en arracha son épée, laquelle reprit la forme d'un petit couteau de poche.

– Tout va bien ? demanda-t-il en s'agenouillant auprès de Mimi.

Il regarda brièvement sa blessure à la tête, posa les pouces sur ses tempes avec des mains très douces et les massa lentement.

– Fêlée comme une coquille d'œuf, mais tu t'en tireras. Ça commence déjà à cicatriser.

– Comment a-t-elle fait pour survivre ? Je l'avais coupée en deux, s'étrangla Mimi.

– Tu ne l'as pas poignardée en plein cœur. C'est le seul

moyen. C'est ma faute, soupira Kingsley. J'aurais dû vérifier. Je croyais que tu le savais. Lawrence avait raison : le Conclave ne prend plus la peine d'enseigner quoi que ce soit, et la nouvelle génération de vampires a oublié trop de choses.

– Je pensais que ce n'était qu'un mythe... tu sais, comme dans les films, quand les humains croient qu'ils peuvent nous tuer en nous plantant un pieu dans le cœur.

– Il y a un peu de vérité dans tous les mythes, lui dit Kingsley avec gentillesse. La Conspiration y a veillé. Pour que les sang-rouge ne ressentent pas le besoin de chercher la vérité vraie.

– Eh bien, on aurait dû me le dire, à moi. À charge de revanche. Et d'ailleurs, qu'est-ce qui t'a retenu si longtemps ?

– On a trouvé deux sang-d'argent morts à l'arrière de la maison. Mais eux, au moins, ils avaient été correctement liquidés. Et toi, qu'est-ce que tu as trouvé ?

Pour toute réponse, Mimi se leva.

– Quelque chose. Quelqu'un. Dans la baignoire.

Elle l'y conduisit et lui montra le corps.

En voyant la petite silhouette en pyjama de flanelle, Kingsley se signa. Ils échangèrent un regard angoissé et peiné.

– Vas-y, dit-il.

Mimi hocha la tête.

C'était Jordan Llewellyn. Mimi reconnut les yeux gris de la fillette. Ils étaient ouverts et regardaient fixement le plafond. Morte, elle paraissait encore plus jeune que ses onze ans. Elle portait un pyjama crasseux : celui dans lequel elle avait été enlevée. À son teint cireux, Mimi sut sans qu'on eût à le lui dire : elle avait été saignée jusqu'à la dernière goutte. Consumption complète.

Mimi crut qu'elle allait vomir. Rien ne l'avait préparée à cela. C'était bien pire que d'avoir failli être emportée par la Sentinelle à demi morte. Elle s'était enrôlée au sein des *Venator* pour l'aventure, pour sortir de New York... Jamais elle n'avait envisagé qu'ils puissent échouer dans leur quête. Jamais. Et savoir qu'ils étaient passés si près de la victoire, pour s'en retrouver si loin... Elle n'était pas préparée à contempler le cadavre d'une enfant. C'était une image qu'elle porterait en elle à jamais.

Mimi était quelqu'un qui avait de l'assurance. Elle avait une foi inébranlable en elle-même et en ses capacités, et elle n'avait jamais douté que Kingsley eût le pouvoir de retrouver Jordan. Elle avait cru qu'il ne la décevrait pas. À présent elle le regardait et se sentait profondément trahie.

Mais Kingsley faisait quelque chose d'étrange. Il avait sorti une loupe de son sac de *Venator* et scrutait les yeux gris de la fillette.

– Lennox, qu'en penses-tu ? Tu vois quelque chose ? demanda-t-il à Ted, qui s'était accroupi près de la porte.

Ted regarda à travers la loupe. Au bout de quelques minutes il la tendit à son frère, qui l'imita.

– Non. Rien du tout.

– C'est bien ce que je pensais, conclut Kingsley avec une note de triomphe dans la voix. Force, regarde. Regarde bien. Tu vois ? Ou plus précisément, tu ne vois *pas* ?

Elle prit la loupe et regarda dans les yeux de Jordan. Que regardait-elle ? Qu'était-elle censée ne pas voir ? C'était morbide. Le regard de Jordan était vide, fixe, plein de reproche. Enfin, elle trouva. Les yeux de Jordan n'avaient pas de pupilles. À leur place, au centre, là où elles auraient dû se trouver, il n'y avait rien : ses iris étaient une surface ininterrompue. Elle ressemblait à une poupée.

– Qu'est-ce qui lui est arrivé ? Qu'est-ce que ça veut dire ? demanda Mimi.

Un grand sourire s'épanouit sur le visage fatigué de Kingsley.

– Ça veut dire, Force, que nous n'avons pas encore échoué. La Vigie est en vie.

TRENTE

Theodora

L'attente, c'était le plus dur. Theodora se revit dans l'appartement de Perry Street, en train d'attendre, exactement comme maintenant, que Jack arrive à leurs rendez-vous secrets. Cela lui semblait toujours aussi miraculeux qu'il passe la porte. Toujours aussi incroyable qu'il soit à elle, et qu'il ait attendu de la voir avec autant d'impatience qu'elle-même s'était languie de lui.

C'était comme si elle ne l'avait quitté qu'hier, tant les émotions qu'il remuait en elle étaient étourdissantes, tant les souvenirs qu'il faisait remonter à la surface étaient forts. Elle adorait, autrefois, le regarder entrer dans l'appartement. Elle se rappelait son expression anxieuse lorsqu'il apparaissait à la porte... comme si lui aussi s'était préparé à une déception. La question qui s'attardait sur ses traits... Serait-elle là à l'attendre ? Elle l'aimait tant pour cela. De savoir qu'il était aussi vulnérable, aussi nerveux qu'elle-même. Jamais, pas une fois il ne l'avait considérée comme acquise.

À présent, elle l'attendait de nouveau. Il reviendrait la chercher, elle n'en doutait pas. Assise par terre dans une caverne des catacombes en dessous de Paris, elle y croyait encore plus qu'elle ne l'avait jamais fait sur le canapé d'un appartement new-yorkais.

Elle croyait qu'il reviendrait la chercher parce que sinon, cela signifiait... non. Non. Il était hors de question qu'il ait été tué. Mais à supposer qu'il ait été blessé ? S'il était quelque part au fond de l'un de ces tunnels obscurs – les tunnels qu'elle n'avait pas choisis –, s'il était quelque part là-dedans, perdant son sang, inconscient ? Que se passerait-il alors ?

Quant à Oliver, elle ne pouvait même pas commencer à envisager ce qui avait pu lui arriver. Elle espérait que Jack avait raison, que les sang-d'argent l'avaient laissé tranquille... Les Croatan ne s'intéressaient pas aux humains... n'est-ce pas ? Comment avait-elle pu l'abandonner ? Elle ne se le pardonnerait jamais. Et maintenant, Jack aussi... Jack avait disparu à son tour. Était-elle destinée à les perdre tous les deux la même nuit ?

Elle ferait mieux de s'en aller. Elle avait attendu assez longtemps. Jack avait besoin d'elle. Il fallait qu'elle parte à sa recherche ; elle ne pouvait pas rester là sans rien faire.

Elle ramassa la torche par terre. Mais juste au moment où elle faisait un pas vers le premier tunnel, elle entendit un bruit derrière elle. Des pas. Elle fit volte-face en brandissant la flamme.

– Arrière ! cria-t-elle.

– C'est moi... Ne t'en fais pas... ce n'est que moi.

Jack se tenait devant elle. Il paraissait intact, immaculé. Pas un cheveu en désordre. Pas une coupure sur sa joue. Ses vêtements étaient propres et comme repassés de frais. Il était parfait, comme toujours, et pas comme s'il venait d'affronter une horde de sang-d'argent monstrueux.

Elle ne baissa pas la flamme. Était-ce bien Jack ? Elle se souvint des yeux écarlates du baron. Elle n'avait pas repéré au premier regard le sang-d'argent sous son apparence humaine. Et ceci, était-ce Jack Force ou était-ce autre chose ? Encore un ennemi doué pour les métamorphoses ?

– Comment savoir si c'est toi ? lui demanda-t-elle sans cesser de brandir sa torche comme si cette dernière pouvait la sauver de la créature qui se tenait devant elle.

– Theodora, je viens de sauver ma peau *in extremis*. Tu plaisantes, n'est-ce pas ? dit Jack.

– Ne t'approche pas de moi !

Une pensée la traversa : et si tout cela faisait partie du plan des sang-d'argent ? Un leurre fatal ? Une mascarade ? S'ils avaient prévu que Jack vienne la « sauver » pour regagner sa confiance ? Une année s'était écoulée... les alliances changeaient vite. Comment savoir s'il n'avait pas retourné sa veste ? Ils étaient restés si loin de toutes les nouvelles de l'Assemblée... Et si... et si...

– Theodora, je ne suis pas un sang-d'argent !

Jack avait l'air fâché à présent, et une veine palpitait sur son front. Sa voix était rauque à force de crier.

– Arrête. Il faut que tu me fasses confiance ! Nous n'avons pas beaucoup de temps : mon père ne pourra pas les retenir éternellement. Il faut qu'on sorte d'ici !

– Prouve-le ! cracha-t-elle. Prouve que tu es bien celui que tu prétends être !

– On n'a pas le temps ! Tu veux vraiment que je te prouve mon identité ?

– Oui ! le défia-t-elle.

Pour toute réponse, il la prit dans ses bras, la souleva et la plaqua contre le mur. Il pressa ses lèvres contre les siennes, et à chaque baiser elle vit dans son esprit, dans son âme. Elle vit une année de haine... Elle le vit seul, isolé, blessé. Elle lui avait menti et l'avait quitté. À chaque baiser il lui faisait voir, lui faisait sentir... chaque émotion, chaque rêve qu'il avait fait sur elle... chaque gramme de son désir et de son besoin... et de son amour... son *amour* pour elle qui consumait tout, qui donnait un sens à sa vie. Dans le noir ils se retrouvèrent... et elle lui rendit ses baisers, avec une telle avidité et une telle faim qu'elle aurait voulu ne jamais cesser de l'embrasser... de sentir son cœur contre le sien, tous deux entremêlés, ses mains à lui dans ses cheveux, puis dans le creux de ses reins. Elle avait envie de crier, noyée dans les émotions qui les submergeaient tous les deux...

– Et maintenant, tu me crois ? lui demanda Jack d'une voix rauque en se dégageant un instant pour qu'ils puissent se regarder dans les yeux.

Theodora, pantelante, fit oui de la tête. Jack. Chaque fibre de son être fourmillait d'amour, de désir, de remords et de pardon. Oh, Jack... l'amour de sa vie, sa douceur, son âme...

Mais comment ?

Comment pouvait-il encore avoir ces sentiments pour elle ? Il était déjà lié à sa jumelle vampirique, non ? Non ? Elle avait vu les invitations. Mimi dans sa robe blanche d'union.

– L'union... balbutia-t-elle.

Ça ne s'est pas fait. Je ne suis pas uni à ma jumelle.

Il était encore libre. Il était encore lui-même, il était toujours le garçon dont elle était tombée amoureuse, si profondément et irrévocablement que même une année de séparation n'avait pas tari son amour pour lui. Et il l'aimait encore, elle

206

le savait à présent. Ils se regardèrent... et comprirent soudain tout ce qu'il y avait entre eux et qu'ils avaient passé sous silence.

C'est Jack qui brisa le charme en premier. Il regarda les éboulis, le sourcil froncé. Les sang-d'argent avaient détruit les marches de pierre qui menaient à la sortie, dix étages plus haut. Theodora distinguait une lumière pas plus grande qu'une tête d'épingle tombant d'un trou, tout là-haut.

– C'est l'intersection. Si on la franchit, ils ne pourront pas nous suivre. Accroche-toi, dit-il en déroulant un anneau de corde attaché à son sac de *Venator*.

Il lança le grappin qui s'accrocha au rebord du gouffre, et la prit par la taille.

– Ne regarde pas en bas, dit-il en les propulsant vers le haut comme un couple de super-héros.

– Attends ! Il y a quelqu'un en bas ! Je crois... Je crois que c'est ton père... Oui ! C'est Charles ! Attends, Jack !

La corde glissa, se coinça ; il y eut une résistance tandis qu'ils étaient soudain tirés vers le bas, de retour dans les profondeurs... et Theodora vit, loin, très loin, Charles Force combattant le Léviathan en personne, le démon qui prenait la forme d'un basilic, d'un dragon et d'une chimère, changeant de forme et raillant son adversaire avec une joie mauvaise.

– SORTEZ D'ICI ! tonna Charles Force en les voyant suspendus au câble au-dessus de lui. SAUVEZ-VOUS !

Et elle sentit sa puissance féroce les pousser hors du trou, les envoyer voler en l'air et retomber les bras en croix sur le trottoir. Ils avaient atteint la surface à temps.

Juste derrière ou en dessous – elle ne savait plus trop –, elle sentit une vague immense, comme si la foudre s'était abattue à un centimètre d'elle. Puis l'univers vacilla.

Une vaguelette.

Une déchirure.

Une balafre.

L'espace d'un instant, le monde devint flou. Theodora voyait dans l'immensité de l'espace et de l'infini. Des univers alternatifs. D'autres fins. D'autres dénouements.

Elle sentit un tremblement tout au fond d'elle-même comme à l'extérieur, comme si chaque atome de l'univers connu entrait en vibration, comme si le temps lui-même sortait de ses gonds, comme si la terre elle-même, le monde même dans lequel ils vivaient, courait le risque d'être détruite.

Mais là, tout aussi soudainement, tout se remit brutalement en place. Le temps se fixa. L'univers cessa de trembler. Le monde fut de nouveau le même qu'auparavant.

Theodora gisait sur le trottoir. Elle ne sentait rien : ses jambes, ses bras, tout était engourdi. Jack reposait à côté d'elle.

Avec le peu de force qu'il lui restait, elle tendit la main vers lui, effleura du bout des doigts ses doigts froids, puis elle sentit la main de Jack prendre la sienne d'une poigne forte et ferme. Il était vivant. Son cœur se réjouit. Il était vivant.

Ils avaient survécu.

Mais il n'y avait aucun signe de Charles Force nulle part.

TRENTE ET UN

Bliss

– C'est vraiment toi ? Comment est-ce possible ? demanda Bliss en s'émerveillant de sa bonne mine.

Le Dylan de son souvenir n'avait que la peau sur les os, mais celui-ci était en pleine santé. Il avait les joues roses, et ses fossettes étaient revenues.

– C'est vraiment moi, lui assura Dylan. Tu sais, la Corruption – cette chose qui transforme les vampires en démons – se fait en ingérant l'âme par le biais du sang, donc les fois où, euh... tu sais...

Bliss acquiesça. Les fois où le Visiteur avait pris le contrôle en aspirant le sang de Dylan, elle avait absorbé une partie de l'esprit du garçon dans le sien, si bien qu'une image résiduelle, ou une version affadie, un morceau de sa conscience, vivait dans la sienne à elle.

– Alors... tu es vivant ? lui demanda-t-elle.

– D'une certaine manière. Dans le sens où je peux penser, et où je peux encore ressentir.

– Mais tu n'es pas *réel*, n'est-ce pas ?

Il secoua tristement la tête.

– Non. Pas comme tu l'es toi. Car personne ne peut me voir à part toi.

– Est-ce que c'est désagréable ? Est-ce que ça fait bizarre ?

Pendant un moment, Dylan se contenta de sourire, toujours de son triste petit sourire de travers.

– Je ne sais pas comment l'expliquer, mais une partie de moi est là, avec toi, et l'autre est... ailleurs. Je ne sais rien, mais ce que je sais c'est que je ne suis pas entier. Je suis comme... comme... un avatar... tu sais, comme une personnalité virtuelle coincée dans un ordinateur, lui expliqua-t-il.

Il confirmait ce qu'elle savait déjà : que des dizaines, peut-être des centaines d'âmes vivaient en elle.

– Les Croatan sont fous parce qu'aucun des esprits ne dispose du corps assez longtemps pour le faire fonctionner. Ils deviennent instables et imprévisibles... *schizo*, comme disent les humains. En général parce que l'hôte d'origine perd le contrôle au profit d'une personnalité plus forte.

Elle frissonna.

– Comme moi.

– Le Visiteur. Oui. Mais tu es consciente de la transgression, ce qui indique que tu as réussi à y résister. Et il y a une autre différence chez toi. Tu sais ce que c'est ?

– Pas vraiment.

– Ton familier humain, Morgan. Tu te souviens de lui ?

Bliss se rappela l'assistant photographe mignon de la séance de pose à Monserrat.

– Le sang rouge est un poison pour les Croatan, et pourtant il ne t'a fait aucun mal. Ce qui veut dire que tu es encore en partie incorrompue. Et aussi, tu m'as, moi.

– Comment ça ?

– Je les éloigne de toi. Je monte la garde sur les remparts. C'est la meilleure formulation que je trouve. Imagine qu'il y ait un rideau tiré entre ta conscience et les autres. Je suis ce rideau.

– Donc, pour résumer, la seule chose qui me sépare de la folie, c'est... toi ?

– Bah oui. (Il haussa les épaules.) Moi.

Bliss se mit à sourire. Soudain, elle ne se sentait plus aussi seule. Elle avait quelqu'un à qui parler, et quelqu'un qui comprenait exactement ce qu'elle traversait.

– Ça ne présage que du bon, dit-elle.

Elle allait ajouter autre chose lorsqu'elle fut soudain submergée par la rage, une rage lancinante et mal définie – elle avait l'impression d'avoir la bave aux lèvres, de suffoquer dans sa bile... elle cherchait l'air... Elle se plia en deux en agrippant son ventre... Que lui arrivait-il ? Que se passait-il ? Pourquoi était-elle tellement en colère ? Puis elle comprit. Ce n'était pas sa hargne, ce n'était pas sa fureur. Elle les ressentait, mais cela ne venait pas d'elle.

– Que se passe-t-il ? chuchota-t-elle. C'est lui, n'est-ce pas ? Le Visiteur ? Il est fâché.

– Oui, répondit Dylan d'un air inquiet. Essaie de ne pas le ressentir si fort. Repousse-le. Ne laisse pas ses émotions contrôler les tiennes.

Elle hocha la tête, les dents serrées, en s'efforçant de combattre le fatras confus d'émotions violentes qui la submergeaient. COLÈRE ! HAINE ! COMMENT EST-CE ARRIVÉ ? QUI EST RESPONSABLE ? JE LUI TRANCHERAI LA GORGE ET JE BOIRAI LE SANG DE SES ENFANTS. LA PORTE ÉTAIT LÀ ! NOUS AVIONS LE GARDIEN DE LA PORTE ENTRE LES MAINS ! LE CHEMIN

ÉTAIT DÉGAGÉ ! IMBÉCILES ! IMBÉCILES ! Elle le repoussa : *Non.*
Non. Pas moi. Pas moi. Lui.

Vire-le. Vire-le. Vire-le. Sors de moi, de mes pensées, de ma vie. Je ne
suis pas toi. Je ne suis pas toi. Je ne suis pas toi.

– Il est parti, dit Bliss en poussant un long soupir.

Elle ouvrit les yeux. Elle se trouvait toujours dans le musée
et Dylan était assis sur les marches, en face d'elle.

– C'est bien, dit-il. C'est très important que tu le main-
tiennes à distance, que tu ne... que tu ne le laisses pas prendre
le pouvoir.

– Je ne le laisserai pas.

Elle lui raconta qu'elle avait réussi à *rester*, même en présence du Visiteur.

– Il essayait de faire quelque chose, je crois, mais j'ai l'impression que ça s'est mal passé. Ça n'est pas arrivé. Quelque
chose a raté. C'est pour ça qu'il est tellement en colère en ce
moment.

– Oui, mais à mon avis, ce n'est pas fini. Tu dois continuer
comme ça. Lui résister, rester, comme tu dis. Écoute et
observe. Et tu devras agir au bon moment.

– Mais s'il s'en aperçoit ?

– Je t'aiderai autant que je le pourrai. Je te le promets.

– Et toi ? Seras-tu toujours là ?

– Je ne pourrai jamais partir. Tu es coincée avec moi.

– Je peux ? lui demanda-t-elle en tendant la main vers lui.

Elle la leva contre la sienne, pleine d'espoir. Mais elle ne
sentit rien. De l'air. Il n'était que reflet et fumée. Air et
lumière. Un fantôme.

Il n'était pas réel. Tout cela n'était pas réel.

– Je voudrais tellement t'embrasser, chuchota-t-elle en le

regardant au fond de ses yeux noirs. Mais il n'y a rien. Tu n'es pas vraiment là, si ? Je suis simplement folle. Je t'ai sans doute inventé juste pour me sentir saine d'esprit.

Elle se mit à sangloter sans retenue. Les larmes coulaient à torrents sur ses joues.

L'énormité de sa responsabilité l'écrasait. Elle ignorait si elle serait capable de réussir. C'était trop demander. Elle ne pouvait pas tenir tête au Visiteur. À Lucifer. Il était trop puissant.

Dylan posa une main sur son épaule : elle la vit mais ne sentit rien. Cependant, elle entendit sa voix.

– Ça va aller, Bliss, dit-il avec une grande douceur. Ça va s'arranger.

TRENTE-DEUX

Mimi

Mimi avait envie de hurler. Des devinettes, des indices, un cadavre et à présent, encore un mystère. Elle voulait des explications, et elle les voulait tout de suite.

– Comment ça, elle n'est pas morte ? s'écria-t-elle.

Mais pour l'instant Kingsley et l'équipe s'intéressaient plutôt à l'examen des corps des sang-d'argent.

Un homme et une femme. Mimi les reconnut du Comité. Le couple était voisin des Force sur la Cinquième Avenue. *Mon Dieu*, se dit Mimi, le cœur battant à tout rompre. Les sang-d'argent cachés étaient comme des agents dormants du terrorisme ; qui savait combien il y en avait à l'Assemblée ?

Ted examina la blessure sur la poitrine de la femme. Elle portait une marque au centre, obscurcie par tout le sang. C'était un tatouage représentant une épée traversant des nuages, pile à l'emplacement du cœur.

– C'est bien ce que je crois ? demanda Mimi.

– Le *sigul* de l'archange, répondit Kingsley en hochant la tête. Tu vois cette croûte d'or autour de la plaie ? Une seule épée au monde peut faire cela. Celle de Michel.

– Je ne comprends pas, constata Mimi. Je ne comprends rien du tout.

Kingsley ferma les yeux pour se concentrer intensément.

– Ils l'ont enlevée à l'hôtel il y a un an. Pour une raison quelconque, ils ont dû vouloir la garder vivante. Nan Cutler a survécu et s'est fait passer pour la grand-mère de Jordan, elle l'a cachée dans la favela, où Jordan a dû réussir à gagner l'amitié de ces enfants. Mais Sophia savait que nous venions : elle nous a écrit ce message et a dit aux enfants à qui le donner. Et elle savait que les sang-d'argent l'emmèneraient ici, mais je crois que nous étions censés la sauver. C'est ce qu'elle avait vu. C'est pourquoi elle nous a envoyés ici... pour empêcher que cela arrive. Mais il y a eu un problème de *timing*. Ils ont décidé de la tuer plus tôt que prévu.

– Mais elle a réussi à se défendre contre eux. Elle a trouvé l'épée de Michel : c'est sans doute elle qui a tout retourné en la cherchant. Elle avait été volée dans le bureau de mon père, tu sais. Les sang-d'argent devaient l'avoir avec eux, dit Mimi en repensant au cambriolage. Donc, nous savons ce qui a tué ces deux-là. Mais ensuite, il s'est passé autre chose...

– Oui. Nan est revenue par surprise. Jordan n'avait pas prévu ça.

– Alors Nan l'a tuée, ou du moins elle a cru le faire.

– Oui.

– Mais ses iris... Tu disais qu'elle vivait encore. Pourtant, Jordan est bien morte.

– Oui. Sauf que Jordan n'était que l'enveloppe physique de la Vigie. (Kingsley regarda Mimi.) Tu ne te souviens vraiment pas de tout ça ? Tu devrais avoir honte.

– Je n'ai pas à m'excuser de quoi que ce soit !

Mais elle sentait qu'elle aurait dû.

– La Vigie n'est pas tout à fait des nôtres. Si son esprit peut être rappelé dans le sang pour naître dans un nouveau cycle, il y a une chose que les sang-d'argent ignorent. À Rome, lorsque Sophia fut la première d'entre nous à reconnaître Lucifer dans l'empereur Caligula, l'Assemblée décida à la fin de son cycle qu'elle était trop précieuse pour être liée uniquement par le sang. Alors, Michel libéra son esprit. Elle est davantage qu'un vampire. Elle est comme un fantôme. Elle habite un corps, une machine, mais elle peut le quitter... et en changer à tout moment.

– Donc Nan Cutler a tué son corps, mais Jordan a eu le temps de transférer son âme dans autre chose ? Dans quoi ?

Kingsley regardait, par la fenêtre, les oiseaux vivement colorés perchés dans les arbres.

– À mon avis, elle est partie dans l'un de ces aras, là-haut. Un oiseau intelligent. Mais cela pourrait n'être qu'un abri temporaire. Elle cherchera forcément un sang-rouge dès que possible.

– Alors tu es en train de me dire... qu'elle est là ? Vivante, dans un autre corps ? demanda Mimi, sceptique.

– Oui.

Mimi croisa les bras.

– Un humain. Un sang-rouge.

– Oui. (Kingsley commençait à perdre patience.) Ils sont faits de la même enveloppe physique que nous. Un hôte humain.

– Et tu as su tout ça, su qu'elle était encore en vie, rien qu'en regardant dans ses yeux ?

– Si la Vigie avait été véritablement détruite, les yeux de

Jordan auraient des pupilles. Tu sais ce qu'on dit... les yeux... les fenêtres de l'âme. Il faut que je te fasse un dessin, Force ?

Ils enterrèrent Jordan près de la cascade. Kingsley bricola une croix avec deux branches et la planta dans le tumulus. Tous les quatre se réunirent autour de la tombe pendant qu'il disait quelques mots.

– Nous rendons à la terre le corps de Jordan Llewellyn, qui abritait l'esprit de Pistis Sophia. Nous demandons à la terre de reprendre ce qui lui appartient, et nous le lui rendons avec gratitude, amour et chagrin. Repose en paix.

– *Amen*, murmurèrent Mimi et les frères Lennox.

Ensuite, ils empilèrent les cadavres des sang-d'argent dans le jardin et bâtirent un bûcher funéraire. C'est seulement lorsque les premières flammes s'élevèrent dans le vent que Mimi s'aperçut que la nuit tombait. Le soleil se couchait. Elle venait de passer plus de quarante-huit heures sans dormir. Mimi avait beau être un vampire, elle aurait bien apprécié un lit douillet à ce moment-là. Elle regarda le feu dévorer les corps et projeter des étincelles en l'air, dans le ciel nocturne.

Tout ça pour rien : ils n'avaient toujours pas de Vigie. Elle était encore en vie, et alors ? Cette fois ils ne savaient même plus à quoi elle – pouvait-on encore dire *elle* ? – ressemblait. Elle aurait pu être n'importe qui.

– Où irait la Vigie pour être en sécurité ? demanda Kingsley. (Il se parlait à lui-même.) Vers celle qui l'a appelée. Mais Cordelia étant partie, et Lawrence mort, elle n'a plus qu'un recours. Allegra Van Alen.

– Sauf qu'Allegra est dans le coma. Elle ne risque pas d'aider grand monde, observa Mimi. À moins que... Ne me dis pas...

– La Vigie maîtrise d'autres formes de communication, plus profondes même que nos incursions dans le *Glom*, lesquelles n'ont jamais pu percer le mur que Gabrielle avait érigé autour d'elle, confirma Kingsley en hochant la tête. D'autre part, quelque chose me dit qu'après un an passé dans les bidonvilles de Rio, elle éprouve certainement la même chose que toi...

– Elle éprouve quoi ?

– Je crois que la Vigie et toi voulez la même chose, Force, dit-il tout doucement.

– C'est-à-dire ?

– Elle veut rentrer chez elle.

TRENTE-TROIS

Theodora

Oliver remonta leur trace jusqu'au pied de la tour Eiffel grâce au signal GPS du téléphone de Theodora, qui fonctionnait de nouveau depuis qu'ils avaient quitté l'île Saint-Louis. Son costume était déchiré et roussi : il avait l'impression qu'un an s'était écoulé depuis que Theodora et lui étaient descendus de ce bus. Le cœur de Theodora fit un bond lorsqu'elle le vit. Oliver ! Sain et sauf ! C'était plus qu'elle n'aurait osé rêver.

Ils se tombèrent dans les bras en pleurant et s'étreignirent.

– Je te croyais mort, chuchota-t-elle. Ne me refais jamais ça, jamais.

– Je pourrais te dire la même chose.

Oliver leur raconta qu'après leur départ du bal, le chaos avait été complet. Le Léviathan et les sang-d'argent avaient commencé à mettre le feu partout ; les flammes avaient carbonisé la cime des arbres et s'étaient dangereusement rapprochées du bâtiment. Ç'avait été comme si le massacre de Rio se reproduisait. Mais ensuite, Charles Force était apparu et les avait combattus un à un en les forçant à sortir de la propriété.

Puis ils avaient disparu. Apparemment, ils s'étaient tous enfoncés sous terre.

– Oui, dit Jack. Charles les emmenait à l'intersection. Une zone du *Glom* dans laquelle les sang-d'argent peuvent entrer, mais d'où ils ne peuvent pas sortir. Un espace entre les mondes.

– Les limbes, précisa Oliver en hochant la tête.

– Et que s'est-il passé là-dessous ? demanda Theodora en se remémorant l'étrange phénomène auquel ils avaient assisté.

Jack secoua la tête.

– Je ne sais pas vraiment. Mais quoi que ç'ait été, je pense que Charles a réussi, d'une manière ou d'une autre, à renverser le processus, à arrêter la déchirure et à la réparer. Sinon, aucun d'entre nous ne serait ici.

Mais Jack ne dit pas ce qu'ils savaient tous. Que les sang-d'argent avaient échoué, mais non sans remporter une petite victoire. Charles Force avait disparu. Il n'était jamais remonté à la surface.

– Alors, il est mort ? demanda Theodora d'un ton morne.

– Je n'en suis pas certain. Je pense qu'il est seulement égaré, dit Jack.

– Que vas-tu faire ?

– Je ne sais pas encore, soupira-t-il. Le Conclave n'est plus ce qu'il était. J'imagine que je ne recevrai aucune aide de ce côté-là. Mais c'est tout ce que nous avons. (Jack avait l'air épuisé.) Et vous ? Que comptez-vous faire ?

– Fuir, dit fermement Oliver. On va continuer à fuir.

– Tu ne pourras pas toujours fuir, Theodora, le contredit Jack. Les tremblements, ta maladie, tu ne peux pas les cacher. Cela fait partie de ta transformation. Il faut que tu ailles voir le médecin qui peut t'aider. Tu ne fais que te mettre en danger en restant à l'écart. Je peux me porter garant pour toi auprès du Conclave. Je leur ferai comprendre. Ils annuleront la mission des *Venator*. Crois-moi. Tu seras en sécurité à New York. Tu ne peux plus prendre le risque d'être seule. L'Assemblée est affaiblie et sans tête en ce moment, mais nous allons nous reprendre. Reviens à New York.

Reviens-moi. Jack ne l'avait pas dit tout haut, mais Theodora reçut tout de même le message cinq sur cinq.

Elle passa d'un pied sur l'autre. Les deux garçons étaient debout autour d'elle, tous deux les mains enfoncées dans les poches. Le menton d'Oliver touchait presque sa poitrine tant il baissait la tête. Il était incapable de la regarder dans les yeux. Jack, lui, la regardait en face, de ce regard fixe et autoritaire. Elle les aimait tous les deux, et elle sentait son cœur se déchirer entre eux. Jamais elle ne pourrait choisir. C'était impossible.

Oliver lui disait de continuer à fuir, Jack voulait qu'elle rentre chez elle. Par-dessus tout, elle avait envie de rentrer à New York ; s'arrêter, se reposer, retrouver des forces. Mais elle ne pouvait pas prendre cette décision toute seule. Aussi fort qu'elle aimât Jack, et aussi malheureuse que cela pût la rendre à jamais de le quitter de nouveau, il fallait prendre Oliver en considération. Son doux ami, si loyal.

– Qu'en penses-tu, Ollie ? Qu'est-ce qu'on doit faire ? demanda-t-elle en se tournant vers le garçon qui la protégeait du danger depuis plus d'un an.

Trente-quatre

Bliss

C'était la veille de la rentrée. Il y avait une semaine que Dylan lui était apparu, et parfois Bliss était persuadée qu'elle ne faisait que rêver de lui. Un beau rêve, mais rien qu'un rêve. Sauf qu'il revenait sans cesse lui parler, lui dire des choses qu'elle ignorait (ce qui n'arrive jamais en rêve : elle avait toujours su qu'elle dialoguait avec son subconscient), et elle finit par décider que c'était bien à Dylan qu'elle parlait, du moins à une version de lui.

Elle ne savait jamais à l'avance quand il reviendrait. Parfois, elle fermait les yeux et attendait, et rien ne se passait. D'autre fois, elle était occupée – à commander un café ou à essayer des chaussures –, et il fallait qu'elle sorte le plus vite possible chercher un endroit où elle puisse être seule. Ce jour-là, elle était en train de couvrir ses livres de classe. Elle adorait l'odeur des livres neufs et aimait à passer les doigts sur le papier glacé. Le début d'une année scolaire promettait toujours tant de bonnes choses ! Elle était heureuse d'y retourner.

– Moi aussi j'aimais ça, dit Dylan en regardant par-dessus son épaule.

Elle sursauta en le voyant debout à côté d'elle, une main sur son bureau.

– Bon sang ! Tu m'as fait peur !

– Pardon. Ce n'est pas simple pour moi d'apparaître, tu sais. Je dois t'obliger à me voir, mais maintenant que tu sais que je suis là, c'est un peu plus facile. (Il continua de regarder par-dessus son épaule.) Tu prends quelles options, cette année ?

– Comme d'hab. Pas mal de cours niveau avancé. Je vais peut-être voir à quoi ressemble l'option Recherche artistique.

Dylan hocha la tête et s'assit sur le bord de son bureau en balançant ses longues jambes.

– Tu veux voir quelque chose de cool ?

– Bien sûr.

Et sans transition, Bliss se retrouva assise avec Dylan sur le toit des Cloîtres, un musée situé tout en haut de Manhattan. Bien sûr, ils n'y étaient que dans sa tête – ou dans la sienne à lui. En réalité, elle était toujours sur sa chaise, devant son bureau, dans l'appartement.

Dylan lui révéla qu'ils pouvaient se rendre n'importe où. Ils n'étaient pas obligés de se retrouver dans un néant obscur, sans rien autour d'eux, ni là où Bliss se trouvait sur le moment. Ils pouvaient aller partout du moment que l'un d'entre eux s'y était déjà rendu. C'était comme avoir un passe-port pour n'importe où dans leur passé. Et Dylan adorait le musée des Cloîtres. La vue depuis les toits était extraordinaire.

– Oh non, se lamenta Bliss. Il revient.

Dylan regarda par-dessus son épaule les nuages d'orage qui s'étaient soudain amoncelés au-dessus de la ville. Même dans leur bulle d'intimité, ils ne pouvaient pas échapper au Visiteur.

– Tu sais ce que tu as à faire, dit-il.

– Ah bon ?

Mais Dylan avait déjà disparu, et Bliss avait quitté leur espace de bonheur sur le toit.

Le Visiteur avait repris les choses en main et, en glissant dans le noir, Bliss se fit aussi immobile qu'une statue. Pendant qu'elle était dehors, son corps arpentait la pièce en aboyant des ordres à Forsyth.

– Et le Conclave ?

– Barlow a fait voter une résolution proposant à Charles Force de reprendre la tête du Conclave, au cas où il reviendrait. Il était assez catégorique, bredouilla Forsyth.

Le cobra frémit, collerette déployée. Voilà qui était énervant. *Michel ! À chaque fois, ils se tournent vers Michel ! Ils oublient qui les a amenés au paradis !*

Forsyth desserra nerveusement sa cravate.

– Ah... et à propos de Paris. Le Léviathan l'a confirmé : il n'y a plus de porte à Lutèce. Seulement une intersection. C'est pourquoi la *subvertio* n'a pas fonctionné : il n'y avait pas de porte à détruire. Nous avons été trahis. Charles nous a tendu un piège. Mais en relâchant la mort blanche dans l'intersection, le Léviathan a créé un vide temporel. Il a bien failli y être aspiré lui-même. La bonne nouvelle, c'est qu'il pense que le piège de Charles a aussi causé sa perte. L'archange a été détruit.

– Il peut le prouver ?

– Non, monseigneur. Mais Charles Force n'a donné aucun signe de vie depuis Paris.

– Soit. Michel aussi se jouait de nous, rumina le Visiteur. J'étais là, vous savez, le jour où il a falsifié la clé de la porte. Le jour où il s'est désigné comme gardien.

– Il est retors, monseigneur. On n'a jamais pu se fier à Michel.

– Il est malin, surtout. Mais à présent, nous savons. La porte n'est plus à Lutèce. Il a dû trouver le moyen de la déplacer. (Le visiteur réfléchit encore pendant un moment.) La résolution Barlow doit être écrasée. Mais faites ça en douceur. Vous devrez convaincre les membres du Conclave qu'ils ne peuvent pas continuer sans pourvoir le poste. L'esprit de l'Assemblée exige un *Rex*. Vous commencerez par refuser, mais ensuite ils insisteront pour que vous acceptiez. Vous serez nommé *Rex*.

– Comme vous voudrez, monseigneur.

– Une fois que vous serez en place, notre vrai travail pourra commencer. Sans Charles, sans Lawrence, ils se chercheront un nouveau chef. Vous profiterez de ce vide. Ils me reviendront. Ils me *supplieront* de les diriger de nouveau, et à travers vous, Forsyth, nous pourrons réellement nous mettre à l'ouvrage...

Sans avertissement, Bliss fut soudain rejetée dans le néant.

– Que s'est-il passé ? lui demanda Dylan. Qu'est-ce que tu fais là ?

– Je ne sais pas... Je me suis énervée... Il a dû sentir quelque chose...

Elle lui raconta ce qu'elle avait entendu.

– Il faut que tu y retournes. Fais un effort. Vas-y.

Bliss se concentra. Elle essaya de toutes ses forces. Elle arracha la barrière qui la séparait du monde réel, s'obligea à voir le monde comme le voyait le Visiteur.

Et cette fois, elle se retrouva au beau milieu de son esprit. Mais il ne parlait plus à Forsyth.

Au lieu de cela, elle vit ce qu'il voyait. Des corps. Des

cadavres. Entassés, les uns sur les autres. Des enfants, en fait. Ils gisaient dans le désert. Ils avaient bu quelque chose. Une potion. Un poison. Concocté par un démon. Elle vit un garçon maigre et spectral qui tenait une guitare, et une petite fille très belle mais à l'air dur, aux cheveux noirs, et encore un garçon, élégant, propre sur lui, et inquiet. C'étaient ceux qui s'opposaient à ce désastre. Ce massacre des innocents. Tellement d'enfants... de sang-rouge... sauvagement abattus.

Puis elle vit le démon : il avait pris la forme d'un garçon, lui aussi. Un joli gamin, mais avec un affreux rictus aux lèvres. C'était lui, la cause de tout cela. Encore un des enfants de Lucifer.

Les images continuèrent à affluer, l'une après l'autre : mort, destruction, haine, guerre. L'ouvrage du diable.

Puis, tout aussi brusquement qu'elles avaient commencé, les visions cessèrent. Bliss se réveilla. Elle était toujours assise à son bureau, seule. Elle tremblait si fort qu'elle en avait laissé tomber son stylo.

Qu'était-il arrivé à Charles Force ? Avait-il été tué, comme ils le croyaient ? De quoi parlaient-ils ? Quelle était cette porte que le Visiteur voulait détruire ?

Et ces visions qu'elle avait eues... Qui étaient ces enfants ? Quel était l'avenir ? Et que ferait le Visiteur une fois Forsyth nommé *Rex* ? Que préparaient-ils ? Le mot « horreur » était bien trop faible pour décrire ce qu'elle ressentait. Dylan avait raison : il fallait qu'elle trouve un moyen d'arrêter ce qui se tramait... même si elle ignorait de quoi il s'agissait.

Elle ferma les yeux.

– Dylan ? appela-t-elle. Dylan ? Tu es là ? Où es-tu ?

Mais il n'y eut aucune réponse, ni au-dedans ni au-dehors.

TRENTE-CINQ

Theodora

— Theo, réveille-toi ! Réveille-toi ! Tu fais un cauchemar !
Réveille-toi !

Theodora ouvrit les yeux. Elle était dressée sur son séant, et
son lit était un ouragan de couvertures et de draps en
désordre. Oliver était assis à côté d'elle, une main sur son
épaule.

– Tu rêvais, lui dit-il. Encore le même rêve ?

Elle opina en remontant les genoux vers son menton.

– Le même. Toujours.

Depuis qu'elle avait échappé au Léviathan l'autre nuit à
Paris, Theodora faisait le même rêve, exactement le même,
toutes les nuits, comme si son subconscient s'était bloqué sur
une chaîne de télé et répétait toujours la même émission
sinistre.

Elle ne se rappelait jamais ce qu'il s'y passait, mais seulement que dans le rêve elle était remplie du désespoir le plus
profond, le plus douloureux. Depuis des jours, elle se réveillait
en pleurant.

– Ça va ? lui demanda Oliver.

Il avait les yeux gonflés de sommeil, les cheveux emmêlés et en désordre, une mèche dressée en l'air derrière la tête, douce comme du duvet de caneton. Il portait un sweat-shirt de Duchesne et un bas de pyjama en flanelle : sa tenue de nuit habituelle. Theodora l'avait taquiné une fois sur cette étonnante loyauté envers le lycée. De sa vie, Oliver n'avait jamais rien porté qui soit marqué au nom de Duchesne dans la journée, du moins à sa connaissance.

– Je vais bien, dit-elle. Recouche-toi.

Ils étaient dans un *capsule hotel* de Tokyo. Ils avaient quitté Paris une semaine plus tôt. Ils avaient d'abord passé trois jours à Berlin. Tokyo leur paraissait sûr : ils étaient partis le plus loin possible de la France.

À leur arrivée au Japon, Theodora était exténuée, sans même l'énergie pour exécuter le rituel qui lui redonnerait de la vigueur. Elle était plus qu'épuisée, mais après avoir revu Jack et senti remuer tant de vieux sentiments, elle s'était trouvée déloyale de s'appuyer autant sur Oliver. C'est pourquoi elle s'était abstenue de se livrer au Baiser sacré.

Pour une fois, elle regretta de ne pas avoir pris un inconnu docile comme familier humain au lieu de son ami, mais cette seule pensée lui faisait l'effet d'une trahison.

Oliver se rallongea, la tête sur l'oreiller, dos à elle, en chien de fusil, comme toujours. C'était ainsi qu'ils dormaient, qu'ils avaient toujours dormi depuis le début de leur périple : dans le même lit mais dos à dos, tournés vers l'extérieur et vers l'ennemi. C'était ainsi qu'Oliver avait appris à faire. C'était ainsi que les Intermédiaires protégeaient leurs vampires depuis des siècles en temps de guerre. Quand elle se réveillait en pleine nuit, Theodora était toujours réconfortée par la sensation de chaleur émanant du dos d'Oliver appuyé contre le sien.

Une année passée à dormir dos à dos, sans jamais se retourner l'un vers l'autre, pas même pour la *Caerimonia*. Au lit, cela aurait été trop intime... trop similaire à l'autre chose à laquelle ils avaient résisté jusque-là, ayant tacitement décidé d'attendre le bon moment. Car que possédaient-ils, à part du temps ? Ils seraient toujours ensemble. Cela, au moins, ils le savaient.

– Tu es réveillé ? lui demanda Theodora.

Leur chambre mesurait à peu près la taille d'un petit cercueil. Theodora avait tout juste la place de s'asseoir. Les capsules étaient d'étroites cabines empilées les unes sur les autres, avec une porte en fibre de verre et un rideau pour s'isoler, ainsi qu'une fenêtre. Elles étaient appréciées des hommes d'affaires japonais lorsqu'ils avaient trop bu pour rentrer chez eux. C'était le logement le moins cher que Theodora et Oliver aient trouvé. Ils avaient rangé leurs sacs dans un casier, dans le hall.

– M-mm.

– Pardon de te réveiller sans cesse. Ça doit être fatigant.

– M-mm.

– Tu n'as pas envie de parler ?

– Grmm.

Theodora savait qu'Oliver était fâché. Et elle comprenait pourquoi il était froid, pourquoi il lui répondait par monosyllabes. Quelque chose avait changé entre eux depuis Paris. Quelque chose avait changé dans leur amitié sans histoire ; quelque chose s'était insinué dans le petit monde hermétique qu'ils s'étaient fabriqué.

Theodora avait cru que Jack Force appartenait à son passé, que depuis le soir où elle l'avait quitté dans l'appartement de Perry Street, tout était terminé. Mais en le revoyant à Paris, elle avait eu l'impression que ce n'était pas fini. Surtout quand ils s'étaient embrassés. Elle ne savait pas quoi en penser. Elle se sentait tellement coupable que parfois elle n'arrivait même pas à regarder Oliver en face. Pourtant de temps à autre, en se rappelant ce baiser, elle se surprenait à sourire sans pouvoir s'arrêter. Cela lui avait fait l'effet d'un début, comme la promesse d'un avenir plus beau, même si cet avenir avait commencé à s'obscurcir. C'est pourquoi chaque nuit, couchée contre le dos d'Oliver, dès qu'elle fermait les yeux elle rêvait d'un garçon aux yeux verts et non noisette, et elle s'en voulait terriblement.

Jack était encore libre, et alors ? Il ne s'était pas uni, et alors ? Elle avait fait son choix de son côté. Et elle aimait tant Oliver que l'idée d'être loin de lui aurait pu lui briser le cœur en mille morceaux.

Il fallait qu'elle cesse de rêver de Jack. De ce baiser. Que disait la chanson, dans ce film qu'Oliver et elle regardaient sans cesse autrefois ? *A kiss is just a kiss. A sigh is just a sigh.* Un baiser n'est qu'un baiser. Un soupir n'est qu'un soupir. Ce n'était rien. Ça ne voulait rien dire.

Peut-être était-elle troublée parce qu'elle en avait assez de se retrouver dans une ville différente tous les trois jours. Peut-être que c'était tout. Elle en avait par-dessus la tête des aéroports, des gares, des hôtels et de la nourriture d'hôtel, insipide et trop chère. New York lui manquait tellement que c'était presque une douleur physique. Elle s'était efforcée d'oublier à quel point elle aimait cette ville. À quel point celle-ci l'avait toujours emplie d'énergie, à quel point elle s'y sentait chez elle.

Par le hublot, elle avait la vue sur les néons de Tokyo : un océan infini de lumières clignotantes et de gratte-ciel illuminés comme des jeux vidéo. Ses yeux se fermaient, elle était sur le point de s'assoupir, lorsque subitement Oliver se mit à parler.

– Tu sais, quand je t'ai dit de partir avec lui, à Paris, c'est la chose la plus difficile que j'aie jamais faite.

Theodora savait qu'il parlait du moment où il l'avait incitée à partir avec Jack, pas avec le baron.

– Je sais, dit-elle à son oreiller.

– J'ai cru que tu allais t'enfuir avec lui, ajouta-t-il en s'adressant au mur.

– Je sais.

Elle savait tout cela, mais elle comprenait qu'il éprouve le besoin de le lui dire. Qu'il ait besoin de prononcer les mots à voix haute.

– J'ai cru que je ne te reverrais jamais.

Sa voix était calme, mais Theodora sentit ses épaules trembler légèrement.

Oh, Oliver... Elle avait le cœur gros, la gorge serrée, et les larmes lui vinrent aux yeux. *Il m'aime tant*, se dit-elle. *Je ne pourrai jamais lui faire de mal. C'est impossible.*

Alors, pour toute réponse, Theodora se retourna, glissa un bras sous le sien et entrelaça leurs doigts. Elle pressa sa poitrine contre son dos et ses genoux dans le creux des siens, se blottit contre lui en petite cuillère. Elle n'avait jamais fait cela, et à présent elle se demandait pourquoi. C'était si confortable de se reposer contre lui... De poser la bouche contre son cou pour qu'il sente son souffle sur sa peau.

– Ollie, je ne te quitterai jamais, chuchota-t-elle, et elle sut qu'elle disait la vérité.

Elle ne mettrait pas son cœur en danger.

Mais il ne répondit pas, pas plus qu'il ne se retourna, malgré l'invitation sous-entendue par son étreinte. Il resta le dos tourné toute la nuit, comme il le faisait chaque nuit.

Elle s'endormit au rythme régulier de sa respiration.

TRENTE-SIX

Mimi

Pour beaucoup de gens, le Rockefeller Center résumait à lui seul la ville de New York. Cet édifice d'acier, de béton et de verre en plein centre abritait bon nombre des institutions les plus célèbres et aimées de la ville. Il y avait le restaurant *Rainbow Room* au dernier étage et la fameuse patinoire en plein air en bas. Le centre de l'esplanade était un lieu privilégié pour exposer les dernières créations artistiques : un chiot géant couvert de fleurs multicolores, ou un gigantesque miroir pointé vers le ciel. Une série télé populaire avait même pris cette adresse comme titre. Mimi avait toujours adoré passer devant l'alignement de drapeaux multicolores en traversant la rue pour aller chez *Saks*. Mais ce que beaucoup ignoraient, bien sûr, c'était que l'histoire du Rockefeller Center remontait à des temps bien plus anciens.

Chez les vampires, c'était le lieu consacré où Michel avait pour la première fois pris le titre de *Rex* lorsque l'Assemblée était venue s'installer dans le Nouveau Monde. La terre était en partie sanctifiée par cet esprit, ce qui expliquait sans doute que le Rockefeller Center soit devenu l'un des lieux préférés des sang-rouge. Les humains, si limités qu'ils fussent, n'en percevaient pas moins l'atmosphère chargée qui les entourait, l'électricité dans l'air qui émanait de la terre sacrée.

Le sanctuaire s'était élevé à l'emplacement actuel de la vénérable salle des ventes Christie's. Il était neuf heures et demie du matin lorsque Mimi franchit les portes de verre de l'entrée principale. La vente devait commencer à dix heures, mais elle n'était pas là pour placer des enchères sur une collection.

Arrivée de Rio la semaine précédente, elle séchait la rentrée pour assister à cette cérémonie. Duchesne devrait bien le comprendre : elle avait des responsabilités qui dépassaient de loin les murs de la classe. Le lycée avait accueilli les jumeaux Force à leur retour d'année « sabbatique », afin qu'ils puissent entrer en terminale et obtenir leur diplôme. Le Comité avait décrété que les jeunes vampires devaient terminer leurs études secondaires avant de s'engager dans une nouvelle mission de *Venator*, car ils en étaient encore à un stade vulnérable de leur transformation. Les Aînés essayaient toujours d'empêcher les jeunes de grandir trop vite, pensait Mimi. Le fait qu'elle soit membre électeur du Conclave ne comptait même pas ! « Passe ton bac d'abord », c'était tout ce qu'ils savaient dire.

Elle retira une plaquette numérotée à l'accueil et prit l'ascenseur jusqu'à la salle des ventes. L'auditorium était à moitié vide à son arrivée. Un signe des temps, peut-être ? Ou la faute aux nombreux acheteurs étrangers qui misaient en ligne ou par l'intermédiaire d'agents installés derrière une batterie de téléphones, dans le fond de la salle ? Mimi n'en savait trop rien. Elle se rappelait toutefois que les ventes étaient un peu plus mondaines à l'époque où ses parents s'y rendaient. Il y avait alors un cocktail dans le vestibule, et les femmes portaient des bijoux aussi précieux que ceux qu'elles achetaient.

Elle repéra des collègues un peu partout. Le Conclave ne comptait plus que sept membres, mais c'était suffisant pour réunir le quorum. Josiah Archibald examinait attentivement le catalogue de la vente. Alice Whitney s'agrippait à ses perles. Abe Tompkins entra d'un pas chancelant et s'assit dans le fond. Les enchères devaient commencer à dix heures précises, tout comme la réunion du Conclave. Car s'ils étaient venus dans ce lieu ancien, c'était pour nommer leur nouveau chef. Forsyth Llewellyn avait appelé à un Vote blanc.

La mise en place d'un nouveau *Rex* était affaire sérieuse, et personne à l'Assemblée ne se rappelait en avoir vu tant se succéder si rapidement. Ils étaient dirigés depuis la nuit des temps par Michel dans ses diverses incarnations, et ne l'avaient remplacé par Lawrence Van Alen que l'année précédente. Mais à présent Lawrence était mort, Charles Force porté disparu, et Forsyth se portait impérieusement candidat.

Mimi eut un mouvement de surprise lorsque deux membres qui venaient d'entrer dans la salle, Minerva Morgan et Ambrose Barlow, foncèrent droit sur elle. Minerva et Ambrose comptaient parmi les vampires les plus âgés vivant dans ce cycle, et même si leur esprit ne perdait pas son acuité, la chair se détériorait comme celle des humains si elle n'était pas correctement entretenue. Que lui voulaient ces deux vieux chnoques couverts de taches de vieillesse ?

– Madeleine, dit Minerva en prenant un siège à côté d'elle, Ambrose a quelque chose à vous montrer.

Ambrose Barlow retira soigneusement une enveloppe de la poche de son manteau. Elle était pliée en quatre. Lorsque

Mimi l'ouvrit, la lettre qu'elle contenait avait des plis marqués et le papier était d'une finesse extrême, comme s'il avait été inlassablement lu et relu.

Gardez-vous de Forsyth Llewellyn. Il n'est pas celui que vous croyez.

C'était signé « Une amie ». Mimi le rendit à Ambrose d'un air dégoûté. Son père lui avait appris à ne jamais prêter foi à une lettre anonyme.

– Vous croyez que c'est vrai ? lui demanda Minerva.

– Je ne sais pas. Je ne m'arrête pas à ce genre de choses, renifla Mimi. C'est sans doute une simple farce.

– Mais pourquoi nous l'a-t-on envoyée ? Visiblement, cela vient d'un membre de l'Assemblée. Mais qui ? Et pourquoi ? Pourquoi l'avoir envoyée à Ambrose ? Il s'est retiré du Conclave il y a plus de cinquante ans. En outre, Forsyth n'a pas d'ennemis, et c'est lui qui maintient la cohésion entre nous, dit Minerva d'un air agité. Tu n'es pas d'accord, Ambrose ?

Ambrose Barlow opina.

– Je suis d'accord, les lettres anonymes sont l'œuvre des lâches. Mais quelque chose me dit que nous devrions prêter attention à celle-ci. Nous vivons une époque étrange... et il y a tellement de changements...

Mimi remarqua que Forsyth Llewellyn s'était faufilé dans la salle, et ils cessèrent de parler. Le sénateur avait l'air particulièrement en forme et encore plus pompeux que d'habitude, compte tenu de ce qui était arrivé à sa famille peu de temps auparavant. Il les vit tous les trois ensemble et vint s'asseoir à côté d'Ambrose.

– Bonjour, bonjour, dit-il à Minerva pendant que le vieillard repliait rapidement la lettre dans sa poche.

– Bonjour, Forsyth. Je disais justement à Madeleine que je ne comprenais toujours pas pourquoi nous devions faire ceci si rapidement. Charles va certainement revenir, et nommer un nouveau *Rex* de son vivant. Je n'aime pas cela. Après les événements de Paris, je trouve cela précipité de notre part.

– Ma chère Minerva, j'entends bien votre inquiétude, mais ce qui m'inquiète, moi, c'est que depuis les événements de Paris, le temps est devenu un élément capital. Nous ne pouvons plus tergiverser comme nous l'avons tant fait, argua Forsyth.

Minerva répondit par un grognement tandis que Mimi gardait une expression neutre. Les journaux sang-rouge étaient emplis de récits spectaculaires du désastre de Paris : aucun des vampires n'avait été tué ni blessé, mais quelques familiers humains avaient été piétinés dans la cohue. La tragédie était imputée au cirque thaï, non homologué, qui s'était révélé incapable de contrôler ses animaux, et à des infractions aux règles de sécurité incendie couplées à une affluence trop importante.

Jack avait conté à Mimi la véritable histoire à son retour l'autre soir, et lui avait dit que Charles avait empêché le pire. Mais malgré les efforts de ce dernier, l'hôtel Lambert avait bien failli brûler entièrement. Les nouveaux propriétaires étaient fous de rage et menaçaient de retirer leur offre, mais la comtesse les avait fait taire en leur proposant de leur offrir une partie du mobilier historique.

Les jumeaux avaient décidé de ne pas révéler à l'Assemblée la mort probable de Charles. Jack continuait de croire, en dépit des preuves contraires, que leur père était en vie, et Mimi était d'accord : il était préférable que la communauté

241

continue de penser que Charles se tenait volontairement à distance. Mieux valait ne pas provoquer de panique ; les sang-bleu étaient déjà suffisamment sur les nerfs.

Seymour Corrigan entra dans la salle avec un regard d'excuse pour son quasi-retard. Ils étaient au complet. Sept Sentinelles représentant les sept familles d'origine, comme le voulait la tradition.

Le commissaire-priseur, un homme d'apparence austère en blazer bleu et cravate rouge, monta sur l'estrade.

– Bienvenue, mesdames et messieurs, à la vente d'art impressionniste et moderne, dit-il.

Le public applaudit poliment, et un écran dans son dos montra un portrait de Kurt Cobain, immortalisé dans des couleurs vives et chatoyantes. Mimi pensa qu'il ressemblait à une de ces images que l'on trouve dans les livres de prières. Un rockeur grunge béatifié.

– Numéro un : une œuvre d'Elizabeth Peyton. La mise à prix est de cinq cent mille dollars.

À l'instant où le marteau s'abattit, la réunion du Conclave commença solennellement.

TRENTE-SEPT

Theodora

Ils étaient à Sydney lorsque cela arriva. En plein Chinatown, dans une petite boutique d'apothicaire où l'on vendait le thé vert bio que Theodora aimait à boire le matin. Les tremblements commencèrent dans ses jambes, puis ses bras, puis tout son corps fut pris de convulsions et elle tomba au sol, lâchant la boîte qu'elle tenait, en se tordant et se cognant sur le linoléum froid.

– Reculez ! Tout va bien, elle est... elle est épileptique ! s'écria Oliver en repoussant tout le monde. Laissez-lui de la place pour respirer ! Je vous en prie ! Ça va passer.

C'était étrange pour Theodora de ne pas pouvoir contrôler son corps, de constater qu'il se révoltait contre ses souhaits, presque comme s'il était possédé par un esprit maléfique. Elle avait la sensation de se regarder de loin, comme si cela ne lui arrivait pas à elle mais à une autre fille couchée par terre, qui agitait convulsivement les bras et les jambes, la bave aux lèvres.

– Désolée, je suis désolée, dit-elle lorsque ce fut enfin terminé.

Les tremblements avaient cessé, mais si ses membres ne bougeaient plus, son cœur battait encore à cent à l'heure.

– Ça va. Tu vas bien, la rassura Oliver en l'aidant doucement à se relever et en lui présentant son épaule pour qu'elle s'y appuie.

– Tenez... de l'eau, proposa le propriétaire du magasin en portant un gobelet de papier à ses lèvres.

Theodora apprécia la gentillesse de l'homme et des autres clients. Elle resta appuyée sur Oliver le temps de sortir de la boutique et d'aller jusqu'à l'arrêt de bus, où un véhicule se dirigeant vers The Rocks attendait déjà.

– C'était une sale crise, dit Oliver.

Ils payèrent le tarif étudiant et trouvèrent de la place au fond.

Il était gentil de minimiser l'événement. C'était sans doute la pire crise qu'elle eût jamais traversée. L'énorme mal de tête, l'écume aux lèvres, la manière dont sa langue avait failli l'étouffer... Qu'avait dit le Dr Pat lors de sa dernière visite ? Que la force vampirique était un don, mais que dans son cas c'était aussi un fardeau. Son corps humain traitait la transformation comme une maladie, comme quelque chose qui devait *sortir* d'elle...

– Tu es sûre que ça va ? redemanda Oliver comme Theodora se penchait en avant, la tête entre les mains.

– Je vais bien. Vraiment.

Sur ces mots, elle s'évanouit.

De retour à l'hôtel, et en bien meilleure forme, Theodora s'assit sur le petit balcon de leur chambre, enveloppée dans un peignoir. Dans la minuscule kitchenette, Oliver mettait la dernière touche à son curry. Il lui apporta un bol fumant et le posa devant elle avec une cuillère. Tous deux avaient appris à cuisiner pendant leur cavale. La spécialité d'Oliver était un curry indien à la banane et au poulet, tandis que Theodora, de son côté, aimait à préparer des concoctions intéressantes à base de pâtes et de tout ce qu'elle trouvait dans le frigo. (Il arrivait à Oliver de les trouver un peu trop intéressantes.)

– Merci, dit-elle en acceptant avec plaisir le bol de curry et de riz jaune tout chaud.

Elle porta une cuillerée à ses lèvres et souffla dessus avant de la manger, pour ne pas se brûler la langue. Dehors, le port de Sydney était semé de voiliers et de paquebots de croisière. L'océan était d'un vert profond... un peu la couleur des yeux de Jack, pensa-t-elle avant de s'arrêter. Elle ne penserait pas à lui, ni à ce qu'il faisait, et ne se demanderait pas si elle lui manquait aussi. Elle se concentra sur sa nourriture. Oliver l'observait à travers la baie vitrée coulissante.

Il la regardait d'une manière particulière, et elle savait ce que cela signifiait. Il sortit, posa une tasse de thé à côté d'elle, et s'assit sur l'une des chaises en plastique.

– Theo, il faut qu'on parle.

– Je sais ce que tu vas dire, Ollie, mais la réponse est non.

Elle prit une gorgée de thé. Étonnamment, tout ce qui s'était passé n'avait pas empêché Oliver d'en acheter une boîte. C'était vraiment un bon Intermédiaire.

– Theo, tu n'es pas raisonnable.

– Ah non ? On va nous envoyer en prison, ou ce qu'ils font aux gens comme nous.

Theodora haussa les épaules. Elle connaissait le châtiment réservé à ceux qui fuyaient la justice du Conclave : mille ans d'Expulsion. L'esprit enfermé dans une boîte. Mais si elle n'était pas immortelle ? Que lui feraient-ils, alors ? Et que deviendrait Oliver ?

– Tu as entendu ce qu'a dit Jack. Le Conclave a des problèmes plus importants que nous deux, en ce moment. En plus, cette fois, ils te croiront peut-être. L'incendie de l'hôtel Lambert a fait la une des journaux, et le Conclave européen est au pied du mur : le Léviathan a été vu par des témoins ! Ils ne peuvent plus nier.

– Même s'ils me croient maintenant, ils ne laisseront pas notre fuite impunie. Tu le sais mieux que moi.

– Pas faux, mais ça, c'était valable quand Charles Force était *Rex*. Il n'y a plus personne pour diriger le Conclave. Ils sont terrorisés et désorganisés. Je pense qu'on pourrait rentrer sans danger.

– Les gens terrorisés font les pires juges, argumenta Theodora. Je ne fais pas confiance à une organisation qui obéirait à la peur. Et toi, alors ? Tu es un traître aussi, tu sais. Et tes parents, tu y penses ? Ils s'en prendraient à eux.

Jusque-là, la famille d'Oliver avait été laissée en paix, à ceci près que ses moindres faits et gestes étaient surveillés par les *Venator* : téléphones sur écoute, mouvements bancaires analysés. Les parents d'Oliver lui avaient raconté, lors d'une de leurs rares conversations par téléphone satellitaire, qu'ils ne pouvaient pas aller chez *Dean & DeLuca* sans avoir l'impression d'être épiés.

Oliver prit une gorgée de sa grande canette de Foster's.

– Je pense qu'on peut les acheter.

Theodora reposa sa tasse vide dans son bol vide.

– Pardon ?

– Les soudoyer. Le Conclave a besoin d'argent. Il est plus ou moins ruiné. Mes parents sont pleins aux as. Je peux acheter ma liberté, je sais que c'est possible.

Pourquoi insister ? Oliver lui disait ce qu'elle avait envie d'entendre : qu'ils pouvaient rentrer chez eux. Et pourtant, elle était terrifiée.

– Je ne veux pas y aller.

– Tu mens. Tu veux rentrer chez toi. Je le sais. Et c'est ce qu'on va faire. Point final. Je nous prends des places dans le prochain avion. Le sujet est clos.

Oliver ne lui adressa plus la parole de toute la soirée. Elle s'endormit avec un torticolis, tant elle était tendue. Pourquoi était-elle si entêtée ? se demanda-t-elle en sombrant dans le sommeil. Oliver ne voulait que son bien.

Pourquoi es-tu si entêtée ?

Theodora ouvrit les yeux.

Elle était à New York, dans sa chambre. Les programmes de théâtre de Broadway décolorés accrochés aux murs étaient jaunis et cornés.

Sa mère était assise sur son lit. C'était un rêve. Mais pas son rêve habituel. Un rêve sur sa mère. Elle ne pensait plus beaucoup à elle. Elle n'avait même pas eu le temps de lui dire au revoir quand ils avaient quitté New York un an plus tôt. C'était la première fois qu'elle revoyait Allegra depuis que celle-ci lui était apparue sur le Corcovado, une épée dans les mains.

Allegra regardait sa fille avec sévérité.

– Il a raison, tu sais. Les Intermédiaires ont toujours raison. Tu ne peux pas vivre ainsi. La transformation te tuera si tu ne reçois pas les conseils et les soins appropriés. Tu ne peux pas risquer ta vie de cette manière.

– Mais je ne peux pas rentrer. Ce n'est pas faute d'en avoir envie, mais je ne peux pas.

– Si, tu peux.

– Je ne peux pas !

Theodora se frotta les yeux.

– Je sais que tu redoutes ce qui se passera si tu rentres. Mais tu dois affronter ta peur, Theodora. Si Abbadon et toi êtes faits l'un pour l'autre, personne – pas lui, pas même toi – ne pourra rien pour l'arrêter.

Sa mère avait raison. Si elle ne voulait pas rentrer, c'était parce qu'alors Jack serait tout près d'elle, tellement proche... Jack, qui était encore libre... Jack, qui l'avait embrassée avec tant de passion... qui pouvait encore être à elle... Alors que si elle restait loin de lui, elle ne serait pas tentée et ne trahirait pas Oliver.

– Tu ne peux pas rester avec quelqu'un sous prétexte que tu ne veux pas lui faire de peine. Tu dois penser à ton bonheur, dit Allegra.

– Mais même si nous étions ensemble, je ne ferais que tuer Jack, objecta Theodora. C'est contraire au Code. Et il s'affaiblirait...

– S'il est prêt à prendre le risque d'être avec toi, qui es-tu pour lui dire que faire de sa vie ? Regarde-moi. Regarde tout ce que j'ai risqué pour être avec ton père.

– Mon père est mort. Et toi, tu es dans le coma. J'ai grandi pratiquement orpheline, rétorqua Theodora sans même essayer de dissimuler son amertume.

Elle n'avait jamais connu son père : il était mort avant sa naissance. Quant à Allegra... eh bien, on ne pouvait pas vraiment avoir grand-chose comme relations avec un cadavre vivant, n'est-ce pas ?

– Dis-moi, mère, est-ce que ça en valait la peine ? Ton « grand » amour pour mon père valait-il ce qui est arrivé à ta famille ?

Elle ne pouvait plus retenir ces propos blessants. Tout sortait d'un coup après des années de vie solitaire.

Elle aimait sa mère, vraiment. Mais elle ne voulait pas d'un ange apparaissant une fois dans sa vie pour lui donner quelque épée enchantée. Ce qu'aurait voulu Theodora, c'était un vrai parent : un qui aurait été là quand elle pleurait, qui l'aurait encouragée, stimulée, embêtée – un peu –, tout cela simplement par amour. Elle aurait voulu quelqu'un d'ordinaire. Comme la maman d'Oliver, par exemple.

Allegra soupira.

– J'ai sous-estimé à quel point je te décevrais. J'espère qu'un jour tu me comprendras et me pardonneras. Tous nos actes ont des conséquences. C'est vrai, il m'arrive d'avoir de très profonds regrets. Mais sans ton père, je ne t'aurais jamais eue. Je ne t'ai côtoyée que pendant un bref moment, mais je chéris chacun de ces instants – avec toi et avec ton père. Si c'était à refaire, je le referais. Alors oui. Cela en valait la peine.

– Je ne te crois pas. Personne de sain d'esprit ne choisirait ta vie.

– Quoi qu'il en soit, rentre à la maison, ma fille. Je t'attends. Reviens chez nous.

TRENTE-HUIT

Mimi

Lorsque Mimi rouvrit les yeux, la salle des ventes s'était évanouie et elle se trouvait dans le saint des saints, une petite pièce dont les quatre murs étaient en vitrail. Dans le *Glom*, bien sûr, il n'avait jamais été détruit.

Elle formait cercle avec cinq autres membres ; Forsyth, le septième d'entre eux, était debout au centre. Ils étaient vêtus de longues robes noires à capuchon. *On dirait une bande de gugusses déguisés en Faucheuses*, se dit Mimi. Les usages des sang-bleu avaient énormément déteint sur la culture populaire... mais déformés et dépouillés de leur gravité.

– Bienvenue à tous, dit Forsyth Llewellyn, l'air plus que jamais gonflé d'orgueil et content de lui.

Parfaitement naturel, pensa Mimi, puisqu'il occupait le poste le plus élevé de cette partie du monde, à la tête d'un gouvernement secret dont les sang-rouge ignoraient jusqu'à l'existence. Son mandat de sénateur n'avait aucune importance. Mimi avait entendu dire qu'il n'avait fourni qu'un effort superficiel pour contribuer à résoudre la crise financière qui étranglait le pays.

Mimi n'était pas encore membre à part entière du Conclave quand Lawrence avait été élu, mais elle avait tout de même une vague idée de ce qui allait se passer.

Seymour Corrigan fit l'appel et déclara la cérémonie ouverte.

– Depuis les premiers jours de ce monde, notre *Rex* abrite l'âme de l'Assemblée dans son cœur. Mais avant d'être choisi, il doit être béni par les Sept, c'est pourquoi nous sommes réunis aujourd'hui, afin de lui accorder cette bénédiction.

C'était un rituel qui remontait à l'Égypte ancienne. Sauf que cette fois il n'y aurait pas de barbe postiche en poil de chèvre, pas de sceptre magique, pas de fouet symbolique en cuir, pas de couronne de plumes d'autruche. À part cela, les bases étaient les mêmes.

La Sentinelle Corrigan commença la tabulation, qui consistait à appeler chaque grande maison par son nom dans la langue sacrée.

– Que dites-vous, Domus Fortunarum ?

La maison des Richesses était représentée par Josiah Rockefeller Archibald, dont la famille avait bâti le centre où ils se trouvaient.

– Nous disons oui, murmura-t-il.

– Que dites-vous, Domus Septem Sanctimonialum ?

– Nous disons oui, déclara Alice Whitney, dernière de la lignée de la maison des Sept Nonnes.

– Que dites-vous, Domus Veritatis ?

Bien sûr, les *Venator* étaient représentés au conseil, mais Mimi se demandait avec curiosité pourquoi c'était Abe Tompkins qui parlait en leur nom. Il n'était plus *Venator* actif depuis des années.

– Nous disons oui, répondit le vieil Abe.

– Que dites-vous, Domus Praepositorum ?

La maison des Préposés était un domaine traditionnellement réservé à la famille la plus proche des *Rex*. Les Llewellyn jouissaient actuellement de cet honneur.

Forsyth Llewellyn sourit.

– Nous disons oui.

– Que dites-vous, Domus Poli ?

La maison de l'Étoile polaire était l'un des plus grands mécènes en éducation artistique du pays. Ambrose Barlow jeta un regard nerveux à Minerva Morgan. Il inclina la tête et murmura :

– Oui.

Il ne restait que deux maisons. À côté d'elle, Mimi ressentait l'anxiété de Minerva Morgan.

– Que dites-vous, Domus Dominae ?

La maison de la Grande Dame. La maison de la Mort, mais personne ne l'appelait ainsi. La famille chargée des Archives, des cycles de l'Expression et de l'Expulsion.

Minerva Morgan ne répondit pas.

– Domus Dominae ? (Seymour Corrigan se racla la gorge.) Domus Dominae ?

Minerva Morgan soupira.

– Oui.

Mimi se raidit. C'était son tour.

La Sentinelle Corrigan toussota.

– Que dit la Domus Fortis Incorrupti, maison du Sang pur, de l'Incorrompu, des Vaillants et des Forts, protectrice du Jardin, commandante en chef des Armées du Seigneur ? Que dites-vous ?

C'était la lignée de Michel. La lignée de Gabrielle. La lignée des Van Alen, abâtardie par le nom de Force. Mimi prit la parole.

– Nous disons...

Elle hésita. Elle repensa à l'incertitude de Minerva Morgan. À Ambrose Barlow, si vieux qu'ils l'avaient tous cru sénile. Et pourtant il avait apporté ce morceau de papier. Il le lui avait apporté, à elle. Ils comptaient sur elle. Une lettre anonyme, mais importante. Ils avaient raison. On ne pouvait pas écarter ce message.

Mimi comprit soudain qu'Ambrose et Minerva ne pouvaient pas le faire eux-mêmes, mais qu'ils souhaitaient très fort qu'elle s'en charge. Elle était jeune, mais bien plus élevée qu'eux dans la hiérarchie. Elle représentait la maison qui avait dirigé cette Assemblée d'immortels pendant des siècles et des siècles. La maison qui serait aujourd'hui dépouillée de son pouvoir par le rituel même qu'ils étaient en train d'exécuter.

Elle n'y avait pas pensé jusqu'à présent, mais soudain elle réalisa qu'ils étaient sur le point de livrer l'Assemblée à Forsyth Llewellyn. Et qui était-ce, Forsyth Llewellyn ? Mimi sonda sa mémoire. Un ange de faible envergure. Une déité mineure. Un *préposé*. Il n'avait pas l'étoffe d'un *Rex*.

Elle en était capable. Elle avait combattu des sang-d'argent et renvoyé des démons en enfer. Si les autres ne pouvaient pas se lever, elle le ferait.

– La maison du Sang pur aimerait exprimer son objection à cette procédure, annonça-t-elle avec clarté et assurance.

– Son objection ?

Seymour Corrigan avait l'air perdu.

– Nous disons non, clarifia Mimi.

– Non ? lui redemanda Corrigan.

– Non.

Plus clairement encore cette fois.

Forsyth, de son côté, se maîtrisait complètement.

– Je ne comprends pas pourquoi nous devrions faire ceci – déplacer l'âme de l'Assemblée dans un autre chef – alors que mon père est encore en vie ! éclata Mimi avant de prendre une profonde inspiration. C'est pourquoi je me dois de le contester.

– Le Vote blanc exige l'unanimité, fit remarquer la Sentinelle Corrigan d'un air inquiet. Nous ne pouvons pas accorder à Forsyth la garde de l'Assemblée si ce n'est pas voté à l'unanimité par les sept familles.

Il avait l'air totalement dérouté, tandis qu'Ambrose et Minerva paraissaient soulagés. Tous les autres regardaient Forsyth pour savoir comment réagir.

Mimi nota que, Vote blanc ou pas, il était déjà leur chef.

– Nous resterons organisés comme le souhaite la Sentinelle Force, dit Forsyth d'une voix douce. Je n'ai aucun désir d'assumer un rôle si tout le monde n'est pas convaincu qu'il me revient. Et je suis, moi aussi, troublé par la disparition de Charles. Nous attendrons.

Un par un ils refirent irruption dans l'action qui se déroulait à la salle des ventes. Mimi se rendit compte qu'elle avait toujours la main levée, comme dans le *Glom*.

Le commissaire-priseur lui adressa un sourire radieux.

– Et *Portrait de femme (Françoise Gilot)* est adjugé à... la belle jeune femme du premier rang !

Elle venait d'acheter un Picasso.

TRENTE-NEUF

Bliss

À Duchesne, le premier semestre se conformait à une tradition immuable, sans jamais déroger à un programme
d'activités établi depuis au moins cent ans ; c'est du moins
l'impression que devaient avoir les élèves habitués au rythme
rassurant, sans surprise, de la vie dans un lycée privé de luxe.
Cela commençait, pendant la dernière semaine d'août, par
l'orientation des première année, où les petits nouveaux
étaient légèrement bizutés par leurs tourmenteurs de terminale à coups de batailles de tartes à la crème dans la cour,
combats de bombes à eau jetées depuis les balcons et une *mur-
der party* géante. Le dernier jour de l'orientation donnait lieu
à la présentation solennelle des chevalières de promo et l'on
chantait l'hymne du lycée, le tout couronné par une fête décidément peu académique sur le toit du foyer des garçons. C'est
là qu'éclosaient les premières idylles de l'année scolaire, géné-
ralement entre une « routarde » (c'était ainsi qu'on appelait
les filles de terminale) et un « bleu », et non dans l'autre sens
comme on aurait pu le croire.

Bliss gravit les marches du bâtiment principal en saluant du menton quelques visages connus. Tout le monde était encore bronzé de son été dans les Hamptons ou à Nantucket, les filles ne s'étaient pas encore résignées à troquer robes d'été et sandales contre lainages et écharpes ; de leur côté, les garçons, la chemise sortie du pantalon et la cravate de travers, tenaient leur veste sur l'épaule d'un air canaille.

Bliss avait entendu dire que les jumeaux Force étaient, eux aussi, revenus au lycée. Il faudrait qu'elle tâche de les contacter dès que possible. Mimi et Jack devaient l'aider.

En entrant dans la salle des casiers, elle nota au passage les noms gravés sur les plaques métalliques et vit que ceux de Theodora et d'Oliver étaient manquants. La réalité de leur absence l'attrista. Elle avait enfin découvert ce qu'il leur était arrivé : apparemment, le Conclave avait mis en doute la version que Theodora avait donnée des circonstances entourant la mort de Lawrence, si bien que les deux adolescents avaient décidé de fuir les *Venator* plutôt qu'affronter leur jugement.

Pourtant, jusqu'à présent elle n'avait pas réellement cru à leur départ. Pendant la journée, elle s'était à demi attendue à voir Oliver assis près du radiateur en cours d'histoire européenne, ou Theodora levant la tête de ses poteries en classe d'artisanat. Bliss se rendit à son troisième cours avant le déjeuner : « Civilisations antiques et naissance de l'Occident ». La première semaine de cours était une période d'essai, pendant laquelle les élèves testaient diverses options avant de décider auxquelles s'inscrire. L'intitulé de ce cursus l'avait intriguée : c'était un mélange d'histoire et de philosophie qui s'appuyait sur l'étude des Grecs, des Romains et des Égyptiens. Elle prit place au milieu de la salle à côté de Carter Tuckerman, qui sentait toujours les sandwiches à l'œuf qu'il dévorait au petit déjeuner.

La prof, une nouvelle, détonnait parmi les enseignants habituels de Duchesne. La plupart d'entre eux étaient là depuis toujours, et cela se voyait. Mrs Traley, par exemple, qui enseignait le français : les élèves étaient persuadés qu'elle faisait partie du personnel enseignant depuis les années 1880. (C'était sans doute le cas, d'ailleurs, car Mrs Traley était une sang-bleu.) Les autres étaient de jeunes diplômés, qui avaient loupé leur inscription aux programmes sociaux et se retrouvaient, les pauvres, coincés avec une bande de gosses de riches au lieu de cas défavorisés. Cette prof-ci était différente. Miss Jane Murray était une petite femme entre deux âges, aux joues en pomme d'api, aux cheveux roux flamboyants et au teint irlandais rougeaud. Elle portait une jupe écossaise et un chemisier jaune sous un pull sans manches à losanges. Ses cheveux étaient grossièrement coupés au bol et ses yeux bleus étincelaient quand elle parlait.

Miss Murray n'avait pas l'air d'être là depuis l'époque des dinosaures, et elle n'arborait pas non plus l'expression craintive des jeunes recrues.

– Il s'agit d'une option ouverte aux premières et aux terminales, menée dans un style séminaire, ce qui signifie que j'attendrai de mes élèves qu'ils participent à des débats au lieu de bayer aux corneilles et de s'envoyer des SMS. Je ne vous promets pas de ne pas vous barber, mais vous risquez de vous barber les uns les autres si vous ne mettez pas vos pensées et vos idées sur la table, dit-elle gaiement en regardant aux alentours avec un sourire chaleureux.

Lorsque la feuille d'inscription circula, Bliss décida d'y porter son nom. Elle remarqua d'ailleurs que presque tout le monde dans la pièce en faisait autant. La réaction de la salle était facile à comprendre : Miss Murray allait être une nouveauté bienvenue dans la vie de Duchesne.

La cloche sonna et, en rassemblant ses affaires, Bliss entendit deux filles qui parlaient avec animation tout en jouant des coudes pour atteindre la porte.

– Oh là là, cette année de terminale, ça va être génial ! disait Ava Breton.

– Complètement ! glapissait Haley Walsh. La meilleure !

La terminale ça va être génial. Quelle drôle d'idée, se dit Bliss en les suivant dans le couloir. Les « meilleures années de leur vie »... Seigneur, elle espérait bien que non.

Jusque-là, l'adolescence de Bliss avait été, disons le mot, complètement nulle. Elle avait déménagé dans une nouvelle ville, découvert qu'elle était un vampire, était tombée amoureuse et avait perdu son amour, tout cela en une année de folie. Et voilà qu'elle avait passé la dernière année possédée par un démon qui, incidemment, était aussi son père. Comment tout cela fonctionnait, elle n'en avait aucune idée.

Le Visiteur s'était absenté presque toute la semaine. Et depuis qu'elle avait eu un aperçu de l'enfer qu'était son âme, Bliss était bien contente qu'il soit parti. Ses visions lui avaient donné des cauchemars. Elle ne pouvait pas s'endormir sans repenser à ce qu'elle avait vu. Pire, Dylan n'était pas revenu depuis ce jour fatal. Elle espérait sans cesse qu'il apparaîtrait soudain quelque part – ou qu'il la ramènerait aux Cloîtres – mais il n'y avait eu que le silence. C'était comme si elle était de nouveau toute seule dans sa tête, et pourtant elle savait que ce n'était pas le cas.

La fin des cours sonna, à quinze heures, et Bliss rentra chez elle. En entrant dans l'appartement, elle trouva Forsyth affalé sur la table de la cuisine, entouré de bouteilles d'alcool vides, et une femme à l'air hébété vautrée sur le canapé. En général, il était plus discret avec ses familiers humains. Bliss détourna les yeux.

À son entrée, il sursauta, le visage blafard. Il la regarda d'un air craintif.

– Qu'est-ce qu'il y a ? lui demanda-t-elle. Qu'est-ce qui s'est passé ?

Dès qu'elle eut parlé, il fut visiblement soulagé.

– Oh, ce n'est que toi.

Ce fut tout ce qu'il dit. Puis il se versa une pinte de whisky dans une chope à bière et l'engloutit en une gorgée. Pour un vampire, il était étonnamment sensible aux effets de l'alcool.

Bliss lui jeta un regard noir, puis monta dans sa chambre et ferma la porte. Elle avait des devoirs à faire.

QUARANTE

Theodora

Jack avait dit vrai. Quand Theodora et Oliver rentrèrent à New York, aucun *Venator* n'était posté à l'aéroport JFK pour les arrêter. Néanmoins, ni l'un ni l'autre n'était encore près de faire confiance à un membre du Conclave. Le plan était de garder le secret sur le retour de Theodora tandis qu'Oliver témoignerait que cette dernière lui avait fait faux bond pour qu'il puisse retourner dans sa famille. Ils espéraient que les Aînés le croiraient et qu'ils ne le livreraient pas aux *Venator* pour une séance de vérité. C'était un risque à courir, mais Oliver avait confiance dans ses capacités à « vendre » son histoire.

Il n'était pas très chaud pour prétendre qu'ils étaient brouillés, mais Theodora l'avait convaincu que c'était le seul moyen de s'assurer la liberté à New York.

L'aéroport Kennedy était plongé dans le chaos, comme d'habitude, lorsqu'ils traversèrent les terminaux à la recherche du bus qui les emmènerait jusqu'au métro.

– Bienvenue chez nous.

Oliver bâilla et frotta sa barbe naissante. Partis de Sydney, ils avaient vingt-quatre heures de vol dans les pattes. Pas marrant, dans un fauteuil de classe éco trop petit. Tous les deux s'étaient retrouvés coincés dans la rangée centrale de cinq sièges, entre un couple de jeunes mariés en voyage de noces, qui s'étaient bruyamment embrassés toute la nuit à leur gauche, et un groupe aventure qui n'avait cessé de commander des cocktails à l'hôtesse à leur droite.

Une fois sortie de l'aérogare, Theodora inspira à pleins poumons et sourit. Ils étaient arrivés en plein mois de septembre et l'air était encore doux, avec à peine un soupçon de froid. L'automne était sa saison préférée. L'animation de la ville, les chauffeurs de limousine attendant le client, la longue file d'attente pour les taxis jaunes, le superviseur des taxis aboyant à tout le monde de se dépêcher... c'était bon d'être de retour.

Ils prirent une chambre dans un hôtel anonyme près de la West Side Highway, l'une de ces grosses chaînes remplies d'hommes d'affaires fatigués. La chambre donnait sur un réverbère et la climatisation était bruyante. Malgré cela, Theodora dormit à poings fermés pour la première fois depuis des mois.

Le lendemain matin, Oliver alla rapporter son histoire au quartier général du Conclave et placer sa vie entre les mains de la communauté sang-bleu. Comme il l'avait prévu, une fois que ses représentants eurent compris ce qu'il proposait en réalité (de l'argent), on ne lui posa plus de questions.

De retour à l'hôtel, il raconta ensuite à Theodora que les Sentinelles n'avaient même pas eu l'air de se soucier de sa disparition ni de vouloir appliquer des mesures disciplinaires. Les événements de Paris avaient changé la donne. Ils avaient obligé le Conclave à s'interroger de nouveau sur le retour du

Léviathan. Ils avaient des problèmes bien plus importants à régler, et ne s'intéressaient plus à elle. Du moins c'était l'impression qu'ils donnaient.

– Alors, prête ? lui demanda-t-il.

Il lui avait pris rendez-vous à la clinique du Dr Pat. Patricia Hazard était le médecin de confiance du Conclave, et elle se trouvait aussi être la tante d'Oliver.

– Qu'est-ce que tu as fait pendant mon absence ?

– Rien, dit Theodora. J'ai acheté un sandwich fromage-œuf et un café de l'autre côté de la rue. Ensuite, j'ai lu le *Post*. C'était le paradis.

Le Dr Pat avait fait redécorer son cabinet. La dernière fois que Theodora y était allée, les locaux ressemblaient au lobby d'un hôtel très blanc, très minimaliste, très moderne. Cette fois, ils évoquaient un palais des mirages bizarre et fabuleux. Des vitrines étaient remplies d'yeux de verre. Il y avait une chaise longue entièrement faite d'animaux en peluche cousus ensemble, mignonne à tomber. Des miroirs vénitiens couvraient les murs, et des plaids en fourrure étaient jetés sur des canapés blancs. Cela ressemblait toujours à un hall d'hôtel, mais cette fois, au lieu de la reine des Glaces, on s'attendait à voir surgir Willy Wonka.

– Eh bien dites donc, Dr Pat, qu'est-ce qui s'est passé ici ? demanda Theodora en suivant le bon docteur dans la salle de consultation (dont elle constata avec joie qu'elle ressemblait toujours à un cabinet médical normal).

– J'en avais assez de tout faire nettoyer à sec. Le blanc, c'est très salissant, sourit la doctoresse. Oliver, ta mère veut savoir ce que tu aimerais pour le dîner, lança-t-elle à son neveu avant de fermer la porte.

Le Dr Pat s'était déplacée jusqu'à leur chambre d'hôtel la veille au soir pour examiner minutieusement Theodora et lui faire des prises de sang, mais elle lui avait demandé de venir à son cabinet chercher les résultats.

– Alors, qu'est-ce que j'ai ? lui demanda Theodora en sautant sur la table d'auscultation.

Le Dr Pat consulta ses graphiques.

– Eh bien, tous tes examens sanguins sont normaux, et ce pour un humain comme pour un vampire. Tension, thyroïde, tout. Normal.

– Mais il doit bien y avoir quelque chose.

– Oh, tout à fait. (Le Dr Pat posa son écritoire à planchette et s'adossa au mur, les bras croisés.) L'isolement n'est pas bon pour les âmes immortelles. Tu as besoin d'être entourée des tiens. Tu es partie trop longtemps. Ton corps s'est crispé, empoisonné.

– C'est tout ? C'est pour ça que je suis si malade depuis un moment ? Parce que j'étais loin des autres vampires ?

– Aussi étonnant que cela puisse paraître, oui, dit le médecin en hochant la tête et en tapotant son stéthoscope. Le sang appelle ses semblables. Tu étais seule, stressée, isolée de la société des sang-bleu. Mon neveu me dit que tu es allée au Bal des vampires à Paris. T'es-tu sentie mieux là-bas ?

Theodora y réfléchit. Elle n'avait rien remarqué sur le moment à cause de l'adrénaline, mais le Dr Pat avait raison. Tant qu'elle avait été entourée de sang-bleu, elle n'avait enduré aucun tremblement incontrôlable. À part, bien sûr, les quelques minutes passée seule dans les oubliettes. À trente mètres sous terre, loin de tous, jusqu'à l'arrivée de Jack. Les symptômes avaient recommencé lorsque Oliver et elle avaient repris la route.

– On dit que l'homme est un animal social, musarda le Dr Pat. Il en va de même pour les sang-bleu.

– Et mon grand-père, alors ? Lawrence a vécu en exil. Il est resté seul pendant des années et des années, loin des siens. Et pourtant il n'a jamais manifesté aucun de mes symptômes, insista Theodora.

– Ton grand-père, si mes souvenirs sont bons, était un immortel. D'une trempe rare. Capable de supporter de longues périodes d'isolement de la communauté. Il a choisi l'exil parce qu'il se savait capable de l'affronter. Physiquement et mentalement.

Theodora digéra le diagnostic.

– C'est juste que cela paraît... trop simple comme explication, dit-elle enfin.

– Tu sais, Theodora, les sang-rouge ont un mot pour désigner cela, eux aussi. La nostalgie n'est pas seulement un état d'esprit. Elle a également des symptômes physiques. Ton identité de vampire te rend plus forte et plus rapide que n'importe quel humain. Mais le vampire en toi amplifie aussi tous les maux humains dont tu peux souffrir. Tu possèdes le meilleur des deux mondes, pour ainsi dire.

QUARANTE ET UN

Mimi

Deux semaines après le Vote blanc, Mimi trouva un mot dans sa messagerie électronique du Conclave : Forsyth lui demandait d'aller le voir au Sanctuaire, dans la tour Force, l'après-midi même. Comme sa journée se terminait par une heure de permanence, elle sortit en avance et prit un taxi.

De toute manière, il fallait qu'elle passe au Sanctuaire. L'autre soir, en cherchant son stylo-plume préféré, elle était allée fouiller dans le bureau de Charles. Elle se rappelait l'y avoir oublié la dernière fois qu'elle avait voulu s'isoler dans un endroit tranquille pour faire ses devoirs. La table de travail de son père était impeccable comme toujours, et entièrement dégagée à l'exception d'une pendule Tiffany et d'un calendrier. Mimi avait regardé dans les tiroirs et dans les placards, mais n'avait pas retrouvé son cher Montblanc.

Elle s'était assise dans le fauteuil pivotant en cuir de son père et l'avait fait tourner pour regarder dans toute la pièce. Quelques cassettes sans marque, repoussées au fond d'une étagère, avaient attiré son regard. Elle s'était levée pour aller les examiner. Que pouvait faire Charles d'enregistrements audio

269

aussi vieux ? Ils étaient marqués *SH : Audio/Rap. Ven.* Sanctuaire de l'histoire, archives audio. Rapports des *Venator*. En règle générale, les cassettes du Sanctuaire s'accompagnaient de transcriptions écrites, mais Mimi n'en trouva pas. Elle retourna la cassette pour voir quel *Venator* elle concernait. *MARTIN.* C'étaient les rapports de Kingsley, de sa mission d'il y avait deux ans. Celle qui l'avait envoyé à Duchesne.

Que faisaient-elles dans le bureau de Charles ? Leur place était au Sanctuaire. Et si Mimi voulait les écouter, il faudrait qu'elle emprunte un vieux magnétophone aux archives. Elle savait que les Intermédiaires numérisaient tout, mais ils étaient visiblement passés à côté de celles-ci. Elle avait glissé les cassettes dans sa poche et jeté un dernier regard dans la pièce. Et d'ailleurs, où était passé Charles ? Qu'était-il advenu de lui ? Jack avait la conviction qu'il n'était pas mort. Si l'esprit de Michel avait quitté la terre, ils l'auraient su avec certitude, avait-il soutenu.

À la réunion de la veille au soir, le Conclave avait voté d'envoyer les *Venator* à la recherche de l'ancien *Rex* disparu, et une équipe se mettait en place. Mimi savait que son frère était déçu de ne pas avoir été choisi pour cette mission. Mais Forsyth avait été catégorique : les jumeaux étaient nécessaires ici, avait-il dit. Ils ne pouvaient pas quitter l'Assemblée si peu protégés.

En entrant dans la tour Force cet après-midi-là, elle se demanda de quoi le sénateur voulait lui parler. Forsyth n'avait jamais recherché sa compagnie, et ils n'avaient pas échangé un mot depuis son objection à son couronnement.

– Vous vouliez me voir ? lui demanda-t-elle en pénétrant dans le bureau d'angle inondé de lumière après que la secrétaire de Forsyth eut annoncé son arrivée.

Elle remarqua qu'il s'était installé précisément dans le bureau que Lawrence avait choisi lorsqu'il était *Rex*. Il ne se prenait pas pour n'importe qui. Charles, lui, utilisait les locaux du vieux bâtiment, sous le *Block 122*.

– Madeleine. Merci d'être passée. Doris, prenez mes appels, je vous prie.

Sa secrétaire referma la porte et Mimi prit un siège en face du coûteux bureau en noyer. Elle remarqua que, bien qu'il ait repris le cabinet de Lawrence, Forsyth conservait les photos de Theodora qui avaient appartenu à l'ancien *Rex* sur son bureau. Mimi regretta de ne pas s'être mieux habillée ; elle était venue directement de Duchesne sans passer par chez elle pour se changer. Elle posa ses sacs par terre et attendit qu'il prenne la parole.

– Je tenais simplement à te féliciter pour ton travail de *Venator*. Tu t'es bien débrouillée à Rio, commença-t-il avec un grand sourire.

Mimi se renfrogna.

– C'est ça, oui. On ne l'a même pas retrouvée.

– Ce n'est qu'une question de temps, ma chère. Kingsley la trouvera. Je n'en doute pas un instant. Il est... plein de ressources, dit Forsyth avec un soupçon de contrariété que Mimi ne put s'empêcher de remarquer.

– Très bien. Bon, merci. Je voulais repartir en mission, en fait, mais le Conclave dit que je dois terminer Duchesne d'abord. Le lycée ne va pas me garder une place indéfiniment.

– Hélas, c'est la vérité. C'est injuste, n'est-ce pas, de devoir en passer par le long processus fastidieux de l'enfance et de l'adolescence humaines. Mais c'est dans le Code, soupira Forsyth.

271

Il se leva pour aller chercher à boire dans le meuble-bar, y prit une carafe et versa une dose de whisky dans un verre.

– Tu en veux ?

– Non, merci, déclina Mimi en secouant la tête. Euh, c'est tout ? Je peux partir ?

– Oh, je m'égare, comme d'habitude. Bliss aime me taquiner en me traitant de raseur.

Il sourit en prenant une gorgée et en faisant le tour de son bureau pour venir s'appuyer dessus et regarder Mimi de haut.

Cette dernière s'enfonça dans son siège. Llewellyn parlait rarement de Bliss. Le numéro de papa dépassé lui allait mal : cela sonnait faux, comme s'il essayait de lui vendre une voiture d'occasion ou de lui faire croire qu'il avait quelque chose à faire de sa fille. Charles et Trinity, au moins, avaient *essayé* d'être là pour Mimi et Jack pendant leur transformation. Pour ce qu'elle en savait, les parents de Bliss n'avaient même jamais pris la peine de lui expliquer ce qui se passait.

– Et comment va-t-elle, Bliss ?

Mimi l'avait croisée deux ou trois fois et Bliss s'était montrée plutôt amicale, mais leurs conversations avaient tourné court. Elle ne savait pas ce qu'il y avait, mais quelque chose chez la Texane la rendait nerveuse et lui donnait envie de rire bêtement.

– Elle va beaucoup mieux, lui confia Forsyth Llewellyn. Bref, si je t'ai demandé de venir aujourd'hui, c'est pour te parler d'une situation assez délicate... et pardonne-moi si je t'offense... je comprends bien que le moment est mal choisi, mais j'ai le sentiment qu'après tout ce qui s'est passé au Conclave... la communauté a besoin de quelque chose pour lui remonter le moral ces temps-ci, et peut-être, si je puis me permettre...

272

Mimi fit un geste pour l'encourager à continuer.

– Un petit service... pour le bien de toute l'Assemblée. Je sais que Jack et toi avez annulé votre union en raison de la tragédie, mais il est temps à présent de renouveler les énergies, de montrer à notre peuple que nous sommes toujours puissants. Vous voir tous les deux ensemble – les plus forts, les meilleurs d'entre nous – redonnerait de l'espoir à tous.

Un sourire ironique joua sur les lèvres de Mimi, alors même que son cœur s'était soudain crispé et qu'une image de Kingsley, l'air narquois, avait surgi dans sa tête.

– Vous êtes en train de me dire que l'union va avoir lieu ?

Elle n'eut aucun effort à faire pour parler d'un ton léger et gai. Après tout, elle était toujours la Mimi Force dont l'image était affichée sur un immense panneau publicitaire en plein Times Square. La Mimi Force qui tourmentait les élèves de première année rien que pour s'amuser, qui les obligeait à se mettre à quatre pattes pour aller chercher la baballe. (Comme elle avait regretté de louper la semaine d'orientation !)

Elle espérait qu'elle entrait encore dans sa robe...

QUARANTE-DEUX

Bliss

Si Dylan ne revenait pas vers elle, peut-être pouvait-elle aller au-devant de lui. Le Conclave encourageait les nouveaux à suivre des thérapies de régression pour accéder à leurs vies antérieures et intégrer le savoir accumulé dans leur vaste expérience du passé.

Assise en tailleur sur son lit de princesse, Bliss ferma les yeux et entreprit de passer systématiquement en revue ses nombreux souvenirs. C'était ça, le savoir. Découvrir qui l'on était réellement. Elle errait dans le néant, dans cet espace entre son moi conscient et son inconscient... Qui avait-elle été dans le passé ? Quelle forme avait prise son esprit dans ses histoires antérieures ?

Elle dansait dans une salle de bal bondée. Elle avait seize ans et pour la première fois, sa mère l'avait laissée relever ses cheveux... et elle riait car ce soir, elle allait rencontrer le garçon qui deviendrait son époux... et avant même qu'il ne vienne se présenter devant elle pour lui demander une danse, elle reconnut son visage.

– Maggie.

Il sourit. S'était-il toujours coiffé ainsi ?

Déjà au XIXᵉ siècle, Dylan – ou lord Burlington – faisait battre son cœur.

Mais ensuite, quelque chose arriva pendant la fête : le Visiteur lui chuchotait des mensonges à l'oreille. Il lui disait de tuer. Maggie l'entendait. Maggie ne souhaitait pas cela, n'y croyait pas... et avant d'avoir eu le temps d'ouvrir les yeux, elle sentit l'eau froide autour d'elle.

Maggie Stanford s'était noyée dans l'Hudson. Bliss vit le fleuve sombre et boueux, sentit ses poumons exploser et son cœur s'effondrer.

En reculant dans le temps, Bliss voyait toujours la même chose. Goody Bradford s'était immolée par le feu en se versant de l'huile sur la tête, puis en frottant une allumette et en se laissant consumer par les flammes ; Giulia de Médicis était tombée « accidentellement » du balcon de la villa familiale à Florence et son corps était allé se briser, au milieu de la place.

Rapide comme le battement d'une aile de papillon, chaque image, chaque « mort » jamais vécue par Bliss montait au premier plan. Mais ensuite... Maggie était sortie de la morgue sur ses deux pieds. Goody Bradford avait survécu aux flammes. Giulia s'était relevée de sa chute.

Aucune d'entre elles n'avait réussi à mettre fin à ses jours, ni à exorciser le démon qui la possédait. Toutes avaient essayé, et toutes avaient échoué.

Bliss comprit alors.

Il faut que je meure.

Car si elle mourait, si elle mourait pour de vrai, si elle trouvait le moyen de ne jamais revenir, le Visiteur périrait aussi. Il ne pourrait jamais mettre son projet à exécution.

C'était tout. C'était la seule solution. Elle en avait la certitude.

Impossible d'en sortir. Aucun moyen de survivre. Le Visiteur et elle étaient enlacés dans une étreinte mortelle. Si elle réussissait à tuer son propre esprit, à tuer le sang immortel qui coulait dans ses membres, elle lui porterait le coup fatal, à lui aussi.

Elle devrait faire ce sacrifice, à défaut de quoi ces horribles visions, ce futur terrifiant, seraient inévitables. Elle était le véhicule du mal et tant qu'elle vivrait, il vivrait aussi.

– Dylan, tu le savais, n'est-ce pas ? chuchota-t-elle. Tu savais ce que je devais faire. Depuis le début.

Depuis les ténèbres, Dylan lui apparut enfin. Il la regarda tristement.

– Je ne voulais pas te le dire.

QUARANTE-TROIS

Theodora

Cinq jours s'étaient écoulés depuis que Theodora s'était rendue à la clinique du Dr Pat, et sa nouvelle vie à New York commençait enfin à prendre forme. Cet après-midi-là, Oliver et elle passèrent à l'agence immobilière prendre les clés du petit studio du quartier de Hell's Kitchen qu'Oliver lui avait loué en payant un an de loyer à l'avance. Pour masquer son identité, Theodora ferait semblant d'être la fille unique d'une mère célibataire, une chanteuse hippie sur le retour qui passait son temps en tournée avec son groupe. Avec sa capacité à modifier les traits de son visage, elle pourrait même se faire passer pour la mère à l'occasion. La *mutatio* était plus facile maintenant qu'elle se sentait de nouveau elle-même.

Ils traversèrent la ville en métro et se retrouvèrent dans une section animée de la Neuvième Avenue, un quartier qui abritait un mélange de cités-dortoirs pour les jeunes cadres de Wall Street et d'immeubles plus décrépits jouxtant des clubs de strip-tease et des loueurs de vidéos triple X. Mais il y avait une épicerie pas très loin, et Theodora et Oliver engrangèrent des provisions pour une semaine : légumes bio, miche de pain aux raisins, boîtes de haricots... Oliver l'incita à se lâcher sur le jambon d'Espagne et sur un fromage français double crème. Les allées vides et propres de la supérette réjouissaient le cœur de Theodora. C'était bon d'être de retour en Amérique, où tout était si facile et pratique.

Le studio se trouvait dans l'un des immeubles les plus miteux, comme l'avait souhaité Theodora, et il était tout petit : en se tenant au milieu de la pièce, elle pouvait presque en toucher les quatre murs du bout des doigts. L'appartement était équipé d'une plaque chauffante, d'un micro-ondes et d'un futon qui se roulait dans un coin. L'unique fenêtre offrait une vue imprenable sur le puits de lumière. Mais c'était quand même mieux que de vivre à l'hôtel. C'était New York. C'était chez elle.

– Tu es sûre que c'est une bonne idée ? lui demanda Oliver.

Theodora était entrée dans l'immeuble sous son masque de maman hippie, et elle sentit ses traits se détendre pour reprendre leur forme dès qu'elle eut refermé la porte.

– Tu n'es pas obligée d'habiter ici, tu sais. Mon père a un pied-à-terre en ville... pour quand il travaille tard. Tu pourrais t'y installer.

– Je sais que ce n'est pas aussi bien que chez toi. Ni même que mon ancienne maison, dit Theodora en ouvrant les placards vides et en trouvant de petits pièges à cafards en plastique dans les coins. Mais à mon avis, il ne faut pas qu'on nous voie ensemble. On ne peut pas mettre en péril ton statut par rapport à l'Assemblée.

La maison de Riverside Drive était toute proche en taxi. Hattie était certainement là-bas avec ses potées maison, et Julius avec ses tours de cartes. Mais elle ne pouvait pas y retourner.

Pas encore. Elle était sûre qu'à l'instant où elle passerait la porte, le Conclave le saurait. Elle ignorait totalement comment elle le savait, mais elle sentait d'instinct, avec certitude, qu'elle avait raison. Il fallait qu'elle garde ses distances. Ils ne s'intéressaient peut-être pas à elle en ce moment, mais elle avait le sentiment que cela allait changer.

Elle se sentait déjà plus en sécurité au studio. Elle se sentait déjà dans la peau de Sky Hope et non de Theodora Van Alen. Oliver et elle avaient décidé que c'était bien le genre de nom qu'une ancienne de la génération « Flower Power » aurait pu donner à son rejeton.

Alexander Hamilton High était le lycée public local, où Theodora avait pu s'inscrire à la dernière minute sans que personne se plaigne ni pose de questions. Oliver avait tenté de l'inciter à choisir un autre lycée privé : Nightingale, Spence, Brearley. Mais même lui avait dû admettre que c'était trop dangereux. Ces institutions grouillaient de sang-bleu. Alors qu'à Hamilton, il y avait peu de chances pour qu'un membre du Conclave découvre sa présence. L'élite affichait un intérêt de façade (accompagné de dons financiers) pour l'éducation publique, mais elle n'allait pas jusqu'à y envoyer ses enfants. Si Oliver et elle voulaient faire avaler au Conclave qu'ils étaient brouillés, Oliver devait retourner à Duchesne sans elle. Pendant ce temps, il fallait bien qu'elle poursuive ses études. Que disait toujours Lawrence ? L'école, c'était bien plus que les matières académiques. L'éducation vous préparait aux détails quotidiens de la vraie vie : travailler avec les autres, faire des concessions pour s'intégrer au groupe sans perdre son identité personnelle, comprendre les facteurs de la logique, savoir raisonner et débattre. Pour qu'un individu – vampire ou humain – puisse réussir dans le monde, élucider les mystères de l'univers ne suffisait pas. Il fallait aussi saisir et maîtriser les mystères de la nature humaine.

– Tu es sûre qu'il n'y a pas une bonne raison pour que je reste avec toi ? lui demanda Oliver.

Mais elle ne voulait pas lui répondre tout de suite. Elle en était encore à examiner ses sentiments et commençait à se demander si sa mère n'était pas dans le vrai. Peut-être l'amour était-il une chose pour laquelle il fallait se battre, à n'importe quel prix. Elle ne voulait pas faire de mal à Oliver. Elle aurait préféré mourir que le voir souffrir. Mais elle avait besoin de temps pour réfléchir. Seule.

– Tout va bien. Je suis à New York, tu vois ! Les tremble-ments... finis, dit-elle en élevant ses mains devant son visage, émerveillée.

Était-ce vraiment la nostalgie, comme l'avait dit le Dr Pat ? Était-ce son sang qui l'avait ramenée parmi les siens ? Était-ce tout ? Réellement ? Le simple fait de s'être rapprochée d'une assemblée ?

– Tant mieux, conclut Oliver. Bon. Tu as mon portable. Tu peux m'appeler quand tu veux. Tu le sais.

– Tu vas me manquer. Tu me manques déjà.

Mais il le fallait, pour ne pas se mettre l'un l'autre en danger.

– D'accord. Amuse-toi bien, dit-il à contrecœur en la serrant une dernière fois dans ses bras.

Il sortit.

En déballant les courses, Theodora remarqua qu'Oliver avait oublié son courrier avec les paperasses concernant la location.

Une épaisse enveloppe blanche était cachée au milieu du

tas de factures et de magazines. Il n'y avait pas de timbre, ce qui indiquait que cela venait directement d'un membre du Conclave : ces derniers faisaient toujours livrer leur correspondance en main propre.

Elle vit que c'était une invitation à une union, et sans avoir besoin de vérifier, elle sut que l'adresse gravée au verso serait celle de l'hôtel particulier des Force.

QUARANTE-QUATRE

Mimi

Le Starbucks du coin de la Cinquième Avenue et de la 91e Rue avait fermé. Mimi dut donc se rendre à pied à quelques rues de là, à l'EuroMill, un nouveau « café boutique » très chic récemment ouvert. L'EuroMill élevait à un niveau encore un peu supérieur la culture du café de luxe. On y trouvait un gros classeur dans lequel choisir le grain, la torréfaction et même la méthode d'extraction de l'arôme (manuelle, au siphon, à la presse française ou en « solo »).

Les lieux ressemblaient à une galerie d'art : murs blancs ornés de tableaux noirs, moulins à café et percolateurs rutilants, dans lesquels se reflétaient les œuvres d'art exposées.

– Que puis-je faire pour vous ? demanda une *barista* à la narine piercée.

– La Montana, trèfle lent, dit Mimi pour indiquer qu'elle désirait du café du Salvador passé à la presse française sans dépôt. Deux. À emporter. Oh, et un de ces trucs, dit-elle en montrant du doigt un croissant au chocolat derrière la vitrine.

Un sifflement strident détourna son attention. À l'une des tables centrales, entre les écrivains travaillant sur leur portable et les élèves de lycée privé venus prendre leur *caffe latte* du matin, était installé le reste de son ancienne équipe de *Venator*.

– Salut, vous ! les apostropha Mimi en souriant.

N'y avait-il vraiment qu'un petit mois qu'ils s'étaient battus tous les quatre contre un gang de dealers brésiliens et contre des sang-d'argent dans la jungle ?

Elle eut le privilège de recevoir un rare sourire des frères Lennox, qui partirent sans tarder. Ted lui donna une tape dans le dos, même.

– Force, fit Kingsley avec un hochement de tête.

D'un coup de pied, il éloigna de la table la chaise la plus proche de lui pour l'inviter à s'asseoir.

– Laisse-moi deviner, dit-elle. Café au lait ? Quatre sucres ?

Mimi affichait un sourire narquois tout en tâchant de calmer les papillons qui palpitaient dans son estomac. Ils ne s'étaient pas revus depuis l'atterrissage à New York. « Ce qui se passe à Rio doit rester à Rio », n'était-ce pas un proverbe ? Si elle avait cru que Kingsley chercherait à la revoir, elle s'était trompée. Mais qu'est-ce qu'elle en avait à faire ? Cela n'avait pas d'importance à l'époque, et encore moins maintenant.

Kingsley leva sa tasse pour trinquer avec elle.

– C'est la rentrée, j'ai cru comprendre ? la taquina-t-il. En terminale ? Tu sais, c'est marrant... Je ne suis jamais allé au lycée. Enfin, pas à proprement parler. La première fois que j'y ai mis les pieds, c'est quand j'ai été affecté à l'affaire Duchesne.

– Ne me dis pas que ça te manque, plaisanta-t-elle.

Elle se demandait quel âge avait Kingsley. Les sang-d'argent étaient comme les immortels, ils étaient libérés des cycles. Ils ne vieillissaient pas, presque comme s'ils étaient figés dans le temps. Elle connaissait peu l'histoire de Kingsley ; il avait été corrompu par un sang-d'argent à Rome, mais avait été pardonné par Michel en personne et de nouveau accueilli dans la communauté sang-bleu.

– Peut-être un peu. Les annonces en début de journée. Tous ces conseils bienveillants. Ça forme la jeunesse.

Il sourit pour lui indiquer qu'il se moquait, mais pas d'elle.

– Deux trèfles ! cria la serveuse derrière le comptoir.

– C'est pour moi ! répondit Mimi en allant chercher sa commande.

Certaines choses ne changent jamais : même si l'on n'était pas chez Starbucks, le café était servi dans un gobelet grand comme une carafe.

– Il faut que j'y aille, je vais être en retard, dit-elle à Kingsley.

Elle ramassa sa besace et la passa sur son épaule tout en tenant les deux boissons dans une boîte en carton.

– On m'a dit, pour l'union, ajouta tranquillement Kingsley.

Il posa son gobelet vide et fit un signe à la serveuse pour commander la même chose.

– C'est Forsyth qui t'en a parlé.

– Tout à fait. Il m'a expliqué que comme Charles manquait toujours à l'appel, il se chargeait de te mener à l'autel.

– Et alors ? répliqua-t-elle d'un air provocant.

Kingsley eut un sourire mielleux.

– Rien. Je voulais juste te féliciter. Tu feras une belle mariée.

Cette fois, ce fut Mimi qui rougit d'une manière qui ne lui ressemblait pas. Elle ne savait pas à quoi elle s'était attendue. À ce qu'il la supplie ? Qu'il lui demande de ne pas s'unir avec

Jack ? Ridicule. Impossible. Kingsley était exactement comme elle : égoïste, dangereux, incapable de suivre les règles. Aurait-elle voulu qu'il ressente quelque chose pour elle alors qu'elle ne ressentait rien pour lui ?

Elle le regarda fixement pendant que ses joues s'embrasaient lentement. Il soutint son regard.

– Laisse tomber, je ne sais même pas ce que j'en ai à foutre, dit Mimi avant de sortir en coup de vent du café.

Un an plus tôt, quand elle était rentrée de Rio à New York, Mimi n'avait pas même eu le temps de penser à l'union. Tout avait été annulé sur-le-champ. Ce n'était pas le moment, et après ce qui s'était passé, Jack et elle étaient trop choqués pour y penser. Les dépôts de garantie avaient été perdus, et sa robe mise au placard. Une semaine plus tard, elle avait cuisiné Jack sur sa petite liaison avec la sang-mêlé, après quoi ils s'étaient réconciliés. Quoi qu'il en soit, Theodora n'était plus un problème : la donzelle avait quitté New York, et quitté Jack par la même occasion. Comme sa mère, elle se dirigeait tout droit vers une fin triste et tragique, espérait Mimi.

Pourtant, son absence ne les avait pas rapprochés : le fait de se retrouver enfin seuls tous les deux les avait au contraire éloignés. Seulement cette fois, c'était Mimi qui s'était refroidie. Elle ne voulait pas être un deuxième choix. Elle ne voulait pas que Jack soit avec elle uniquement parce qu'il ne pouvait pas avoir celle qu'il aimait réellement.

Jack dans ses bras, ce n'était qu'une victoire à la Pyrrhus. Mimi, elle, voulait qu'il l'aime sincèrement. Mais chaque jour il recommençait la même chose. Il parlait en bien de leur union et apaisait ses craintes à coups de mensonges, tandis que ses yeux trahissaient la vérité profonde : son cœur appartenait toujours à une autre.

C'est pourquoi elle s'était enfuie. Elle s'était enrôlée dans les rangs des *Venator*. Elle l'avait quitté. Histoire de voir un peu comment il s'en sortirait sans elle. Elle voulait lui manquer. Elle voulait qu'il se languisse d'elle, terriblement, jusqu'à comprendre exactement ce qu'elle signifiait pour lui. Elle avait pensé que si elle partait, il prendrait conscience de son erreur et découvrirait le lien profond qui les unissait.

Elle aurait aussi bien fait de rester chez elle : rien n'avait changé. Jack était parti de son côté, et elle du sien. Quand elle lui avait parlé de la demande de Forsyth, il avait accepté la nouvelle date de leur union sans un commentaire. Il s'unirait à elle. Mais il n'y trouverait aucune joie : son fiancé était comme mort à l'intérieur. Elle en avait assez.

Elle retrouva Jack au coin de la rue, une sacoche en bandoulière sur ses larges épaules. Il avait besoin d'une bonne coupe de cheveux, pensa-t-elle.

– Tiens, dit-elle en lui tendant son café.

– Merci.

Ils se rendirent au lycée en marchant du même pas. Malgré toute une année de séparation, ils s'accordaient naturellement. D'une manière étrange, ils seraient toujours unis, même sans cérémonie officielle.

– Voilà ton croissant. Sans doute pas aussi bon qu'à Paris, hein ? observa Mimi.

Jack mordit dedans.

– Ça peut aller.

Il haussa les épaules. Quand elle avait parlé de Paris, ses

lèvres avaient tressailli, comme elles le faisaient quand il était contrarié.

Mais pour la première fois depuis très longtemps, Mimi se moquait complètement de ce qui le tracassait.

QUARANTE-CINQ

Bliss

T OÙ ? TU ME MANK. SUIS RENTRÉE & VEUX TE VOIR. PQ TU MA PA ÉCRIT ?
Bliss lut son SMS. Son pouce hésita au-dessus de la touche RÉPONDRE, mais elle se ravisa et rangea son téléphone. Non. C'était dangereux de la fréquenter. Elle ne voulait plus faire souffrir aucun de ses amis.

– Pardon, dit-elle, voyant que Miss Murray regardait dans sa direction.

– Contente que tu aies décidé de revenir parmi nous, commenta sa prof avec un sourire sévère.

Bliss n'avait pas besoin qu'on le lui dise deux fois. Civilisations anciennes était rapidement devenu sa manière préférée, et elle ne voulait rien en rater. C'était un peu comme un documentaire particulièrement réussi sur la chaîne Histoire, mais sans les reconstitutions ringardes. Ces dernières semaines, ils avaient abordé des sujets aussi variés et fascinants que le féminisme étrusque (ces sacrées Étrusquettes, elles assuraient grave !), les rites funéraires égyptiens ou encore les quatre formes d'amour de la Grèce antique (de platonique à passionné), ainsi que le rapport entre ces idées et la naissance de la culture occidentale.

Le thème du jour était le règne du troisième empereur de Rome. Caligula. Quand Miss Murray avait chargé Allison Ellison de faire un exposé la semaine précédente, il y avait eu pas mal de gloussements de rire. La plupart des élèves associaient son nom à un certain film qui passait sur le câble. Quant aux autres, comme Bliss, ils connaissaient dans les grandes lignes la réputation de l'empereur : perversion sexuelle, folie, cruauté.

– Ma thèse aujourd'hui – veuillez m'excuser, Miss Murray, vu que le cours s'intitule « Civilisations anciennes et naissance de l'Occident » –, ma thèse, donc, c'est que l'Occident, ou l'idée de l'Occident, est en réalité mort avec l'assassinat de Caligula, commença Allison.

Du haut de sa grande taille, devant le tableau noir, elle lisait ses notes avec assurance.

– Intéressante, ta théorie. Explique-nous cela, dit Miss Murray en se penchant en avant sur son bureau au premier rang.

– Comme vous le savez tous, Caligula fut assassiné par une conspiration menée par les membres dirigeants du Sénat. Ils le lardèrent de coups de couteau. Le temps que ses fidèles gardes soient sur les lieux, il était mort. Le Sénat tenta ensuite de restaurer la République romaine, mais l'armée lui refusa son soutien : elle resta fidèle à l'empire. Avec l'aide de la garde prétorienne, elle fit sacrer Claude empereur.

– Ce que tu dis, c'est donc que la mort de Caligula a eu l'effet inverse de ce qu'attendait le Sénat ? lui demanda Miss Murray.

Allison acquiesça avec enthousiasme.

– La mort de Caligula a entraîné la mort de l'idée de république. L'empire était inattaquable. Le peuple pleura son empereur assassiné, malgré la réputation de cruauté ou de folie que lui avaient faite ses ennemis. Et avec la mort de Caligula, la mort de la République fut totalement confirmée. Les Romains ne retentèrent plus jamais de l'instaurer.

» En assassinant l'empereur, la plus grande réussite du Sénat fut donc de consolider la loyauté du peuple envers l'empire, poursuivit Allison. Quelle ironie ! D'autant que ce n'était pas le premier attentat contre la vie de Caligula. Ses sœurs Agrippine et Julia Livilla avaient déjà essayé de le tuer, mais en vain. Suite à cet échec, elles furent bannies. Mais le Sénat réussit là où elles avaient échoué.

Une main se leva.

– Il me semblait que Caligula était... hum, tu sais, quoi, *proche* de ses sœurs, insinua Bryce Cutting d'un air narquois.

Cette fois, Miss Murray intervint.

– Nul doute qu'il était « proche », comme tu dis, de sa sœur Drusilla. Elle était traitée en chef de famille, et à sa mort il la pleura comme l'aurait fait un veuf. Il obtint même du Sénat qu'elle soit élevée au rang de déesse. Mais quant à savoir s'ils étaient proches au sens biblique, l'histoire est ambiguë sur ce point. Comprenez tous que, comme aujourd'hui, on essayait de discréditer les dirigeants au moyen de scandales sexuels et de mensonges scabreux en tout genre. Si on devait croire la moitié de ce qu'on lit, il n'y aurait que des pervers sexuels dans le monde antique. Peut-être Caligula et Drusilla étaient-ils amants. Ou peut-être voulaient-ils simplement renforcer leur pouvoir, pour régner en frère et sœur, comme les despotes égyptiens.

Bliss leva les yeux de ses notes. Curieusement, elle avait l'impression qu'elle n'entendait pas parler de personnages historiques lointains, sagement ensevelis dans le passé et dans les

293

pages des livres d'histoire. En entendant les noms de Drusilla, d'Agrippine et de Julia Livilla, elle sentit des picotements sur sa peau. Elle *connaissait* ces gens.

Dylan, je crois que j'approche. Je crois que c'est ça que je suis censée...

– Merci, Miss Murray, dit Allison. Au fait, pour ajouter une information plus anecdotique, je voulais dire que même si on l'appelle toujours Caligula, ce n'est qu'un surnom, qu'il n'appréciait sûrement pas trop puisque cela signifie « petite botte ». Son vrai prénom était le même que celui de Jules César. Il s'appelait Caïus.

Caïus. Oui. C'était ainsi qu'on appelait le Visiteur autrefois.

Et Allison avait absolument raison. Il détestait son surnom.

Bliss avait la sensation que tout lui revenait trop vite et trop tôt : les souvenirs tombaient comme des flocons de neige, lumineux et scintillants dans sa tête, mais c'étaient les souvenirs du Visiteur : Rome, les derniers jours, la tromperie, la trahison. D'abord ses sœurs : pour Agrippine, il pouvait comprendre (Bliss fut stupéfaite de trouver l'image de cette dernière la regardant avec les yeux de Mimi Force) ; Agrippine et Valérius s'étaient alliés avec ce satané Cassius, comme on appelait Michel à l'époque. Mais *Julia* ! Comment avait-elle pu lui faire une chose pareille ? Sa petite sœur, la cadette... elle était si jeune quand elle avait commencé à se douter, et c'était elle qui avait attiré l'attention de Cassius sur sa corruption... Julia Livilla... Comme elle haïssait ce nom ! Elle disait qu'il lui rappelait son horrible tante, qu'elle méprisait. Elle voulait qu'on l'appelle autrement...

Sophia.

Il était passé tout près. Tout près de réaliser son rêve. Il était passé tout près, et Cassius avait tout gâché...

Dans sa tête, Bliss vit ce que le Visiteur avait vu à l'époque. Un chemin. Un chemin sinueux loin en dessous de la cité de Lutèce, qui s'enfonçait dans des tunnels creusés profond sous la surface, un chemin sinueux qui menait sous terre, jusqu'à une assemblée de démons s'inclinant devant sa couronne... Il s'élèverait de nouveau, dans toute sa majesté et sa gloire, prince des Cieux de nouveau... de nouveau et à jamais. Le monde entier tremblerait et se prosternerait. Les rivières s'empliraient de sang et les cavaliers seraient lâchés... Personne n'échapperait à l'armée de Satan.

Mais c'était la crise de Rome.

Bliss eut un haut-le-corps.

Les démons. Les morts. La corruption. Tout cela s'était déjà produit.

Et tout cela recommencerait. Sauf si...

Elle cligna des yeux. Elle était dans la salle de classe, Allison avait terminé et tout le monde rangeait livres et copies dans son sac. Miss Murray l'observait avec curiosité.

– Tout va bien, Bliss ?

– Oui oui. C'est juste que... je crois que j'ai oublié de prendre mon petit déjeuner.

La prof hocha la tête.

– Tu sais, Bliss, si tu as besoin de quelqu'un à qui parler, je suis là.

Bliss opina. Les profs de Duchesne étaient toujours pleins d'empathie. La politique du lycée était d'avoir une approche « tous azimuts » de l'encadrement. Ils n'attendaient pas que les élèves perturbés aillent voir le psychologue scolaire.

– Bien sûr, Miss Murray. Merci.

La femme lui souriait si gentiment qu'elle se surprit à parler alors qu'elle ne voulait rien dire.

– Simplement, j'ai... j'ai un problème, vous voyez... et cela m'inquiète d'y entraîner mon amie... mais quelque chose me dit qu'elle est la seule à pouvoir m'aider.

– Je vois. (Miss Murray croisa les bras.) Il est parfois bon de demander de l'aide, Bliss. Et les amis sont les seules personnes à qui nous puissions faire confiance lorsque nous avons des ennuis. Ils sont là pour cela, d'ailleurs. Je suis sûre que ton amie serait heureuse que tu lui tendes la main.

Bliss opina.

– Je crois... je crois que vous avez raison.

– Tant mieux.

Miss Murray souriait encore. L'espace d'un instant elle rappela quelqu'un à Bliss, mais celle-ci ne retrouva pas qui.

Bliss prit son téléphone dans son sac. Sa prof d'histoire l'avait aidée à se décider. Elle n'y arriverait pas toute seule, et les jumeaux Force ne lui étaient d'aucun secours. Impossible d'essayer d'avoir une conversation sensée avec Jack. Il errait dans les couloirs de Duchesne en traînant les pieds d'un air chagrin, comme s'il pleurait la perte de quelque chose de précieux. Il ne souriait plus que rarement. Bliss l'avait même vu parler durement à des petits nouveaux qui le gênaient pour passer, ce qui ne lui ressemblait pas du tout. Jack avait toujours été gentil avec les plus jeunes.

Quant à Mimi, Bliss avait été tentée de se confier à elle, mais pour l'instant celle-ci n'avait voulu parler que de rouge à lèvres et de jeans, et Bliss n'arrivait pas à orienter la conversation dans une direction plus sérieuse. Pourtant, dans le passé,

Mimi s'était beaucoup intéressée au Conclave ; mais à présent, elle se comportait comme si elle se fichait complètement de ce qui pouvait arriver aux sang-bleu.

Cependant, une personne pouvait encore l'aider. Une personne qui comprendrait. Une personne qui était aussi intimement liée qu'elle à tout ce qui était arrivé, et qui méritait de tout savoir. Elle n'aurait pas pu protéger son amie même si elle l'avait voulu. Elle aussi était impliquée.

Bliss enfonça la touche de raccourci pour répondre.

2MAIN, RDV SOLDES PRIVÉS PRADA.

QUARANTE-SIX

Theodora

Theodora avait entendu toutes sortes d'histoires d'épouvante sur l'enseignement public aux États-Unis : classes surchargées, élèves violents, professeurs indifférents... Elle ne savait absolument pas à quoi s'attendre : des murs couverts de tags ? Des détecteurs de métaux ? Des gangs rôdant dans les couloirs et tranchant la gorge de victimes innocentes ?

On était début octobre, et en entrant dans le lycée, un bâtiment anonyme de la 22e Rue, elle s'efforça de ne pas avoir l'air trop surpris. Tout était en ordre. Les détecteurs de métaux étaient intégrés au portail de l'entrée, si bien que les élèves n'avaient pas l'impression d'entrer en prison. D'ailleurs il fallait aussi passer au détecteur de métaux pour entrer au Met, pas vrai ? À part cela rien ne ressemblait au Met, mais ce n'était pas l'horreur non plus. Elle avait même réussi à intégrer les quelques cours niveau avancé disponibles. Elle avait un casier, une salle de classe, et un assez bon prof d'anglais.

Elle était soulagée que Hamilton soit mieux que ce à quoi elle s'était attendue, mais tout de même : en arpentant les couloirs qui sentaient toujours un peu le détergent, elle comprit avec un pincement au cœur combien elle était attachée à Duchesne. Surtout à présent qu'elle ne pouvait plus y retourner.

Au moins, elle voyait Bliss le lendemain. Theodora décida que cela suffisait. Il y avait *quelques* personnes à qui elle pouvait se fier en ce monde, et Bliss en faisait partie. Elle se réjouissait de revoir son amie et se demandait pourquoi celle-ci avait mis si longtemps à lui répondre. Peut-être lui en voulait-elle de l'avoir abandonnée. Theodora espérait que non : il fallait qu'elle lui fasse comprendre qu'elle n'avait pas eu le choix, qu'elle avait été obligée de partir. Oliver disait qu'au lycée, Bliss se montrait aimable mais distante, qu'elle se comportait comme s'ils étaient de simples connaissances, sans plus.

C'était douloureux de penser que tout le monde était à Duchesne sans elle. Elle ignorait ce que lui réservait l'avenir, mais elle avait l'impression que les classes prépa et les études brillantes n'en faisaient pas partie. Elle était là pour suivre le conseil de son grand-père : apprendre à évoluer dans la société des humains sans trahir son ascendance vampirique.

Une chose qui manquait à Hamilton, c'était une bibliothèque digne de ce nom. Il y avait bien un petit CDI, une pièce grande comme un placard où l'on trouvait quelques vieux livres de poche, plus une batterie d'ordinateurs où tout le monde allait lire ses mails. Réviser à la maison avait toujours donné des boutons à Theodora, et l'une des choses qu'elle adorait dans son nouveau quartier était la proximité de la bibliothèque publique de New York.

Elle aimait la salle de lecture du premier étage, où travaillaient des écrivains : ceux qui étaient membres d'honneur de l'institution. Le calme y régnait toujours. Un après-midi, elle gravissait le grand escalier après une longue journée de cours lorsqu'elle avait vu descendre devinez qui ? Jack Force.

Sa présence à New York ne l'avait pas trop surprise.

– Content de voir que tu as suivi mon conseil, tout compte fait, avait-il dit sans sourire en la retrouvant. Bon retour chez nous.

– Merci. Je ne suis pas fâchée d'être rentrée, répondit-elle en s'efforçant de prendre un air aussi détaché que lui.

Comme il n'était plus *Venator*, Jack s'était un peu laissé pousser les cheveux depuis la dernière fois qu'ils s'étaient vus. Ils rebiquaient derrière ses oreilles et par-dessus son col de chemise.

– Mais toi, qu'est-ce que tu fais ici ?

Duchesne disposait d'une extraordinaire bibliothèque, au dernier étage, avec vue sur Central Park. Et ce que l'on ne trouvait pas là-bas, on le dénichait au Sanctuaire des vampires.

– Trinity siège au conseil d'administration, expliqua Jack. Comme elle est partie à Washington, elle m'a demandé d'assister à l'assemblée générale pour elle.

Theodora hocha la tête. Elle était rentrée à New York, mais trop tard. Lorsqu'elle avait vu l'invitation l'autre soir, son cœur n'avait pas tambouriné sauvagement dans sa poitrine, sa bouche ne s'était pas desséchée, ses yeux ne s'étaient pas emplis de larmes. Elle s'y attendait presque, bizarrement. À l'heure qu'il était, elle était résignée.

– Au fait, et le Conclave... commença-t-elle. Est-il...

– Ne t'en fais pas pour ça. Tu es en sécurité pour le moment. Oliver s'en est très bien tiré avec son histoire de dispute entre vous. Heureusement, personne au Conclave ne vous connaît très bien tous les deux. Sinon, ils comprendraient qu'il n'y a pas un mot de vrai là-dedans. C'est un bon ami pour toi.

Elle savait qu'il lui en coûtait de le dire, et elle se sentit incitée à lui rendre la politesse.

– Alors... il paraît... qu'il y a des félicitations dans l'air. Mimi et toi.

– Ah oui, fit Jack, l'air content.

Theodora comprit qu'ils ne parleraient pas de ce qui s'était passé entre eux à Paris. Le baiser. Jack était comme isolé derrière un bloc de glace. Il était inaccessible. Visage de marbre. Déjà, il la rejetait. Il avait essayé si fort, tant de fois... et elle l'avait toujours repoussé. Dans l'appartement de Perry Street. À Paris. Il ne lui donnerait pas de nouvelle chance, elle le savait.

Elle arrivait trop tard. Elle avait suivi son cœur et était arrivée trop tard, comme toujours. Dans deux semaines, il serait perdu à jamais pour elle. Il serait lié à Mimi, mais au moins il serait en sécurité. C'était tout ce qu'elle lui souhaitait.

– Je suis heureuse pour toi, dit-elle avec chaleur. Vraiment. Enfin... je sais ce que c'est que d'être seul au monde, et je ne voudrais pas que ça t'arrive.

– Merci. Je te souhaite la même chose.

Jack s'attarda sur les marches. Il eut l'air sur le point d'ajouter quelque chose, mais se ravisa. Avec un salut de la main, il disparut.

Theodora ne savait plus ce qu'elle était venue chercher à la bibliothèque. Elle ravala ses larmes et sentit sa gorge se serrer. Bientôt, tout son corps tremblait plus fort que jamais, mais ce n'était pas un trouble lié à la transformation. Elle se trompait. Elle n'était pas forte. Son cœur se brisait, elle le sentait : plus rien ne serait jamais pareil. Ses yeux s'embuèrent, et elle sut que si elle ne se forçait pas à s'arrêter, elle ne tarderait pas à sangloter dans l'escalier.

C'était donc ainsi que s'achevaient les histoires d'amour : par une rencontre de hasard sur les marches d'un bâtiment public. Quelques mots polis et rien de vraiment dit, même si son univers touchait à sa fin. Et donc, avec le plus grand self-control qu'elle ait jamais réussi à rassembler, elle sécha ses larmes, ramassa ses livres et continua de monter.

Elle n'avait plus qu'à s'incliner.

QUARANTE-SEPT

Mimi

Organiser une union était plus facile que Mimi ne l'aurait cru. D'autant que l'ensemble de l'opération – la cathédrale St. John, la réception au Met, le Chœur des garçons de Harlem, l'orchestre Peter Duchin et une douzaine d'autres détails – était décidé depuis un an. Il ne restait plus qu'à fixer une nouvelle date et passer une nouvelle commande aux fournisseurs, dont la plupart étaient ravis de toucher un nouveau dépôt de garantie. L'union fut fixée à la mi-octobre, la première date qui convînt à tout le monde.

Mais ce soir-là, assise dans le hall de l'hôtel *Mandarin Oriental* pour attendre l'arrivée de Kingsley Martin, Mimi ne pensait pas à son union imminente. Elle en était même très loin, presque comme si le scénario de la cérémonie n'était qu'un rôle qu'elle endosserait au dernier moment, telle une pantoufle de vair forcément à sa taille. D'ici là, elle pouvait faire ce qui lui plaisait.

L'assistant du Sanctuaire qui avait exhumé un magnétophone adapté aux cassettes du bureau de Charles lui avait conseillé de faire attention : c'était leur dernier. Il ne pouvait même pas la laisser l'emporter hors du bâtiment.

– Les *Venator* sont réfractaires au progrès, avait-il grommelé en lui tendant le gros boîtier noir. On leur a donné des téléphones avec Dictaphone intégré, mais ils se servent toujours de leurs vieux machins pour rendre leurs rapports. Quelqu'un nous en a donné un sur parchemin l'autre jour. Vous savez comme c'est dur à lire ? Sans parler de la saisie, ensuite ?

Mimi avait murmuré quelques paroles compréhensives, puis trouvé un box libre et des écouteurs. Elle avait commencé à écouter.

Elle avait passé presque toute la nuit au Sanctuaire et n'était partie que pour ne pas rater sa première heure de cours.

Lorsque Kingsley entra enfin, elle se demanda pourquoi, pratiquement chaque fois qu'elle se retrouvait avec lui, elle était debout depuis plus de vingt-quatre heures.

Comme il s'approchait d'un pas nonchalant, Mimi remarqua que tout le monde, dans le bar, se retournait pour le regarder avec admiration. Ça, c'était la classe.

– Tu es en retard, dit-elle en tapotant sa montre.

– Non, c'est toi qui es en avance.

Kingsley sourit et se glissa à côté d'elle sur la banquette. Elle s'écarta légèrement.

– Tu es descendu à cet hôtel, non ? Tu n'as même pas d'excuse. Ça fait plus d'une heure que je t'attends.

Et Mimi Force n'attendait jamais personne. C'était une expérience nouvelle et désagréable. Elle avait bien vu les regards apitoyés des serveuses.

Kingsley bâilla.

– Je sais que tu n'es pas ici pour parler de mon manque de ponctualité. Alors, qu'est-ce qu'il y a ?

– Commande d'abord, gronda Mimi tandis que la serveuse s'avançait d'un pas souple vers leur table.

Elle remarqua que la fille faisait déjà de l'œil à Kingsley.

– Un Macallan. Sans glace. Et que prendra Madame ? dit-il en clignant de l'œil à l'intention de Mimi.

– Un dirty Martini.

– Il me faut une pièce d'identité, annonça la serveuse avec un sourire artificiel.

Jamais de ma vie on ne m'a contrôlée avant de me servir à boire ! eut envie de crier Mimi. *On est à New York ! Avez-vous la moindre idée de mon âge ?* Mais avant qu'elle n'ait pu dire un mot, ou employer le *Glom* à son avantage, Kingsley tendit le bras pour s'emparer de son sac et en sortit son permis de conduire, qu'il tendit à la serveuse. Cette dernière ne prit même pas la peine de le regarder.

– Un whisky et un martini, ça vient tout de suite.

– Comme sur des roulettes. Qu'est-ce que tu as fait ? Tu as changé ma date de naissance ? demanda Mimi.

Certains vampires étaient capables de transformer des objets inanimés. Mimi aurait adoré avoir ce talent. Imaginez tous les vieux sacs qu'elle aurait pu transformer en Birkin d'Hermès ! Elle se serait fait une fortune.

– Bah, non. Pas besoin. Elle voulait juste t'embêter un peu. Histoire d'attirer mon attention.

– Tu es vraiment incroyable.

Kingsley lui fit un grand sourire.

– Tu m'as manqué, Force. Tu m'en veux toujours pour la dernière fois ? J'espère que non. Sans rancune, hein ?

Elle renifla avec mépris, mais c'était difficile de rester en colère quand il lui souriait ainsi.

Leurs boissons arrivèrent sans plus de flirt de la part de la serveuse. Mimi trempa les lèvres dans la sienne. Entre-temps, Kingsley s'était débrouillé pour qu'elle se retrouve pratiquement assise sur ses genoux à leur petite table intime.

– Arrête, s'énerva-t-elle en le repoussant. Il faut que je te parle de quelque chose de grave.

– Ça m'a l'air barbant, soupira-t-il. J'espérais que tu voulais parler d'autre chose.

– Écoute, dit Mimi en le regardant droit dans les yeux. J'ai trouvé les cassettes. Tes rapports d'il y a deux ans. Elles étaient dans le bureau de Charles.

– Tu m'espionnes, maintenant ?

Kingsley arrondit un sourcil et vida son whisky cul sec. Mais il se redressa, l'air alerte. De la main droite, il demanda l'addition.

– Je ne comprends pas, chuchota-t-elle farouchement. Que faisais-tu pour Charles ? Pourquoi as-tu appelé le sang-d'argent ? Que tentiez-vous de faire, tous les deux ?

– Tu veux vraiment le savoir ?

Kingsley lui rendit son regard franc, si bien qu'elle put le contempler jusqu'au fond de ses yeux noirs. Elle vit l'infime liseré d'argent qui bordait ses pupilles.

Mimi ne cilla pas.

– Oui. Dis-moi. Raconte-moi tout.

QUARANTE-HUIT

Bliss

Les soldes privés Prada avaient beau être à l'évidence une expérience exclusive (il fallait montrer deux pièces d'identité à l'entrée pour prouver que l'on figurait bien sur la liste des invités) et regorger de *must-have* de la saison précédente, Bliss trouva l'ambiance morose. Où étaient passées les hordes de folles de mode se battant pour la dernière paire de mules brodées à plate-forme de quinze centimètres ? L'absence d'excitation était-elle due au déclin de l'économie, ou au fait qu'en réalité les soldes privés étaient secrètement médiocres ? Remplis de surplus de modèles dont l'espérance de vie n'excédait pas les trois mois pendant lesquels les *fashionistas* les avaient portés ? Ce qui n'était plus à la mode, était-ce encore de la mode ?

Bliss errait entre les étagères, soulevait un sac ici et là pour le regarder. Quatre cents dollars, c'était encore trop pour un sac à main, se dit-elle. Et ils appelaient ça des soldes ? Une pièce lui attira l'œil : une de ces robes baby-doll si mignonnes sur les photos de pub. Violette à fleurs jaunes. Elle la tint devant elle.

Lorsque Theodora entra, vêtue de ses improbables superpositions mais toujours aussi belle et éthérée, Bliss perçut de l'envie chez toutes les autres femmes, dont aucune ne lui arrivait à la cheville, et elle se sentit fière et heureuse. Voir Theodora lui rappelait qu'elle n'était pas seulement un phénomène pluricentenaire, un être ancien et maudit... qu'une partie d'elle-même n'avait que seize ans et était innocente, et que personne d'autre, dans cette pièce, ne pouvait comprendre ce qu'elle traversait...

Sauf la fille en trench-coat gris et pull noir.

– Bliss ! Oh, mon Dieu ! Oh, mon Dieu ! Oh, mon Dieu ! s'écria Theodora, et elles tombèrent dans les bras l'une de l'autre, se serrèrent fort, des larmes roulant sur les joues, avec tant d'effusion que les autres clientes se détournèrent pour ne pas les observer bouche bée.

– Il faut vraiment qu'on reste ici ? demanda Theodora en regardant Bliss avec curiosité. Tu la prends, cette robe ?

– Peut-être... Pourquoi ? Elle ne te plaît pas ? Mais non, enfin si, il vaut mieux qu'on reste ici... Je crois qu'il y a une pièce où on pourra parler, dit Bliss en entraînant son amie à l'extérieur, vers le couloir et une petite antichambre latérale.

Elles s'assirent côte à côte sans se lâcher la main. Bliss remarqua que Theodora avait beaucoup maigri.

– Quand on m'a dit que vous aviez dû vous enfuir, je me suis fait un sang d'encre. Qu'est-ce qui s'est passé ?

Elle écouta Theodora lui raconter l'enquête et tout ce qui s'était ensuivi. Plus elle parlait et plus Bliss comprenait à quel point elle la mettait en danger. Même sans titre officiel, Forsyth dirigeait déjà le Conclave. Bliss sentait que le Visiteur était derrière tout cela. Mais que pouvait bien lui faire le sort de Theodora Van Alen ?

– J'ai croisé Oliver au lycée, mais on n'a pas eu l'occasion de se voir au-dehors, dit-elle.

Leurs retrouvailles avaient été embarrassantes. Ils étaient en quelque sorte amis par alliance, s'était dit Bliss. Sans Theodora, Oliver et elle n'avaient pas grand-chose en commun.

– Ça fait bizarre de le voir sans toi. Vous étiez inséparables.

– Je sais, approuva Theodora en se tordant les pouces. C'est mieux comme ça. Si le Conclave savait que je suis de retour...

Bliss opina. Forsyth lui avait demandé si Theodora avait gardé le contact avec elle, ce qui indiquait que le Conclave s'intéressait toujours à ses allées et venues. Elle n'avait rien dit, bien sûr. Theodora avait raison de se cacher. Mais quelque chose disait à Bliss que ce n'était pas uniquement la peur du Conclave qui la séparait d'Oliver. Il lui était arrivé d'espérer que son amie trouverait le bonheur avec lui, mais l'amitié était une chose et l'amour en était une autre. Sur ce point, les Grecs avaient raison.

– Tu as vu Jack ? demanda-t-elle.

– Oui. (Theodora eut une hésitation.) C'est... On est... C'est terminé.

Elle le dit en regardant Bliss droit dans les yeux, la tête haute.

– Je suis heureuse de l'entendre, commenta cette dernière avec douceur.

Les jumeaux Force allaient finalement s'unir, et elle imaginait bien combien cela devait faire mal. Mimi lui avait même demandé d'être demoiselle d'honneur, ce qui était inattendu puisqu'elles ne se parlaient presque plus. Bliss avait accepté par politesse.

– Et toi ? Je... je suis désolée qu'on n'ait jamais pu parler de ce qui était arrivé à Dylan. Je sais à quel point ça a dû être horrible... (La voix de Theodora s'éteignit et ses yeux se mirent à briller.) Je suis vraiment navrée de ne pas avoir été là pour toi. Je ne voulais pas que tu sois seule après ça, mais on n'a pas eu le choix.

– C'est pas grave. Je vais bien. Vous m'avez beaucoup manqué. Tout a été... un peu dingue pour moi...

Dans sa tête, une voix familière dit : *Embrasse-la pour moi*, ce qui la fit sourire.

– En tout cas, j'ai parfois l'impression qu'il est encore avec moi.

– Il sera toujours avec toi.

Theodora lui prit la main et la serra fort.

Bliss se pencha en avant pour qu'elles puissent discuter plus intimement. Elle sentait les ténèbres arriver, une sensation qui n'était pas sans rappeler l'ascension tout en haut des montagnes russes. Le moment où l'on est suspendu au-dessus de l'abîme, juste avant la chute.

– Écoute, Theo, il faut que je te dise quelque chose. J'ai un problème. Je ne peux pas trop en parler, sinon ce problème te mettra gravement en danger. Mais j'ai pris une option au lycée... Civilisations anciennes... Je me suis documentée sur Rome... et j'ai commencé à me rappeler des choses... des choses qui sont arrivées autrefois, et je crois que cela risque de...

Elle allait dire « de recommencer », mais elle n'en eut pas l'occasion parce que l'iPhone de Theodora se mit à sonner.

– Attends, dit cette dernière en regardant le numéro. Oh là là, pardon, Bliss, il faut que je réponde. C'est l'hôpital de ma mère.

Elle porta le téléphone à son oreille.

– Allô ? Oui, Theodora Van Alen à l'appareil... Comment ? Pardon ? Oui... oui, bien sûr... j'arrive tout de suite.

– Qu'est-ce qui se passe ?

– C'est... c'est ma mère. Elle est réveillée ! Elle me demande. Bliss, désolée, il faut que j'y aille !

– Allegra ? Allegra est réveillée ? Attends... Theodora ! Laisse-moi venir avec toi !

Mais c'était trop tard. Son amie était partie si vite que c'était comme si elle s'était évaporée.

QUARANTE-NEUF

Mimi

De l'autre côté de la fenêtre, le soleil se levait sur l'Hudson. Mimi enfila un peignoir d'un coup d'épaules et balança ses jambes par-dessus le bord du lit pour aller le contempler. C'était du moins ce qu'elle venait de lui dire. Elle se sentait... troublée. Et elle n'aimait pas ça.

Elle tapota ses poches à la recherche de ses cigarettes avant de se rappeler qu'elle avait arrêté de fumer. On avait beau dire, mâcher du chewing-gum ne faisait pas le même effet. Elle devrait se consoler en tambourinant du bout des doigts sur la vitre. Dehors, le ciel était rouge et orange vif ; l'obscurité pourpre et le jaune du *smog* se mêlaient à l'horizon. Mais les jolis levers de soleil, de même que les couchers de soleil, d'ailleurs, ennuyaient Mimi ; elle les trouvait clichés, kitsch, prévisibles. Tout le monde était capable d'aimer le lever du soleil. Et elle n'était pas tout le monde. Elle était Mimi Force.

– Reviens ici.

Mi-invitation, mi-ordre.

Elle se retourna. Kingsley Martin était couché sur le lit, les bras croisés derrière la tête. Sale petit prétentieux... Rio avait été une erreur. Le torrent d'émotions, après être passée si près de la Vigie, tout cela pour qu'elle leur glisse entre les doigts... Tous deux s'étaient retrouvés ce soir-là à leur hôtel. Bon. Ce qui était fait était fait. Elle ne pouvait rien y changer.

Elle était loin de chez elle et déprimée, à ce moment-là. Mais elle n'avait pas d'excuse pour la nuit dernière. D'accord, une fois que Kingsley lui avait raconté toute son histoire, sa triste et terrible histoire, et qu'il avait partagé avec elle le fardeau de son secret, le bar en sous-sol avait fermé, et ensuite tout avait paru inévitable. Coucher ensemble une fois, c'était une erreur. Deux ? Deux fois, cela devenait une habitude. Les hôtels *Mandarin Oriental* comptaient parmi les préférés de Mimi, et celui de New York était particulièrement agréable. Si seulement elle avait pu se convaincre qu'elle était là pour profiter de la vue...

– Eh bien ? J'attends, annonça-t-il de sa voix de soie.

– Parce que tu crois que tu peux me donner des ordres ? dit-elle en renvoyant ses cheveux par-dessus son épaule : un geste bien rodé qu'elle savait faire passer pour spontané.

Elle savait qu'il était séduit par la vue de sa chevelure retombant dans son dos.

– Je sais que je peux.

Elle se rapprocha.

– Tu te prends pour qui ?

Kingsley se contenta de bâiller. Il tira sur le bord de son peignoir, découvrant à demi ses épaules avant qu'elle ne l'arrête.

– Qu'est-ce que tu as ? lui demanda-t-il.

– Je vais m'unir dans deux semaines, voilà ce que j'ai, répliqua-t-elle sèchement en resserrant sa ceinture.

L'autre nuit, à Rio, elle lui avait demandé si cela s'était déjà produit entre eux. Et elle le lui avait redemandé cette nuit. S'ils avaient jamais été ensemble... si... si... si... Bien sûr, Kingsley avait refusé de répondre. Il était exaspérant. Fais tes exercices, lui avait-il dit. Fais tes régressions. Il l'avait taquinée, s'était moqué d'elle, et avait éludé toutes ses questions.

Si cela s'est déjà produit, je peux me le pardonner, pensa-t-elle. *C'est peut-être mon unique faiblesse. C'est peut-être lui, ma faiblesse.*

– Je peux te demander quelque chose ? dit Mimi en le regardant s'habiller et rejoindre la table.

Il avait commandé un petit déjeuner de roi. Pas seulement l'assiette d'œufs au bacon habituelle. Il y avait aussi un plateau de fruits de mer, une boîte de caviar entière, des toasts, de la ciboulette, de la crème aigre et des oignons hachés. Une bouteille de Cristal dorée ruisselait de buée dans un seau à glace.

– Tout ce que tu veux, répondit-il en plongeant ses doigts dans le caviar et en les léchant.

Il remplit une assiette de nourriture, puis fit sauter le bouchon du champagne et en versa dans deux flûtes. Il lui en tendit une avec un sourire.

– Je suis sérieuse. Je ne veux pas que tu te vexes.

– Moi ? s'étonna-t-il en posant son petit déjeuner sur ses genoux, assis sur le canapé, les pieds sur la table basse.

– De quoi... de quoi se nourrissent les sang-d'argent ? Je veux dire, en dehors de la caféine, du sucre et de palourdes grosses comme le poing ? demanda Mimi en le regardant manger. Comment dire, vous continuez à pratiquer la *Caerimonia* ? Sur des humains, je veux dire ?

Kingsley secoua la tête. Il trempa une crevette dans la sauce cocktail d'un air lugubre.

– Non. (Il prit une bouchée.) Non, ma chère, ce n'est plus envisageable pour ceux d'entre nous qui ont goûté à un sang immortel. J'ai bien peur que pour les Croatan, le seul sang qui compte soit celui qui coule dans *tes* veines.

Mimi croisa les jambes en s'asseyant face à lui sur le lit. Elle tendit son cou en avant.

– Ça t'arrive d'être tenté ?

– Tout le temps, fit-il avec un sourire nonchalant.

– Et qu'est-ce que tu fais ?

– Qu'est-ce que je peux faire ? Je ne peux pas. J'ai juré d'honorer le Code. Je vis dans la contrainte. Je peux toujours manger de la nourriture... et parfois même, il m'arrive vaguement de trouver ça bon.

Il haussa les épaules et s'essuya les doigts sur le bord de sa chemise.

Elle eut envie de l'en empêcher, mais ne voulut pas avoir l'air d'être sa mère.

– Tu veux dire que tu ne sens pas le goût de la nourriture ?

– J'essaie.

– Mais tous ces donuts... dit-elle, soudain désolée pour lui.

Il était immortel dans le sens le plus vrai du terme. Il n'avait besoin de rien pour subsister. Quel mode de vie étrange et solitaire...

– Bah, oui, je sais. (Il rit, mais ses yeux étaient tristes.) Je mange beaucoup parce que je ne sens qu'un tout petit peu le goût de ce que j'ai devant moi. J'ai un appétit sans fond qui ne peut jamais être comblé. (Il fit un clin d'œil.) Et c'est pour ça que les sang-d'argent sont maudits.

– Tu plaisantes sur des sujets sérieux, c'est toi qui m'as dit ça un jour, le gronda-t-elle.

– Mais oui. On se ressemble beaucoup. (Il posa son assiette et son verre vides et se leva pour se rapprocher d'elle.) Et on s'amuse bien ensemble, non ? Avoue-le, c'est plutôt marrant... tu ne trouves pas ?

Il lui lécha le cou, puis l'oreille, embrassa doucement son dos et ses épaules. Elle sentait le goût du champagne sur ses lèvres.

Mimi ferma les yeux. Une petite distraction, c'était tout. Cela ne voulait rien dire. Ni pour lui, ni pour elle. Coucher ensemble. C'était tout ce qu'ils faisaient. Purement physique, et uniquement pour le plaisir. Pas de sentiments, pas de connexion divine, pas de conscription céleste... c'était juste pour s'amuser. Purement et simplement.

Kingsley l'embrassait encore dans le cou lorsqu'elle sentit sortir ses crocs, ce très léger picotement qui lui chatouilla la peau.

– Non mais, qu'est-ce que tu fais ? lui demanda-t-elle, effrayée mais aussi excitée.

Elle n'avait jamais su ce que ressentait une victime. Une proie. Il était dangereux. C'était un sang-d'argent repenti. Autant dire un doberman repenti.

– Chut... ça ne te fera pas mal... je te le promets.

Et il lui mordit le cou, juste un tout petit peu... juste assez pour qu'elle sente ses crocs s'enfoncer et percer la peau, puis sa langue prélever une goutte de son sang. Il se lécha les lèvres et lui sourit.

– À toi d'essayer.

Mimi était horrifiée. Que venait-il de faire ? Et il voulait qu'elle lui rende la pareille, maintenant ?

– Non.

Mais elle devait l'admettre, elle était tentée. Elle s'était toujours demandé comment c'était. Pourquoi les Croatan préféraient cela à la *Caerimonia* ordinaire.

– Vas-y. Tu ne me feras pas mal. Vas-y si tu l'oses.

Quand elle était avec lui, elle se sentait vivante et libérée. Quel mal pouvait-il y avoir à cela ? Juste un peu. Juste une goutte. Juste un soupçon. Elle ne voulait pas boire son sang… mais soudain, elle avait très envie d'y goûter.

Jouer avec une bougie allumée. Tenir son doigt contre la flamme, le retirer juste avant de se brûler. Ce fil de couteau qui s'insinuait juste entre le danger et le plaisir. Un tour sur les montagnes russes. La poussée d'adrénaline vous montait à la tête. Elle sortit les crocs et enfouit la tête dans son cou.

Le soleil se leva, emplissant la chambre de lumière. Mimi Force s'amusait comme jamais.

Cinquante

Theodora

Elle était ennuyée d'avoir planté Bliss ainsi. Mais pour l'instant, elle était trop bouleversée pour penser à autre chose : celle à qui elle avait attendu toute sa vie de parler... était éveillée. Vivante. Allegra Van Alen était en vie. Elle avait ouvert les yeux une demi-heure plus tôt, et elle réclamait sa fille.

En franchissant les portes vitrées de l'Hôpital presbytérien de New York pour se diriger vers l'ascenseur du fond qui menait à l'unité de soins permanents, Theodora se demanda combien de jours, combien de nuits, combien d'anniversaires, combien de Thanksgiving et de Noël elle avait passés à emprunter les mêmes couloirs éclairés au néon, dans l'odeur d'antiseptique et de formol, devant les sourires compatissants des infirmières, devant les groupes larmoyants blottis dans les salles d'attente des salles d'opération, les traits tirés et anxieux.

Combien de fois ?

Trop pour qu'on puisse les compter. Trop pour qu'on en parle. Toute son enfance était là, dans ce centre hospitalier.

La gouvernante lui avait appris à marcher, à parler, et Cordelia avait été là pour payer les factures. Mais elle n'avait jamais eu de *mère*. Il n'y avait eu personne pour lui chanter des chansons dans le bain, ni pour l'embrasser sur le front avant qu'elle ne s'endorme. Personne à qui cacher ses secrets, personne avec qui se disputer à propos de ses vêtements, personne devant qui claquer des portes... Elle n'avait jamais vécu l'alternance normale de douceur et de désaccords, les nuances infinies qui forgent le lien entre une mère et sa fille.

Il n'y avait que ceci.

– Tu es arrivée bien vite ! lui dit l'infirmière de service avec un sourire, depuis le poste de garde.

Elle escorta Theodora dans le couloir menant à l'aile privée, où sommeillaient les plus privilégiés et les plus végétatifs des New-Yorkais.

– Elle t'attend. C'est un miracle. Les médecins sont fous de joie. (L'infirmière baissa la voix.) Il paraît même qu'elle va peut-être passer à la télévision !

Theodora ne savait pas quoi dire. Cela ne lui semblait toujours pas réel.

– Attendez. Il faut... il faut que j'aille prendre quelque chose à la cafétéria.

Et se dégageant de l'infirmière, elle dévala tout l'escalier jusqu'au rez-de-chaussée. Elle enfonça les portes battantes, prenant par surprise quelques internes qui se faisaient en douce une petite pause café sur le palier.

Elle n'était pas sûre d'être capable de surmonter cela. C'était trop bon pour être vrai... et elle n'arrivait pas à se résoudre à l'affronter. Elle essuya ses larmes et entra dans le café.

Elle acheta une bouteille d'eau et un paquet de chewing-gums, et regagna le bon étage. La gentille infirmière l'attendait toujours.

– Pas de problème, lui dit celle-ci. Je sais que c'est un choc. Mais vas-y. Tout va bien se passer. Elle t'attend.

Theodora hocha la tête.

– Merci, murmura-t-elle.

Elle longea le couloir. Tout avait l'air exactement pareil que d'habitude. La fenêtre donnant sur le pont George-Washington. Les graphiques sur des panneaux blancs qui portaient le nom des patients, leurs médicaments et les médecins de garde. Enfin, elle se retrouva devant la bonne porte. Celle-ci était entrouverte, si bien que Theodora entendit.

Une voix, mélodieuse et cadencée, qui s'insinuait dans l'embrasure. Qui l'appelait par son nom, avec une douceur infinie.

Une voix qu'elle n'avait jamais entendue que dans ses rêves.

La voix de sa mère.

Theodora poussa la porte et entra.

CINQUANTE ET UN

Bliss

Qu'est-ce que tu as dit ?

Bliss était en train de payer sa robe neuve lorsque la voix du Visiteur dans sa tête la fit sursauter.

– Vous prenez la carte American Express ? demanda-t-elle à la vendeuse assise au comptoir.

Elle s'efforçait de faire bonne figure alors qu'à l'intérieur, l'agitation du Visiteur lui donnait mal à la tête.

Allegra est réveillée ? Allegra est en vie ?

Pourquoi est-ce que ça vous met en joie ? lui demanda Bliss. *Qu'est-ce que ça peut vous faire ? Ce n'est qu'une comateuse dans une chambre d'hôpital.*

– Vous avez dit quelque chose ? s'enquit la vendeuse en fourrant la robe violette dans un sac en papier kraft dont elle agrafa l'ouverture avec le reçu.

– Non. Pardon.

Bliss attrapa son sac et sortit de la salle. Elle bouscula au passage quelques filles qui entraient.

– Il y a encore des affaires à faire, ou est-ce que tout est déjà parti ? lui demanda l'une d'entre elles.

325

– Euh... j'en sais rien, bredouilla Bliss en se frayant un passage.

Elle savait qu'elles la trouveraient incroyablement malpolie, mais elle avait l'impression que son crâne allait éclater.

Bliss leva la main pour héler un taxi. Il était cinq heures de l'après-midi, tous les taxis avaient allumé leur voyant « hors service » – c'était le moment du changement d'équipes – et pire, il commençait à pleuvoir. Le climat new-yorkais. Pendant un instant, elle regretta la Rolls Silver Shadow de BobiAnne et le chauffeur qui l'emmenait partout. Enfin, elle attrapa une voiture qui venait de déposer des hommes d'affaires au coin.

– Combien pour la 168e Rue ?

– Vingt.

Elle monta dans le taxi, qu'elle trouva chaud et douillet après être restée sous la pluie soudaine et glacée.

Elle sentait encore l'excitation et l'agitation du Visiteur dans sa tête. Qu'est-ce que ça pouvait lui faire ? Pourquoi se souciait-il d'une pauvre femme dans un hôpital ?

Un peu de respect, lui dit froidement le Visiteur. *Ne parle pas ainsi de ta mère.*

Alors c'est vrai. Je suis sa fille. Je suis la fille d'Allegra, pensa-t-elle. Son cœur battait si violemment qu'il lui faisait un peu mal dans la poitrine.

Bien sûr, dit le Visiteur d'une voix raisonnable qui rendit Bliss encore plus nerveuse. *Nous t'avons conçue ensemble. Je pense qu'il est temps d'aller saluer Allegra comme il se doit.*

CINQUANTE-DEUX

Theodora

L e lit d'hôpital était vide. Allegra Van Alen était assise dans un fauteuil à côté. La mère de Theodora était un modèle d'élégance discrète en simple robe noire et rang de perles. Elle semblait sortir d'un bureau ou de l'assemblée générale d'une association caritative, et non de quinze années passées sans bouger sur le même lit.

Theodora entra en traînant les pieds, hésitante. Mais lorsque Allegra lui ouvrit les bras, elle se jeta dedans.

– Mère.

Allegra sentait les roses au printemps ; sa peau était douce comme celle d'un bébé. Sa présence rendait la chambre plus claire, plus lumineuse.

Elle lissa les cheveux de sa fille.

– Theodora. Tu es rentrée à la maison.

– Pardon, pardon, sanglota Theodora. Pardon pour tout ce que je t'ai dit à Tokyo. (Elle releva son visage sillonné de larmes.) Mais comment...

– Le moment était venu.

Theodora se dégagea de son étreinte. Elle n'en revenait pas d'entendre cela.

– Tu es en train de me dire que tu aurais pu te réveiller n'importe quand ?

– Non, ma chérie.

Allegra secoua la tête. Elle fit signe à Theodora de tirer une chaise près de la sienne.

– J'ai perçu un mouvement, loin dans le *Glom*... Il est arrivé quelque chose au monde... Je l'ai senti. J'aurais été égoïste si j'avais continué de refuser le sang. De rester enracinée dans mon isolement.

Puis Theodora vit ce qui s'était passé comme si elle y avait assisté : la femme dans le coma se soulevant de son lit pour ponctionner le cou d'un aide-soignant venu changer ses draps. La princesse vampire éveillée. La Belle au bois dormant traversant le miroir.

Theodora étouffa un sanglot.

– Lawrence...

– N'est plus. Je sais. Je lui ai parlé avant qu'il ne passe de l'autre côté, dit Allegra en hochant la tête.

– Il m'a parlé de l'héritage des Van Alen, poursuivit Theodora en haussant les épaules. Tu sais ce que je dois faire ?

En réponse, sa mère l'attira plus près d'elle et s'exprima d'une voix que seule Theodora pouvait entendre. *Écoute-moi bien, ma fille. Car ce que je vais te dire ne peut être formulé que sous la protection du Glom.*

À l'époque où nous vivions au paradis, les chemins entre les mondes étaient ouverts. Les anges se déplaçaient librement entre la terre, les cieux et le sous-sol. Mais après la révolte de Lucifer, lorsque le prince des Ténèbres et ses fidèles furent bannis des cieux, l'accès au paradis fut fermé pour toujours.

Mais les sept chemins des Morts demeurèrent ouverts. À Rome, nous faisions encore confiance à Caligula : nous ignorions qu'il était Lucifer derrière le masque, nous ignorions qu'il s'était donné pour mission de découvrir leur emplacement sur terre. En sa qualité d'empereur, il ordonna qu'un dédale de tunnels fût creusé sous la cité de Lutèce. C'est là qu'il découvrit le premier chemin.

Dans son arrogance, il s'ouvrit de son secret à Michel. L'Étoile du matin n'avait jamais su avoir le triomphe modeste, et il allait lui en coûter. Michel le convainquit d'ériger une porte sur le chemin et de forger une clé qu'il tiendrait sous sa garde. Lucifer accepta.

Mais bien sûr, c'était un mensonge. La transformation de Lucifer en Croatan était achevée à ce moment-là. Sa trahison du Code des vampires engendra la crise de Rome. Il vola la clé à la première occasion et déchaîna l'Abomination sur le monde. Mais nous n'en sûmes rien avant qu'il ne soit presque trop tard.

Les sang-bleu pourchassèrent les démons et leurs frères sang-d'argent. Nous fîmes de Lutèce un refuge où nous étions en sécurité. Michel vainquit Lucifer, l'entraîna sur le chemin des Morts, vers le monde du sous-sol, et referma la porte derrière lui. Michel ordonna alors aux sang-bleu de trouver les six autres chemins et de les fermer par des portes afin de sécuriser les divisions entre les mondes. Les gardiens des portes furent baptisés l'Ordre des Sept ; ils représentaient les sept familles d'origine du Conclave.

Les gardiens des portes acceptèrent de se disperser aux quatre coins de la terre, cachés les uns aux autres. La connaissance des portes devait demeurer dans les familles des gardiens et serait transmise de génération en génération.

L'héritage des Van Alen n'est que le dernier nom de l'œuvre entreprise par Lawrence et Cordelia à leur arrivée dans le Nouveau Monde. Lorsque de jeunes sang-bleu se mirent de nouveau à disparaître, ils se doutèrent que ce qu'ils redoutaient depuis des siècles était vrai : que les portes faiblissaient, que Lucifer et ses sang-d'argent avaient survécu à la guerre de Rome et qu'ils préparaient leur retour au pouvoir.

Lawrence s'est fixé comme but dans la vie de retrouver chaque porte et chaque gardien, pour les avertir du danger. Mais Charles n'a jamais cru à l'héritage des Van Alen. Il en voulait à son père de mettre en doute ce qu'il avait accompli des siècles plus tôt. Alors, Lawrence partit en exil. Et l'héritage des Van Alen fut oublié.

Mais Lawrence avait raison, dit silencieusement Theodora. *Ils sont de retour.*

Oui, ils sont de retour, et ils cherchent par tous les moyens à rouvrir les portes – pour libérer le diable enfermé en enfer. C'est pourquoi nous les avons trompés il y a si longtemps. Charles n'était pas le gardien de la porte de Lutèce. L'ancrage terrestre de la porte avait été déplacé. Le véritable gardien y a veillé il y a bien longtemps.

Comment le sais-tu ? Est-ce toi, le gardien ?

Non. Dans la famille Van Alen, seul Lawrence était gardien. Souviens-toi de l'Ordre des Sept. Une porte dans chaque famille.

Le Léviathan et le Corcovado. À présent, Theodora comprenait.

Oui. Ton grand-père était le gardien de la porte de la Vengeance, la prison du Léviathan. Du fait que Lawrence a tué un innocent, la porte s'est ouverte et a libéré le monstre. Mais ce qu'ignoraient les sang-d'argent, c'est que la porte de la Vengeance était un solom bicallis. Elle ne peut servir qu'une fois, et dans une seule direction. Une fois le Léviathan libéré, le chemin fut fermé pour tous.

Les sang-d'argent n'auront pas de répit. Ils chercheront les gardiens et les portes jusqu'à ce que tous les chemins des Morts soient rouverts. Theodora, c'est à toi qu'il appartient de trouver les membres restants de l'Ordre, de les alerter et de sécuriser les portes. Tant qu'elles tiendront, Lucifer ne pourra pas remonter du sous-sol vers ce monde. C'est ça, l'héritage des Van Alen, et à présent il est à toi.

Tu veux dire qu'il est à nous.

Hélas, cela ne se peut. Je ne peux pas t'aider dans ta quête. Je dois retrouver Charles. Il s'est perdu, quelque part entre les mondes, là où les sang-d'argent ont libéré cette subvertio. *Notre destin est d'être liés. Il a plus que jamais besoin de moi en ce moment. Il y a dans l'univers quelque chose de cassé que nous seuls pouvons réparer ensemble... et cela fait aussi partie de ton voyage.*

– Mère, tu m'abandonnes. Une fois de plus. Alors que je n'ai jamais eu autant besoin de toi ! s'écria Theodora, bouleversée par les nouvelles que lui apportait sa mère et par l'écrasante responsabilité qui l'attendait.

Trouver les portes ? Trouver les gardiens ? Sauver le monde ? Comment était-elle censée y arriver toute seule ?

– Je ne pars pas. Je suis toujours avec toi, dit Allegra en la tenant dans ses bras. Ma fille, je suis *en* toi. Ne l'oublie jamais.

– Alors c'était vraiment toi, avec l'épée ? Dans mes rêves ?

– Bien sûr.

Allegra sourit avec douceur, puis se leva.

– Maintenant, écoute-moi attentivement. Le Léviathan a dévoilé son jeu à Paris. Nous savons qu'il cherche à ouvrir la porte anciennement située à Lutèce. La porte du Temps. De cela je suis sûre, car j'étais là quand Michel et moi avons désigné le gardien. Elle était gardée par Tibérius Gémellus. Trouve-le. Assure la sécurité de cette porte.

CINQUANTE-TROIS

Mimi

En sortant du lycée cet après-midi-là, Mimi trouva Kingsley devant les portes de Duchesne, parmi la bande de garçons débraillés qui attendaient leurs copines de la haute société. Sauf que Kingsley n'était pas du tout débraillé. Il semblait tout droit sorti d'un magazine : dents éclatantes, cheveux noirs brillants et peignés, les joues fraîchement rasées. Il portait une veste en cuir noir sur une chemise blanche et un vieux jean. Le look de rock star dans sa perfection.

– Qu'est-ce que tu fais là ? râla Mimi en jetant des regards anxieux autour d'elle. Jack risque de te voir !

En même temps, elle s'en fichait un peu. Peut-être même son jumeau serait-il jaloux s'il les voyait ensemble. À supposer que Jack soit capable de sentiments véritables à son égard. Qui savait encore ce qui se passait sous son crâne dur ?

Kingsley, sans l'écouter, l'attira contre lui. Il l'embrassa profondément devant un groupe de petits nouveaux émoustillés.

– Force. Dans la limousine.

Mimi avisa une voiture rutilante longue comme un pâté de

maisons garée, moteur allumé, contre le trottoir. Un chauffeur en uniforme lui tenait la porte ouverte.

Mimi avait toujours secrètement adoré les limousines. C'était ringard de s'en servir en ville, à moins de vouloir ressembler à un touriste ou à un élève en route pour le bal de promo. Mais celle-ci brillait d'un éclat irrésistible. Il fallait bien l'admettre : ce type savait se déplacer avec classe.

Elle lorgna Kingsley, puis monta. Il entra derrière elle et referma la portière. Il releva entièrement la cloison qui les séparait du chauffeur. Les vitres étaient teintées. En pratique, ils étaient seuls. La voiture était si large qu'on s'y sentait comme dans un salon ambulant. Le tapis sous leurs pieds était profond, et la banquette vaste comme un lit.

– Alors, où en étions-nous ? demanda Kingsley en s'inclinant jusqu'à se retrouver pratiquement sur elle, une main sous son chemisier et l'autre tiraillant la ceinture de sa jupe.

– Attends. Attends, s'étrangla Mimi en posant une main contre son torse pour le repousser.

Et elle qui se croyait directe ! Kingsley était le dragueur le plus rapide au monde. Elle venait à peine de monter en voiture, et elle était déjà pratiquement nue.

– Mon cœur, j'ai attendu toute la journée, soupira-t-il en enfouissant la tête dans son cou.

Mais il lui obéit et retira la main de sa cuisse. Il reprit contenance et s'adossa au siège.

– Voilà. Ça va mieux ?

Mimi s'efforçait de ne pas se montrer trop flattée. C'était bon d'être désirée. Kingsley et son appétit vorace.

– Où va-t-on ? Ou devrais-je plutôt dire : où m'emmènes-tu ? demanda-t-elle car la voiture tournait à gauche sur la voie Franklin-Roosevelt.

En réponse, Kingsley brandit des billets d'avion.

– Paris. Les frères Lennox sont déjà à l'aéroport. On part ce soir.

– « On » ?

– Tu n'abandonnerais pas l'équipe, hein, Force ? dit-il en souriant. Ne t'inquiète pas, j'ai tout ce qu'il te faut. Je t'ai pris un nouveau nécessaire de *Venator*. Bien sûr, il ne comprend pas tes bottes impossibles, mais je suis sûr que tu en trouveras d'autres dans la Ville lumière.

Mimi reboutonna son chemisier.

– Tu plaisantes ! Fais demi-tour tout de suite. Je ne vais pas à Paris.

– Pourquoi ?

Il était vraiment incroyable. Fallait-il réellement qu'elle le dise ?

– Tu as oublié ? Je m'unis dimanche prochain, crétin.

– Ah oui ?

– Où veux-tu en venir ? Jack est mon... (« Âme sœur » lui sembla un peu ridicule à dire.) C'est mon jumeau. Nous sommes promis l'un à l'autre. Depuis toujours.

Kingsley hocha la tête comme s'il réfléchissait sérieusement à cet argument.

– Je vois. Et c'est pour ça que tu viens me rejoindre dans ma chambre d'hôtel toutes les nuits depuis une semaine.

Toutes les nuits ! L'avait-elle fait toutes les nuits ? Il devait se tromper. Elle avait bien dû passer au moins une nuit toute seule. Elle était dans le déni. C'était allé trop loin. Elle allait tout arrêter sur-le-champ.

– Tu connais le Code, dit-elle. C'est comme ça. Je ne peux pas renier notre lien.

– Les liens sont faits pour être rompus, dit-il. Comme les règles sont faites pour être enfreintes.

– Tu parles comme un vrai sang-d'argent, le moucha-t-elle.

Le visage de Kingsley se fit grave.

– Tu connais mon secret. Tu sais ce que nous avons à affronter, l'énormité de notre tâche si ce que soupçonne Charles est vrai. L'équipe a besoin de toi. Viens avec nous.

Mimi piqua un fard. Jamais de sa vie elle n'avait ressenti cela. Jamais de toutes ses vies. Aimer Abbadon, elle n'avait jamais rien connu d'autre. Et puis Kingsley était arrivé et avait bouleversé toutes ses certitudes. Mais la voulait-il vraiment ? Tenait-il réellement à elle ? L'aimait-il ? Ou voulait-il simplement l'avoir sous la main pour son plaisir ?

Kingsley lui sourit, et elle sut que c'était un sourire de triomphe, le sourire d'un garçon qui obtenait toujours ce qu'il voulait. Bien sûr, il la voulait en ce moment, mais que se passerait-il lorsque cela lui aurait passé ? Elle savait à quoi ressemblait le lien, le dévouement, l'engagement mutuel et le service rendu à la communauté dans son ensemble. Les vampires étaient sur le déclin, cela au moins elle le savait. Les sang-bleu avaient plus que jamais besoin d'eux. Elle pensa à tout ce que Jack et elle avaient accompli ensemble : ils avaient vaincu Lucifer à Rome, ils avaient fondé le Nouveau Monde...

Elle était Azraël. Elle n'avait qu'une parole. Elle ferait sans hésiter ce qui lui était demandé. Pour qui se prenait-elle ? Pour son frère ? Inconstant, indécis, incapable de faire le choix entre l'insouciance et le devoir ?

– Non, Kingsley, je ne peux pas, dit-elle en secouant la tête. Laisse-moi descendre. Arrête la voiture.

Kingsley la regarda longuement. Puis il se racla la gorge, décrocha le téléphone interne et demanda au chauffeur de se garer.

– Comme tu voudras.

CINQUANTE-QUATRE

Bliss

L'heure des visites était passée lorsque Bliss arriva à l'Hôpital presbytérien, mais de toute manière cela ne changeait rien. Allegra Van Alen était déjà partie.

– Mais comment ça, elle est sortie ? Je viens de recevoir un appel disant qu'elle était réveillée... Je suis sa fille ! s'exclama Bliss.

– Theodora est venue il y a une heure, lui dit l'infirmière d'un air perplexe. Elle est partie avec Allegra.

– Non mais je suis son autre fille. Oh, laissez tomber.

Bliss partit d'un pas furieux, faisant choir des gouttes de pluie partout sur le sol.

Elle est partie. Allegra était partie. *Elle n'est même pas restée assez longtemps pour me parler. Elle n'en a rien à faire de moi. Elle ne sait même pas que je suis en vie. Tu entends ça, père ?* hurla-t-elle dans sa tête. *Et où es-tu passé, d'ailleurs ?*

Mais on aurait dit que le Visiteur savait qu'ils ne trouveraient pas Allegra à l'hôpital. Pendant le trajet dans les embouteillages, il s'était de nouveau retiré.

Bliss rentra chez elle, dans un appartement vide comme toujours. Elle atomisa une patate au micro-ondes pour le dîner. Même si elle n'avait plus vraiment faim – plus *jamais*, à vrai dire –, elle avait du mal à perdre l'habitude des trois repas par jour.

Après avoir avalé quelques bouchées, elle jeta la pomme de terre à la poubelle et alla essayer sa robe neuve dans sa chambre. Theodora avait vu juste. Elle avait eu tort de l'acheter. Le haut était trop serré, la jupe trop courte. En plus, la couleur n'allait pas : le violet foncé lui donnait une mine de papier mâché et jurait avec ses cheveux roux. Elle avait été victime de la myopie des soldes. Elle retira la robe et la fourra en boule dans un sac pour l'apporter dans un dépôt-vente. Elle espérait pouvoir en retirer quelques sous. Depuis la banqueroute, Forsyth était devenu radin sur l'argent de poche.

Allegra était sa mère... Cette vérité était douloureuse, un peu comme quand on entend ce que vos amis pensent vraiment de vous. Elle rappela Theodora, mais celle-ci ne répondit pas.

Bliss ferma les yeux et monta au sommet des Cloîtres, à la recherche de son ami. Il fallait qu'elle se confie. Mais au lieu de Dylan, c'est quelqu'un d'autre qu'elle vit.

L'homme au complet blanc. Le Visiteur. Lucifer. Son père.

– Bonjour, ma fille.

– Où étiez-vous passé ? Je suis montée à l'hôpital, mais elle n'y était plus.

– Oh, je sais. Elle a été trop rapide pour nous. Elle l'a toujours été. Mais cela n'a pas d'importance. Nous la rattraperons bien vite. C'est joli, ici. Comment appelles-tu cet endroit ?

– Les Cloîtres.

– Ah, c'est donc ici que tu retrouves ton jeune ami. Mais ne t'inquiète pas ; il ne nous dérangera plus.

Bliss sentit son ventre se serrer.

– Que voulez-vous dire ?

– Je sais ce que tu faisais. Je sais tout, vois-tu. Tu ne peux rien me cacher, Bliss. J'entends chacune de tes pensées. J'entends chacun de tes mots. Je sais que tu as vu dans mon âme, et je m'en réjouis. Car tu dois être prête.

– Prête ? À quoi ?

– Entendre parler d'Allegra m'a rappelé que nous avions des tâches inachevées à accomplir. Sa bâtarde demi-sang... Theodora Van Alen. Une très bonne amie à toi, à ce que je vois.

– Eh bien quoi, Theodora ? demanda nerveusement Bliss.

– Forsyth a été incapable de me l'amener. Le Léviathan, lui aussi, a échoué. Étonnant comme j'étais aveugle à l'atout que j'avais dans la main. Car tu ne me décevras pas, ma fille. Non. Tu me l'amèneras.

Bliss secoua la tête et recula d'un pas, presque jusqu'au bord du toit.

– Pas question ! Vous êtes fou si vous croyez que je ferai jamais une chose pareille.

Le visage de Lucifer était calme.

– Pourquoi ? Est-ce parce que tu prends à tort Theodora Van Alen pour une amie ? Quelle amie faut-il être pour te laisser tomber ? Elle ne t'a jamais appelée, pas une fois, n'est-ce pas ? Elle n'a jamais manifesté le désir de prendre de tes nouvelles. C'est une amie, ça ? Comment a-t-elle pu te laisser seule, en sachant à quel point tu souffrais ?

Bliss continua de secouer la tête si vigoureusement qu'elle se donna le vertige.

– Elle n'a pas eu le choix… Elle était en fuite… Forsyth a fait d'elle une fugitive !

– Néanmoins nous avons tous le choix. Chacun d'entre nous a la liberté de choisir ses actes, et elle a choisi de te laisser seule. Seule avec moi.

Lucifer sourit de nouveau, et cette fois Bliss entrevit ses crocs.

– Non. Pas question. Si vous voulez que ce soit fait, il faudra vous en charger vous-même.

– J'ai essayé, ma chère, soupira Lucifer. N'oublie pas : nous avons « tout vu, tout fait », comme vous dites, vous les jeunes.

Bliss comprit que Lucifer voulait dire qu'il avait déjà tenté de nuire à Theodora dans les moments où il avait pris le contrôle, lorsqu'elle avait ses absences.

– Et pour le moment, poursuivit-il, je n'ai pas vraiment réussi à l'atteindre. La protection de Gabrielle est enracinée dans son sang et a dû détourner ma présence. Mais toi, ma chère, tu as aussi le sang de ta mère en toi. Comme Theodora. Tu sauras te frayer un chemin là où j'ai échoué.

– Je ne le ferai jamais.

Bliss enfonça ses poings dans les poches de son manteau. Son père devait être dérangé pour croire qu'elle allait faire le moindre mal à son amie.

– Bien, à présent tu as le choix : tu peux faire ce que je te demande, ou tu peux ne jamais revoir ton jeune ami.

– Qu'est-ce que ça peut me faire ? Il n'est pas réel, dit Bliss sur le ton du défi.

– Il est aussi réel que moi. Tu crois que ton monde est le seul qui soit ? Il existe une infinité de mondes dans l'univers. Le monde qui est dans ta tête est aussi réel que celui qui est à l'extérieur.

Bliss regarda en bas depuis le toit du musée. Si elle sautait, si elle tombait dans le *Glom*, dans son esprit, pouvait-elle se faire mal ?

– Qu'allez-vous faire ? Que voulez-vous que je fasse... de Theodora ? demanda-t-elle d'une voix sourde.

– Ma chère ! N'est-ce pas évident ? Tu vas la tuer.

CINQUANTE-CINQ

Mimi

Il avait raison, je suis plus belle nue, pensa Mimi en se contemplant dans les miroirs du Spa. Du haut de son mètre soixante-quinze, avec ses longues jambes fuselées, ses épaules larges et ses seins haut perchés, ni trop gros ni trop petits, qui n'avaient nul besoin d'augmentation ni de réduction, elle avait le genre de corps que l'on voit sur le calendrier de *Sports Illustrated* : athlétique et ferme, mais tout de même féminin et sexy, avec cette taille minuscule de poupée Barbie et des hanches fines et gracieuses. L'union était fixée au lendemain, et elle s'efforçait de ne plus penser à Kingsley. Mais parfois, il surgissait sans prévenir dans son esprit. Une mauvaise habitude dont elle essayait de se débarrasser.

– Prête ? lui demanda sa mère en fermant la porte de son casier et en lui enroulant une épaisse serviette blanche autour du buste.

Trinity semblait quelque peu désapprouver de voir Mimi nue, sans aucun complexe, en plein milieu du vestiaire. La tradition ancienne voulait que la jeune fiancée fût entièrement dévêtue pour la cérémonie. Ce n'était plus indispensable, mais Mimi préférait les vieux usages et se rappelait avec

plaisir les bains qu'elle avait pris dans le passé à cet effet :
dans le Nil, dans une baignoire de marbre à Versailles, dans
un sauna tout neuf à Newport.

Les femmes Sentinelles ainsi qu'une poignée de filles sang-
bleu de Duchesne et quelques cousines les attendaient déjà
dans le bassin de feu.

– Allons-y.

Mimi hocha la tête et prit la tête de la procession vers la
caverne souterraine. Il y avait une semaine que Kingsley lui
avait demandé de partir pour Paris avec lui. De temps en
temps elle se demandait ce qu'il faisait, s'il pensait à elle, mais
elle avait surtout passé le plus clair de son temps à se préparer
pour l'union du lendemain.

Le Spa était un établissement exclusivement réservé aux
sang-bleu, sur le modèle des thermes romains antiques. Mimi
l'avait réservé pour la cérémonie pré-union de rigueur : le bain
donné à la fiancée par ses sœurs vampires.

La purification rituelle était une tradition qui se transmet-
tait à travers les siècles chez les sang-bleu et se manifestait
sous d'autres noms dans d'autres cultures : pour la religion
juive c'était la *mikva*, tandis que chez les hindous il était
recommandé de prendre le bain à quatre heures du matin,
pendant le *brahma muhoratham*, l'heure la plus favorable. Dans
la langue sacrée, c'était le *sanctum balneum*.

Le complexe souterrain comprenait quatre bassins différents : un bain froid qui restait toujours à la température gla-
ciale de treize degrés ; un bain de vapeur, bon pour les pores ;
un bain « d'harmonie », l'essence même de la relaxation ; et le
bain de feu, dans lequel l'eau était maintenue à un degré de
chaleur que seuls les vampires pouvaient tolérer. Un humain

s'y serait brûlé, mais pour les vampires c'était un traitement fortifiant et rafraîchissant.

Mimi descendit les marches de pierre et sentit l'eau chaude couvrir sa peau tandis qu'elle rejoignait le cercle formé par les femmes et les jeunes filles. Scintillant et se déplaçant telles des nymphes aquatiques, celles-ci entonnèrent une mélopée grave à son approche.

Elle se tint debout au centre du groupe et croisa les bras contre sa poitrine, en s'inclinant pour leur indiquer qu'elle respectait et appréciait leur présence en cette étape importante de sa vie.

Trinity la suivit dans le cercle en tenant haut devant elle un calice d'or. Elle le plongea dans le bassin et l'emplit des saintes eaux vivantes. Le *sanctum balneum* exigeait une eau qui ne sortît pas d'une canalisation. C'était de l'eau recueillie à une source secrète, dans un réservoir caché, et livrée par camions entiers.

Trinity la fit lentement couler sur la tête de Mimi en prononçant l'incantation.

– Ceci est la fille des Cieux, déclama-t-elle d'une voix douce et mélodieuse dont l'écho résonnait contre les murs de pierre.

Lentement, la lumière commença à décliner dans la pièce, jusqu'à ce que toutes les femmes présentes soient plongées dans une obscurité totale ; seuls leurs corps de vampires luisaient dans le noir.

– Amen, murmura le groupe.

Trinity opina et poursuivit son incantation.

– Nous sommes venues aujourd'hui la purifier de ses péchés terrestres.

– Amen.

Les femmes se mirent à faire lentement la ronde autour de Mimi en chantant doucement un alléluia.

– Nous la préparons pour le lien qui ne doit pas être brisé. Pour prononcer les paroles qui jamais ne doivent être défaites.

Chaque membre du cercle s'avança et utilisa le calice d'or pour verser de l'eau sur la tête de Mimi en la bénissant de ses prières.

Lorsque chacune eut pris son tour, Trinity plaça ses mains sur la tête de Mimi.

– Ceci est la fille des Cieux. Aujourd'hui, elle est purifiée de ses péchés terrestres.

Elle l'entraîna dans une eau plus profonde, et Mimi s'immergea entièrement dans le bassin.

Elle sentit l'eau chaude picoter et apaiser sa peau, sentit une purification de l'âme et du corps qui lui donna un léger vertige. Elle ressortit de l'eau emplie de paix et d'énergie.

Elle se sentait nettoyée de tous ses doutes, de toute sa confusion. Elle n'avait plus de pensées pour Kingsley, ni pour ce qu'il lui avait demandé de faire. Elle ne faisait plus qu'un avec l'esprit, avec la vie, avec la lumière, avec son destin.

Elle était prête à s'unir.

CINQUANTE-SIX

Theodora

Il y avait quinze jours que Theodora avait retrouvé Bliss aux soldes privés. Après ce moment de joie partagée, Theodora avait cru qu'elles se verraient plus souvent, mais c'était exactement le contraire qui s'était produit. Bliss avait toujours une excuse pour ne pas la voir. Theodora essayait de ne pas trop se formaliser de la réticence de son amie. De toute manière, sa mère l'avait chargée d'une tâche écrasante.

Le Sanctuaire de l'histoire était le premier endroit où chercher des archives familiales, mais comme c'était dangereux pour elle d'y aller, Oliver avait trimballé tous les registres dans son studio. La séparation avait eu un effet bénéfique sur leur relation. Ils ne souffraient plus des petits agacements quotidiens qu'ils s'étaient attirés en vivant ensemble vingt-quatre heures sur vingt-quatre. Cela dit, ils se voyaient encore bien trop souvent. Le fait qu'elle ne fréquentait plus Duchesne ne changeait pas grand-chose : Oliver avait la clé de son studio.

– Ça en fait des bouquins, dit-elle en lui ouvrant la porte.

– Les Intermédiaires sont en train de tout saisir dans une base de données informatique, mais ils ne sont encore remontés qu'au XVIIIe siècle, lui expliqua gaiement Oliver.

Il posa la pile de registres poussiéreux sur la table de la cuisine.

– Au fait, comment tu vas ? demanda-t-il en lui faisant une bise.

L'atmosphère était redevenue agréable entre eux. Une fois qu'il avait été clair que Theodora n'avait aucune intention de reprendre son histoire avec Jack, Oliver s'était détendu. La menace était passée.

– Ça va.

Elle lui avait raconté tout ce qui s'était passé avec Allegra, lui avait raconté comme ç'avait été étrange de parler enfin avec sa mère... tout cela pour la voir partir si vite. Elle n'avait même pas pu la questionner sur sa prétendue sœur. Non. Ç'avait juste été : *Voilà l'héritage des Van Alen. Sauve le monde pendant que tu y es, et on se reverra de l'autre côté de quelque part, un jour.*

Bon. Theodora avait dû se mettre au travail, et elle se félicitait d'avoir Oliver à ses côtés. Grâce à son aide, ils avaient déjà fait de grands progrès, dans la mesure où ils étudiaient un arbre généalogique qui remontait à l'Antiquité. Heureusement que les sang-bleu gardaient méticuleusement la trace de toutes les Expressions et Expulsions.

Theodora mit la bouilloire sur le feu et s'assit face à l'endroit où Oliver avait ouvert tous les registres devant lui.

– Voyons déjà ce que nous savons, dit-il. Tibérius Gémellus aurait dû devenir empereur, puisqu'il était le véritable petit-fils et héritier de César Tibérius. Alors que son cousin Caligula, qui est monté sur le trône, lui, était adopté. En effet, César Tibérius préféra Caligula à Gémellus et le désigna comme successeur. On aurait pu s'attendre à ce que Gémellus s'en formalise, mais les archives indiquent qu'il était très proche de

Caligula et l'aimait comme un frère. Les livres d'histoire des sang-rouge disent qu'on ne connaît rien de Gémellus, ce qui est logique puisque l'essentiel de l'histoire réelle leur est caché. Je veux dire qu'elle nous est cachée... Bref, tu vois ce que je veux dire.

Theodora opina.

– Mais en fait, il n'y a rien non plus sur Gémellus et sa famille dans les archives des sang-bleu. C'est comme s'il n'avait jamais existé. Ou comme s'il n'était pas assez important pour que l'on garde sa trace, poursuivit Oliver en se levant lorsque la bouilloire se mit à siffler.

Il versa de l'eau chaude dans deux tasses et y plongea les sachets de thé.

– Pourtant, il était important, pointa Theodora en prenant sa tasse et en soufflant dessus avant de boire une gorgée. C'était un gardien. Il avait assez d'importance pour que Michel et Gabrielle l'aient nommé dans l'Ordre des Sept. Mais où est-il, maintenant ? Que lui est-il arrivé ? Qu'est-il devenu ? Comment trouver quelqu'un qui ne figure pas dans les registres ?

Oliver et Theodora se regardèrent. Ils pensaient tous les deux à un journal assez inhabituel qu'ils avaient trouvé deux ans plus tôt.

– En principe, commença Oliver avec animation, quand une chose n'est pas dans les livres, cela signifie...

– ... qu'elle a été cachée délibérément, termina Theodora.

– Exactement, approuva Oliver en posant sa tasse. Donc, où qu'il soit, ce n'est pas ici que nous allons le trouver, conclut-il en repoussant les livres.

– C'était le frère adoptif de Caligula. Aimé de l'empereur. Son conseiller le plus proche. Ollie, j'ai une idée. Traite-moi de folle, mais crois-tu que Gémellus ait pu être... un sang-d'argent ?

Cinquante-sept

Bliss

Quand Mimi lui avait demandé d'être demoiselle d'honneur à son union, Bliss avait tout d'abord été interloquée. Toutes deux ne s'étaient pas vues depuis plus d'un an et n'étaient plus du tout amies. Mais Mimi semblait y tenir à tout prix et Bliss, se laissant attendrir, avait dit oui. Si bien que par ce beau matin d'octobre où Jack et Mimi devaient s'unir, elle arriva tôt au salon de beauté pour se faire coiffer et maquiller, comme Mimi lui avait enjoint de le faire.

Trinity Force et plusieurs filles de dignitaires du Conclave étaient déjà en peignoir, à lire des magazines et boire du champagne. Mimi elle-même trônait au centre de l'action. La future mariée était en peignoir, blanc et mousseux, mais à part cela elle était simplement parfaite. Son visage était maquillé aussi exquisément que celui d'une poupée, avec des lèvres rubis et un imperceptible soupçon de blush. Ses cheveux platine brillants étaient tirés en chignon, dans lequel étaient piquées des fleurs blanches. Elle était sublime.

– Bliss ! Quel plaisir de te voir !

– Oh, mon Dieu ! Je sais ! Alors, tu es impatiente ? minauda Bliss sur le même ton. C'est le grand jour !

– Pas trop tôt, tu ne crois pas ? hurla presque Mimi.

Bliss sentait de l'alcool dans son haleine, mais quelque chose dans son excitation paraissait... *forcé*. Mimi souriait si fort que son visage avait l'air sur le point de se craqueler.

– Ta place est là-bas. C'est Danilo qui va s'occuper de toi. Danilo, n'oublie pas : tu la fais belle, ma copine, mais pas plus belle que moi, hein ! gloussa-t-elle.

– Au fait, désolée d'avoir raté ce, euh... ce truc du bain, dit Bliss en tâchant de ne pas être trop maladroite.

– T'inquiète. Tu es ici maintenant, c'est tout ce qui compte, la rassura Mimi avec un sourire éclatant.

C'était exactement la même Mimi Force qu'avant, pensa Bliss. Totalement vaniteuse, orgueilleuse et nombriliste ; à moins que l'union ne la rende nerveuse.

L'événement inquiétait Bliss. Elle espérait que cela irait vite, pour pouvoir s'éloigner de tout le monde. Depuis sa rencontre de l'autre jour avec le Visiteur, elle se sentait secouée, mal assurée sur ses jambes, et un peu incontrôlable. Bien sûr, jamais, jamais, jamais en son âme et conscience elle ne commettrait une horreur comme assassiner sa meilleure amie. Il fallait qu'elle persuade Theodora de fuir New York le plus tôt possible. Plus longtemps elle resterait en ville, plus dangereux ce serait pour elle. Bliss devait assurer la sécurité de son amie... et garder ses distances avec elle. Mais elle n'avait pas encore trouvé le moyen d'y arriver, c'est-à-dire de lui parler à l'insu du Visiteur.

Au moins, elle savait que Theodora ne serait pas à l'union de Mimi. Elle n'avait donc pas à s'en préoccuper pour aujourd'hui. C'était un répit limité mais bienvenu ; toutefois, cela ne l'empêchait pas d'être pleine d'appréhension.

Le visagiste lui lissa les cheveux et la maquilla si abondamment qu'en se regardant dans la glace c'est à peine si elle se reconnut. Ses cheveux lui arrivaient presque jusqu'aux coudes : ils étaient bien plus longs une fois défrisés, et son visage était un masque de perfection, bien que le bronzage en spray l'ait rendu un peu orange. Elle rentra chez elle en taxi pour aller enfiler sa longue robe bustier noire. Une tenue de demoiselle d'honneur tout à fait classique, rien qui risque de voler la vedette à l'apparition que serait certainement Mimi.

De retour dans son immense appartement, elle vérifia une dernière fois son maquillage dans la glace et tenta d'estomper le faux bronzage de ses joues. Ou était Dylan ? Le Visiteur le lui cachait, elle le savait, et elle ne l'en haïssait que plus violemment. Était-il prisonnier quelque part ? Blessé ? Était-ce sa faute à elle ? Comment en était-elle arrivée là ? Que pouvait-elle faire ? Parfois, elle avait l'impression de devenir folle pour de bon.

En s'observant dans le miroir, elle remarqua qu'elle portait toujours l'émeraude que Forsyth lui avait donnée deux ans plus tôt. Le Fléau de Lucifer. Elle toucha la pierre froide et, avec beaucoup de difficulté, retira le collier de son cou. Elle ne voulait rien toucher qui fût associé à son père. Elle le jeta sur la coiffeuse. Elle avait l'impression qu'il avait marqué sa peau, mais bien sûr, ce n'était que son imagination.

Elle n'avait plus personne à qui parler. Ni Dylan ni Theodora. Elle était vraiment seule. En sortant de sa chambre, elle trouva le bouquet que le fleuriste de Mimi avait livré le matin même. Une énorme gerbe de lys blancs. Elle la souleva et trouva une petite enveloppe glissée entre les fleurs, marquée à son nom.

Elle ouvrit l'enveloppe. À l'intérieur, il y avait une fine lame de verre. Lorsqu'elle la toucha, celle-ci se transforma sur-le-champ en épée.

– Mais que... dit Bliss en tenant maladroitement le bouquet et l'épée.

Elle posa les fleurs et regarda l'arme de plus près. Elle l'avait déjà vue. C'était l'épée de Michel. Celle que Jordan avait utilisée pour la frapper. Que faisait-elle ici ?

Lorsque Bliss la reposa, elle se retransforma en fine lame de verre. Elle ne pouvait pas simplement la laisser là. Elle la glissa dans le bouquet et partit pour la cérémonie.

CINQUANTE-HUIT

Theodora

Qu'est-ce que je fais là ? se demandait Theodora. Elle aurait dû être chez elle, à examiner les nouveaux livres et documents qu'Oliver avait dénichés au Sanctuaire. Il voulait qu'elle examine les dossiers qu'il avait trouvés et qu'elle l'appelle aussitôt qu'elle les aurait lus. Mais allez savoir comment, ses pieds l'avaient menée tout seuls dans les quartiers chics de la ville. Elle avait parcouru ainsi quatre-vingts blocs jusqu'à l'angle de Cathedral Parkway et d'Amsterdam Avenue.

Il faut que je voie cela de mes yeux. Il faut que je le voie, lui, une dernière fois avant qu'il soit uni à Mimi. Dès qu'il sera à elle, je m'en irai.

À l'époque où elle habitait Riverside Drive, Theodora allait à la messe à St. John the Divine. Cordelia préférait sa chapelle sur la Cinquième Avenue, mais Theodora avait un faible pour l'église néogothique dont la construction avait commencé en 1892 mais qui était restée inachevée. Du plus loin qu'elle pût s'en souvenir, la tour sud avait toujours été recouverte d'échafaudages, et une partie de la façade était dénuée de sculptures en pierre taillée.

Chaque année, pour fêter la Saint-François-d'Assise, l'église procédait à une bénédiction des animaux. Theodora se souvenait de la joie qu'elle avait ressentie en voyant toutes les bêtes, y compris un éléphant de cirque, un renne norvégien, un chameau et un aigle doré, dans la ménagerie. Elle y avait amené Beauty plus d'une fois. Elle espérait que sa chienne de race se portait bien, dorlotée à la maison par Hattie et Julius.

Theodora se rapprocha de l'église en observant le manège des berlines noires et des taxis jaunes qui déversaient une foule d'invités élégamment vêtus, lesquels s'interpellaient gaiement en arrivant. L'ambiance était à la fête : les sang-bleu venaient célébrer l'un de leurs rites de passage les plus sacrés.

Le soleil était bas sur l'horizon. La cérémonie devait commencer aussitôt qu'il serait couché. Theodora s'attarda de l'autre côté de la rue. Elle aurait mieux fait de partir. Elle n'avait aucun droit d'être là. Elle n'était même pas invitée. C'était une très mauvaise idée. Les lieux fourmillaient de sang-bleu, et elle était censée se cacher. Mais c'était plus fort qu'elle. Contre toute logique, elle se retrouva en train de marcher vers l'église. Il fallait qu'elle le voie de ses yeux. Car si elle le faisait, peut-être cesserait-elle d'éprouver ces sentiments. Si elle voyait Jack uni à Mimi, si elle assistait au spectacle de leur bonheur, peut-être alors son cœur commencerait-il à guérir.

Theodora se faufila par une porte latérale jusqu'à un banc dans le fond, derrière une colonne. L'orchestre jouait du Strauss, et le parfum de l'encens flottait dans l'air. Les invités rassemblés chuchotaient ensemble en attendant.

Jack était déjà debout près de l'autel, absolument magnifique dans son smoking. Il leva la tête lorsqu'elle arriva, et elle sentit son regard fixe jusqu'au fond du vestibule. Ses yeux lancèrent un éclair d'espoir. Theodora se recroquevilla sur son siège. *Il ne peut pas m'avoir pour lui... Je devrais m'en aller...* Mais c'était trop tard. Jack l'avait vue.

Theodora ? C'est bien toi ? Qu'est-ce que tu fais là ?

Oh, flûte. Elle lui ferma son âme. Il fallait qu'elle s'en aille ; ce n'était pas bien, ce qu'elle faisait. Qu'est-ce qu'il lui était passé par la tête ? Mais en essayant de se retirer discrètement, elle réalisa qu'il lui faudrait traverser toute l'escorte de Mimi, qui entrait déjà en procession. Elle repéra Bliss parmi les demoiselles d'honneur. Elle était coincée. Elle était obligée de rester. Au moins jusqu'à ce que la fiancée ait fait son entrée, après quoi elle pourrait s'éclipser sans se faire remarquer.

Mais quelqu'un d'autre l'avait vue aussi. Il était invité, lui. Oliver et sa famille étaient à la porte d'en face lorsqu'elle était entrée, mais il avait fait comme si de rien n'était. Il avait simplement avancé sans s'arrêter jusqu'à sa place.

CINQUANTE-NEUF

Mimi

– Tu es superbe, ma chérie. Si seulement ton père était là pour te voir ! dit Trinity Force en rajustant le voile de Mimi dans la voiture.

– Ce n'est pas vraiment mon père. Tu le sais, ça, non ? De même que tu n'es pas vraiment ma mère et que Jack n'est pas vraiment mon frère. Sinon, pourquoi m'unirais-je à lui ?

– La famille, c'est la famille. Nous sommes peut-être une famille d'un genre particulier, mais nous en sommes une. Nous pouvons aussi apprendre des humains.

– C'est ça, dit Mimi en levant les yeux au ciel.

Bien. Ça y était enfin. Le jour de son union. Elle portait la robe de ses rêves. Une création exclusive sur mesure : une authentique Balthazar Verdugo. Cinquante mètres du jersey de soie le plus fin expédié de Paris, incrusté de dizaines de minuscules boutons de rose en soie, de paillettes, de dentelle ancienne et de plumes d'autruche. Il avait fallu deux mille heures de travail pour la réaliser, sans compter les mille heures que des religieuses belges avaient consacrées à la broderie. Elle avait un rosaire dans la poche : le même que pour sa dernière union, à Newport. Des boucles d'oreilles Buccellati en diamants et perles étaient ses seuls bijoux.

Mimi vérifia son reflet dans le rétroviseur, satisfaite de l'aspect rouge et charnu de ses lèvres sous le voile. De l'extérieur, elle était absolument parfaite ; si seulement elle s'était sentie de même à l'intérieur ! En réalité, Mimi se demandait si elle n'était pas en train de commettre la plus grave erreur de sa vie.

Les liens sont faits pour être brisés. Comme les règles pour être enfreintes.

La voiture se gara devant l'église. Toute l'Assemblée était réunie à l'intérieur. Les vampires feraient la fête ce soir. Il y aurait des danses, des feux d'artifice, et de nombreux toasts portés à l'heureux couple. Tout était orchestré à la perfection. Il ne lui restait plus qu'à jouer son rôle. Elle en était capable, à condition de cesser d'entendre la voix de Kingsley dans sa tête.

Elle descendit de voiture et une bourrasque soudaine souleva le voile de son visage. Sa mère l'accompagna jusqu'au vestibule, où Mimi devait attendre le moment de faire son entrée.

À l'intérieur, les demoiselles d'honneur remontaient lentement l'allée centrale, accompagnées de petites filles qui jetaient des pétales de rose. Trinity pivota pour donner à Mimi son dernier conseil maternel.

– Marche droit. Tiens-toi droite. Et au nom du ciel, souris ! C'est ton union !

Puis elle aussi franchit la porte pour s'engager dans l'allée centrale. Le battant se referma derrière elle, laissant Mimi toute seule.

362

Enfin, elle entendit l'orchestre jouer les premiers accords de la *Marche nuptiale*. Wagner. Puis les portes s'ouvrirent et elle s'avança jusqu'au seuil. Une rumeur admirative parcourut l'assistance à la vue de Mimi dans sa robe fabuleuse. Mais au lieu de savourer son triomphe de plus belle mariée de New York, elle regarda droit devant elle, regarda Jack, si grand et si droit, debout devant l'autel. Il croisa son regard et ne sourit pas.

Allons-y, que ce soit fait.

Ces mots émanant de lui transpercèrent le cœur de Mimi comme un pic à glace. *Il ne m'aime pas. Il ne m'a jamais aimée. Pas comme il aime Theodora. Pas comme il aimait Allegra. Il est venu à chaque union avec ce cœur sombre. Avec ce regret et cette hésitation, ce doute et ce désespoir.* Elle ne pouvait pas le nier. Elle connaissait son jumeau, elle savait ce qu'il ressentait, et ce n'était pas de la joie ni même du soulagement.

Qu'est-ce que je suis en train de faire ?

– Prête ?

Forsyth Llewellyn apparut soudain à ses côtés. Ah oui, elle s'en souvenait, elle avait dit oui lorsqu'il avait proposé de la mener à l'autel.

Tout cela pour rien. Comme dans un rêve, Mimi prit son bras tandis que les paroles de Jack résonnaient encore dans sa tête. Elle longea l'allée comme un zombie, sans même remarquer le crépitement des flashes ni les murmures approbateurs de la foule pourtant blasée.

Arrivée presque au milieu de l'allée, elle repéra quelqu'un qu'elle ne s'attendait pas à voir et faillit trébucher sur ses escarpins en satin.

Kingsley Martin se tenait à l'extrémité d'un banc, les bras

croisés. Lui aussi était en smoking. Comme tous les invités. Que faisait-il là ? Il était censé être à Paris ! Il aurait dû être parti !

Il regardait directement Mimi.

Elle entendit sa voix cinq sur cinq dans sa tête. *Quitte-le.*

Pourquoi ? Que m'as-tu promis ?

Rien. Et tout. Une vie de danger et d'aventure. Une chance d'être toi-même. Quitte-le. Viens avec moi.

Il était vraiment culotté. Sa décision était prise ! Elle ne pouvait pas abandonner son jumeau en pleine union ! Devant toute l'Assemblée ! On en rirait pendant des siècles, elle le savait. Pour qui la prenait-il ? Était-ce un ricanement narquois qu'elle devinait ? Absolument. Il savait qu'il la rendait nerveuse. Eh bien, elle allait lui montrer. Elle allait lui jeter cela à la figure : lui faire regretter... d'avoir jamais...

À quoi pensait-elle ? Kingsley était *là*. Quoi qu'il en dît, ses actes parlaient plus fort que sa désinvolture. Il aurait dû être à Paris mais il était là, à l'église, à l'union, parce que peut-être, peut-être, il ressentait quelque chose pour elle, quelque chose de réel, de vrai, de merveilleux, quelque chose qu'il ne pouvait nier, même s'il avait tant plaisanté là-dessus.

Peut-être était-il là parce qu'il l'aimait.

Allons-y, que ce soit fait, lui avait dit mentalement Jack. Il l'aimerait une fois qu'ils seraient unis. Mais uniquement par devoir. Uniquement parce que l'union l'y forcerait.

Mimi soutint le regard de Kingsley. *Je ne peux pas...*

SOIXANTE

Bliss

Que faisait donc Mimi ? Pourquoi s'était-elle arrêtée à la moitié de l'allée ? Qui regardait-elle ? Kingsley Martin ? Bliss ne l'avait pas revu depuis le procès... Comme c'était bizarre qu'il soit là pour l'union ! N'était-il pas *Venator*, ou quelque chose comme cela ?

Martin !

Une image lui vint. Un garçon maigre, maladif et fragile, trottant sur les talons de son cousin plus grand, plus fort, plus intelligent. Un garçon qui admirait et adorait le héros de son enfance, son Caïus, son protecteur et son meilleur ami.

Gémellus.

Bliss le vit : l'empereur Caligula montant sur le trône, flanqué de son cousin plus jeune et plus frêle. Tibérius Gémellus. Le véritable héritier. Mais il n'y avait pas d'envie dans le cœur de Gémellus. Uniquement de l'adoration. Il l'aimait tant ! Il aurait fait tout ce que son empereur lui aurait ordonné de faire. Même accepter la Corruption.

Elle les vit : Caligula prenant le sang de Gémellus, et Gémellus le souffreteux se transformant en garçon robuste. Plus fort qu'il ne l'avait jamais rêvé ; plus rapide, plus puissant, transformé dans tout son être. Et puis le désespoir... la douleur atroce de l'âme déliée... les hurlements des multitudes dans le sang du non-mort, puis la pénitence face à Michel... et le pardon... et une mission.

Et soudain, tout se mit en place. La voix du Visiteur parla si vite que Bliss ne comprit pas ce qu'il disait.

Biensûr.Gémellus.Biensûr!Michelétaitmalin.Pasétonnantqu'ilaitfait confianceàuntraître.Ilfautfrappermaintenant.Maintenant.Maintenant. Maintenant.

L'église inachevée. Selon la sainte loi, une église doit être achevée pour être pleinement consacrée. Bien sûr ! Où cacher la porte mieux que dans un lieu sacré qui ne l'était pas ? Une église dans laquelle même un sang-d'argent pouvait pénétrer ?

Sans savoir ce qu'elle faisait, Bliss cria d'une voix plus sombre que les échelons les plus profonds de l'enfer.

Croatan ! À moi ! Tel est notre destin ! La porte du Temps est ici ! Levez-vous, noirs démons des profondeurs ! Levez-vous et éveillez-vous, votre temps est venu !

Et soudain, tout s'embruma tandis que les sang-d'argent entraient dans l'église – la seule église de tout l'univers connu dans laquelle ils pouvaient mettre le pied – et ils entourèrent Kingsley, l'enveloppèrent d'un brouillard argenté, épais et impénétrable. Ils plongèrent l'église dans les ténèbres, avec leur rire fou et douloureux.

– La fille ! N'oubliez pas la fille ! croassa une voix.

Bliss regarda de tous ses yeux. Theodora traversa l'allée en courant et se rua au secours de Kingsley alors que l'Assemblée était en état de choc. On aurait dit qu'elle courait au ralenti dans une foule immobile.

– Non ! Theodora ! Recule ! cria Bliss en courant pour mettre son amie hors de portée du démon.

Mais le Léviathan arriva en premier.

SOIXANTE ET UN

Theodora

Elle était dans le *Glom* et elle tombait, tombait, tombait. Le démon la tenait d'une poigne ferme et l'entraînait dans les profondeurs. Loin dans le centre noir, au plus profond du monde crépusculaire. Lorsqu'elle put enfin rouvrir les yeux, elle constata qu'elle était enchaînée à une sorte de portail, de part et d'autre duquel se trouvaient deux personnages. D'un côté, elle vit un bel homme en complet blanc.

Elle le reconnut immédiatement. Lucifer, l'ancien prince des Cieux, l'Étoile du matin. Elle n'aurait jamais cru qu'un homme pût être aussi beau ; sa splendeur était si éblouissante qu'elle faisait presque trop mal pour être regardée. Comme un couteau s'enfonçant sous la peau, elle exigeait un tribut de celui qui la contemplait. Elle comprit la différence entre lui et la fausse image du Corcovado. La véritable Étoile du matin brillait d'une lumière pure à laquelle nul ne pouvait se soustraire.

Il se tenait debout au-dessus d'un chemin de lave fondue, où la vapeur sifflait entre les rochers, et Theodora sut : c'était un des chemins des Morts. Ils étaient devant la porte du Temps, et Lucifer était emprisonné derrière.

De son côté de la porte se tenait le Léviathan, l'assassin de son grand-père. Un démon en longue robe à capuchon, si bien que Theodora ne put qu'entrapercevoir sa peau carbonisée et les braises luisantes de ses yeux. Elle aurait dû avoir peur, mais à la place de la peur elle éprouvait une rage meurtrière. Elle ignorait comment, mais elle allait s'en sortir et elle le leur ferait payer. Cela paraissait absurde et dérisoire, mais elle savait que tant qu'elle vivrait, tant qu'il resterait un souffle dans son corps, elle ferait tout son possible pour combattre la présence blanche et brillante qui se tenait devant elle, aussi belle que le soleil en surface, mais aussi laide qu'un amas d'asticots grouillants dans son âme immortelle.

Puis Theodora vit qu'ils avaient amené quelqu'un d'autre en ce lieu sombre et plein d'ombres : un troisième homme qui gisait les bras en croix sous le pied du Léviathan.

Kingsley Martin poussa un râle.

– Gémellus. Bien sûr. J'aurais dû m'en douter, dit Lucifer.

Sa voix grondait doucement, hypnotique et impérieuse. Il parlait comme une star de cinéma.

Kingsley ouvrit les yeux en clignant des paupières et toussa.

– Mais tu ne t'en es pas douté. Du moins pendant longtemps. C'est bon de te revoir, cousin. Ça t'ennuierait de demander à ton crétin de frère de me lâcher ? C'est très inconfortable par ici.

En réponse, le Léviathan lui donna un coup de pied sournois dans les côtes. Kingsley s'étouffa et suffoqua, et Theodora grimaça.

– Dis-moi, Gémellus. L'Incorrompu te tient-il encore dans ce collier étrangleur ? Tu réponds toujours aux ordres de Michel, je me trompe ? Alors que c'est moi qui ai fait de toi ce que tu es aujourd'hui. Moi qui t'ai montré que nous pourrions être bien plus encore en nous appropriant le sang des immortels.

Lucifer se pressa contre la grille pour regarder à travers les barreaux. Comme un animal en cage.

– Je n'avais pas idée... Je ne savais pas ce que tu proposais, souffla Kingsley. Je n'étais qu'un jeune garçon. Les autres que j'ai pris... ils sont encore en moi. Je les entends. Je vis avec leur souffrance. C'est intolérable.

– Tu étais le plus faible d'entre nous ! Une honte pour les vampires. Tu n'étais rien ! siffla Lucifer.

– Et maintenant je suis moins que rien, rétorqua Kingsley.

– Dommage que tu raisonnes ainsi. Tu n'as jamais compris l'ampleur de mon ambition, soupira Lucifer. Je t'accorde toutefois que déplacer la porte de Lutèce fut une sage décision. En ne laissant que l'intersection en guise de piège.

– Pas mal, hein ? C'est une idée de moi, ricana Kingsley.

– C'est bien ce que je pensais, répondit Lucifer en hochant la tête comme s'il était satisfait. Michel avait besoin d'un menteur à sa botte pour trouver la trahison adéquate. Il lui fallait un démon pour penser comme le démon.

Kingsley s'esclaffa doucement.

– Tu as toujours eu le sens de la formule.

Lucifer reçut le compliment en s'inclinant.

– Comme tu le sais bien, il y a longtemps que j'attends ceci. Et voici une porte, enfin. Ouvrons-la, veux-tu ?

Theodora comprit ce qui se passait. Comme l'avait dit Allegra, la porte était imprégnée de puissance céleste. La puissance des anges. Elle tenait Lucifer et sa malice à distance du monde. Grâce à elle, l'Étoile du matin était emprisonnée sous terre. Mais une fois qu'elle serait ouverte...

369

Kingsley éclata de rire.

– Tu sais bien que chaque porte réclame la vie d'un innocent. Et innocent, je suis loin de l'être.

– Ah. Bien sûr. Mais nous en avons amené une, dit Lucifer.

Theodora vit Kingsley lever les yeux et la remarquer, enchaînée à la porte. Les traits du *Venator* s'affaissèrent et toute combativité l'abandonna.

Puis elle comprit pourquoi elle était là.

Elle était un sacrifice.

SOIXANTE-DEUX

Mimi

Mimi était toujours immobile comme une statue au milieu de l'allée, tandis qu'autour d'elle tout n'était que panique et chaos. Elle entendait quelqu'un hurler quelque part dans le lointain. Que s'était-il passé ? Où était Kingsley ?

Puis Jack fut à côté d'elle, une main sur son coude.

– Croatan ! Dans le *Glom* ! Tout de suite ! Suis-moi !

Dieu merci, elle ne portait pas son absurde robe d'union dans le *Glom*. C'était bien plus facile pour se déplacer. Son jumeau fonçait dans le noir comme une fusée, et Mimi courait sur ses talons.

– Où sont-ils ?

– Ils ont emmené Theodora à la frontière, à la porte, dit-il tandis qu'ils s'enfonçaient de plus en plus loin, de plus en plus vite, dans les profondeurs, dans le noir, vers le lieu où la mémoire et le temps n'existent plus, et où il n'y a plus que le chemin de feu.

Theodora était venue à son union ! Qu'est-ce qu'elle faisait là ? Tout cela devait être de sa faute ! Mais, attendez une minute...

– Tu es au courant pour les portes ? demanda-t-elle. Pour l'ordre ?

– Oui. Charles m'a tout dit. Il se doutait qu'une fois le Léviathan libéré, les sang-d'argent se rendraient à la porte de Lutèce.

– Au lieu de quoi il les a menés à l'intersection, dit Mimi, mettant tout ce que lui avait raconté Kingsley en perspective avec ce que lui révélait maintenant Jack.

– Exactement.

– Mais ça n'a pas bien marché, n'est-ce pas ?

Personne n'avait obtenu ce qu'il voulait à Paris.

– Ni pour eux ni pour nous, répondit Jack d'un air sombre.

Les sang-d'argent n'avaient pas réussi à ouvrir la porte, Charles avait échoué à les attraper, et à présent il était très probablement piégé lui-même dans l'intersection.

Ils arrivèrent à la porte. Elle était exactement telle que Kingsley l'avait décrite : haute de quatre mètres et profondément enfoncée dans la croûte terrestre. Mimi savait que ce n'était que sa manifestation physique dans le *Glom*, une chose qu'ils étaient les seuls à voir. La véritable barrière était l'âme et la protection de Michel, qui empêchait les sang-d'argent de traverser. Mais où était Kingsley ? Mimi ne le voyait pas : il n'y avait que Lucifer, derrière les barreaux de fer. Cette idiote de Van Alen était enchaînée à côté de lui.

En les voyant arriver, leur ancien commandant sourit.

– Azraël, Abbadon. Quelle bonne idée de vous joindre à nous.

Mimi dut combattre l'envie de s'agenouiller.

C'était l'Étoile du matin qui se tenait devant elle. Leur véritable prince. Comme il était superbe, comme il était beau !

372

Mimi se souvint d'avoir suivi tous ses ordres, se rappela comme ils avaient tous les trois conquis le paradis et la terre pour le Tout-Puissant.

Quelle gloire dans leurs triomphes ! Comme ils étaient tous magnifiques, resplendissants, lorsqu'ils s'élevaient vers le soleil ! Comment pouvait-on leur en vouloir d'avoir savouré leur splendeur ? Comment leur en vouloir d'avoir cru que la gloire leur appartenait ?

Mais non : c'était sa faute s'ils étaient coincés là ; sa faute s'ils étaient condamnés à vivre leur vie sur terre. Le paradis n'était plus qu'un souvenir flou – presque un mythe –, même pour eux, bannis à jamais de la chaleur et de l'amour du Tout-Puissant. Si seulement...

Ils avaient essayé... Ils avaient viré de bord au dernier moment, choisi de suivre l'austère Michel plutôt que leur général. Mais c'était trop tard... C'était trop tard même à l'époque, aux premiers jours de l'aube du monde, lorsque celui-ci était encore jeune...

– Libère-la ! cria Jack. Tout de suite, serpent.

Mimi regarda son frère, son jumeau. Elle ne l'avait jamais vu si furieux, si résolu à tout détruire. Ils avaient combattu côte à côte dans l'armée de Lucifer autrefois, et avaient toujours combattu contre lui depuis.

Jack bondit par-dessus la porte et son épée flamboya. Pour vaincre son ennemi et sauver son amour.

Sans hésiter, Mimi le suivit dans la bataille.

SOIXANTE-TROIS

Theodora

Theodora ne les reconnut pas immédiatement. Ils brillaient aussi fort que Lucifer, et ils lui ressemblaient. L'espace d'un instant, ce fut comme si trois anges célestes se tenaient devant elle, superbes, inconnaissables et lointains comme des dieux. Theodora ne savait pas bien s'ils allaient combattre Lucifer ou s'incliner devant lui. Mimi avait l'air captivée. Puis Jack avait sauté la porte, bondi de l'autre côté, et Theodora avait su que ce serait un combat à mort.

En un clin d'œil, Lucifer prit la forme d'un dragon d'argent soufflant un feu écarlate. Et Jack se transforma lui aussi, il prit la forme d'Abbadon brandissant sa hache grossière.

Le dragon d'argent et la bête sombre et pesante volèrent à la rencontre l'un de l'autre et s'enlacèrent dans un combat féroce, griffe contre griffe, feu contre feu, et ils roulèrent et cognèrent et crachèrent leur venin et leur haine. Le dragon fut projeté contre la porte, mais en un instant il tint la bête entre ses griffes. Pourtant la bête se dégagea de l'emprise du dragon et porta un coup sur sa peau écailleuse.

Puis ils furent de nouveau humains : prince blanc contre

chevalier noir, leurs épées inondant les ténèbres d'étincelles, et Jack rendit coup pour coup à Lucifer jusqu'au moment où, d'une violente poussée, il accula le démon contre la porte.

– Libère-la ! ordonna-t-il avec un grondement meurtrier.

– Pourquoi ? C'est ta petite camarade de jeux ? Elle ressemble beaucoup à sa mère, n'est-ce pas ? Tu as toujours eu cette attirance absurde pour Allegra. (Lucifer sourit.) Abbadon, quand apprendras-tu ? Les filles de la Blancheur ne sont pas pour tes semblables.

– Fais-le !

– Non.

Tout en parlant, Lucifer disparut dans une fine brume argentée.

Avant que Jack ait pu faire un geste, le Léviathan réapparut, démon muet et encapuchonné avec son épée noire miroitante. L'épée qui avait tué Lawrence au Corcovado. L'épée qu'il plongea, d'un geste rapide et silencieux, dans le dos de Jack.

Theodora hurla en le voyant tomber, suffoquant, au sol. Puis Lucifer vint de nouveau se placer devant elle, et cette fois ses crocs étincelèrent dans le noir comme des couteaux. Il venait la chercher. Il l'emmènerait dans sa conscience, vivre un million de vies piégée dans les ténèbres de son âme corrodée.

Puis, soudain, quelque chose se dressa entre eux – une chose qui hurlait comme une furie, qui s'éleva dans un puissant bruissement d'ailes, et le démon lâcha prise.

Theodora était libre.

SOIXANTE-QUATRE

Mimi

Dans les ténèbres du *Glom*, Mimi débrida les pleins pouvoirs de sa transformation. Elle se sentit pousser des ailes, se sentit pousser des cornes qui se recourbaient au-dessus de son front. C'était sa forme véritable de sombre et terrible Azraël, l'ange de la Mort. C'étaient les ailes de l'Apocalypse, le présage d'Hadès, du chagrin et de la ruine. Elle englobait tout cela dans son âme et dans son être.

De toutes ses forces, elle se rua sur l'Étoile du matin, l'épingla contre la roche noire, mais ses griffes ne trouvèrent aucun appui et bientôt elle ne serra plus qu'un tas de poussière. Lucifer ne se laissait pas prendre si facilement. Mais Theodora était libre. *J'avais une dette envers toi, Theodora Van Alen. Maintenant nous sommes quittes*, pensa Mimi.

– Pas mal, Force.

Elle fit volte-face.

Derrière la porte, Kingsley et le Léviathan étaient dans une impasse. Le démon tenait le cou de Kingsley à la pointe de son épée, et Kingsley avait la sienne pointée sur son cœur. Ni l'un ni l'autre ne céderait d'un pouce, constata Mimi. Mais peut-être que si...

377

– Reste où tu es, Force, dit lentement Kingsley. (Son beau visage se tourna vers elle derrière les barreaux de fer.) N'approche pas.

– Pourquoi ? Que vas-tu faire ? s'écria Mimi même si elle le savait déjà.

Elle voyait l'aura blanche qui commençait à l'entourer. Il appelait une *subvertio*, façonnait non un trou noir mais un trou blanc, mortel.

– Je vais détruire le chemin, dit Kingsley. C'est la seule chose à faire.

– Non ! s'écria Mimi en secouant la tête, les yeux brillants.

Kingsley la regarda avec la douceur la plus absolue.

– Ne me pleure pas, Azraël. Ne gaspille pas tes larmes. Tu as pris ta décision. Et ceci est la mienne. Apparemment, le sacrifice est mon destin. Plutôt drôle, pour un égoïste comme moi, non ? On me traitait toujours de faible à l'époque... mais la faiblesse est peut-être une force.

Mimi pressa son visage contre les barreaux, le plus près possible de lui.

Elle ne pouvait pas supporter qu'il parte sans savoir ce qu'elle avait été sur le point de faire : quitter Jack pour être avec lui. Elle avait voulu renier son lien et jeter son destin aux quatre vents. *Je ne peux pas*, avait-elle failli dire. *Je ne peux pas le faire. Je viens avec toi.*

– Kingsley, je...

Kingsley lui fit un de ses sourires énigmatiques. Et sans ajouter un mot, il convoqua les ténèbres blanches – la *subvertio* –, un sort capable d'ouvrir ce qui ne pouvait pas être ouvert, de détruire ce qui ne pouvait pas être détruit.

Il y eut un tremblement profond, une secousse, comme le

plus terrible des séismes, et la porte de fer s'affaissa, et le chemin se mit à fondre. Le démon poussa un cri strident, mais Kingsley ne quitta pas Mimi des yeux.

Azraël...

En un éclair, tout disparut. Le chemin, la porte, le démon et le sang-d'argent.

Kingsley était parti. Enfermé à jamais en enfer.

Mimi s'effondra au sol, comme si son cœur avait implosé dans sa poitrine.

SOIXANTE-CINQ

Theodora

Elle avait réussi. Elle avait ramené Jack et elle-même du *Glom*. Ils étaient de retour dans l'église, gisant à quelques pieds l'un de l'autre. Elle toussa et cracha une poussière noire et toxique. Elle était couverte de suie, comme un ramoneur. Elle se demanda si c'était une conséquence de ce qui s'était déroulé dans le *Glom* ou si cela venait de la brume sang-d'argent qui s'était répandue dans l'église pendant l'attaque.

– Jack... Jack... chuchota-t-elle en rampant pour le rejoindre.

Sa plaie au dos saignait... L'épée du démon était corrompue. Elle portait en elle le feu noir. Jack était mourant. C'était ça, le cauchemar qui la poursuivait depuis des mois... ce désespoir qui la submergeait à présent, c'était bien ça. Elle était en train de le perdre.

Elle le retourna pour pouvoir le bercer dans ses bras. Ses larmes tombèrent sur les joues du garçon. Il ne l'entendait pas.

– Il lui faut une *Caerimonia*, dit une voix de l'autre côté de l'église. Du sang rouge. C'est du poison pour les Croatan, cela repoussera le feu. Il faut que nous trouvions un humain.

Mimi Force portait de nouveau sa robe d'union, mais comme Theodora elle était couverte de suie noire, elle avait le visage meurtri et les yeux rouges. Elle s'approcha lentement d'eux.

– Je sais que ça va marcher, déclara-t-elle en sortant de l'église pour aller chercher un humain susceptible de sauver son frère. Kingsley me l'a dit.

Mais il n'y avait pas le temps. Même pas le temps d'utiliser l'Appel. Alors, Theodora comprit.

– Je suis humaine, dit-elle. Je suis une demi-sang.

Une moitié d'elle-même était vampire mais l'autre moitié était mortelle, faible mais pleine de vie, cette vie dont les vampires avaient tant besoin pour conserver la leur. C'était cette moitié, cette partie d'elle-même qui sauverait son amour.

– Jack, écoute-moi, chuchota-t-elle en se baissant. Écoute, il faut que tu boives... Il faut que tu me boives.

Jack ouvrit lentement les yeux et les plongea dans les siens.

– Tu es sûre ? murmura-t-il.

– Oui, il le faut. C'est le seul moyen.

Theodora savait que Mimi n'avait pas menti. Et c'était logique, d'une certaine manière, qu'une chose aussi faible pût aussi apporter tant de vie ; car c'était précisément ce que faisait le sang. Il portait la vie.

– Mais je pourrais te faire du mal... protesta Jack. Le risque est trop grand. La Corruption... Je pourrais être tenté de...

Prendre le sang d'un autre vampire était interdit par le Code. C'était ce que les sang-d'argent faisaient à leurs victimes. Si Jack perdait le contrôle, tous deux seraient condamnés.

– J'ai confiance en toi, dit Theodora en se penchant vers lui tandis qu'il relevait la tête et passait un bras autour de son cou.

– Je ne veux pas te faire mal, souffla-t-il en sortant ses crocs, blancs et acérés, aux arêtes fines et coupantes comme des lames de rasoir.

– Je t'en prie, Jack. (Theodora ferma les yeux.) Vas-y, maintenant !

En réponse, Jack plongea ses crocs à la base de son cou, et Theodora se mordit la lèvre devant cette soudaine intrusion. Elle ne s'attendait pas à ce que ce soit si douloureux : était-ce ce que ressentaient les humains ? Cette vertigineuse impression d'altérité, de doux soulagement et de peine exquise, à mesure que le vampire aspirait leur force vitale ? Jamais de sa vie elle ne s'était sentie si proche de Jack. C'était comme s'il touchait chaque partie d'elle-même... comme si leurs âmes se mêlaient entièrement dans l'échange de sang... comme s'il ouvrait chaque secret qu'elle avait jamais eu... comme s'il la connaissait jusqu'au dernier morceau... qu'il le goûtait et s'en régalait...

Elle se pâma...

Sombre et délicieux et précieux... si doux... si doux... si doux...

SOIXANTE-SIX

Bliss

Le Visiteur était de retour. Il était comme fou, hystérique, et aboyait des ordres qu'elle ne comprenait pas. Bliss était groggy. Le démon l'avait mise K.O. lorsqu'elle avait tenté d'aider Theodora, et à présent elle avait une douleur lancinante dans la tête.

RÉVEILLE-TOI, MON ENFANT ! C'EST TA CHANCE !

Que... que voulait-il ? Que se passait-il ? Elle regarda autour d'elle. Au milieu de l'allée centrale, Theodora tenait Jack dans ses bras, telle une Pietà.

Elle s'avança en titubant. Elle avait toujours son bouquet à la main. Que faisait Theodora avec Jack Force ? Jack était censé s'unir. Mais bien sûr, Theodora n'avait jamais suivi aucune règle. Le Code des vampires ne s'était jamais appliqué à elle. Comment l'avait appelée le Visiteur ? Une égoïste. Sans rien de remarquable. Une fausse amie.

Bliss se sentait terriblement seule et perdue. Le Visiteur avait peut-être raison. Il était peut-être le seul sur qui elle pût compter. Sa mère n'avait même pas pris la peine de l'attendre, de la voir, de parler à la fille qui avait tant besoin d'elle. Quant à Dylan, eh bien, peut-être était-il bidon, lui aussi : avait-il vraiment disparu ? Était-il réellement retenu prisonnier ? Il avait déjà réussi à se frayer un chemin... Qu'est-ce qui le retenait à présent ?

En tout cas, rien ne pouvait l'arrêter, elle.

Le Visiteur avait peut-être raison. Elle n'arrivait plus à réfléchir ; elle n'y voyait plus clair. Tout ce qu'elle savait, c'était qu'elle était fatiguée d'écouter la voix dans sa tête. Elle était tellement, tellement fatiguée de se battre !

Vas-y !

VAS-Y !

TUE-LA !

Fatiguée, tellement fatiguée de résister et d'être bonne... Et puis si elle faisait ce qu'il voulait, peut-être cesserait-il de la torturer. Si elle faisait ce qu'il voulait, peut-être aurait-elle enfin la paix...

Bliss alla rejoindre Theodora et tira la lame de verre de son bouquet.

SOIXANTE-SEPT

Theodora

– Tu vas t'en sortir, murmura Theodora.

Jack reposait endormi dans ses bras. Elle savait qu'il survivrait. Elle le *sentait*. Son sang à elle le sauverait. C'était la seule chose qui pût le sauver. Il ramènerait la vie dans son corps et combattrait le feu noir de la lame du Léviathan.

Elle parcourut des yeux l'église vide. Mimi n'était pas encore revenue. Son ancienne ennemie jurée avait eu l'air brisée et perdue. Il s'était passé quelque chose, là-bas, dans le *Glom*.

Theodora serra Jack plus fort, mais à ce moment-là elle entendit des pas. Quelqu'un se dirigeait vers elle. Quelqu'un, debout devant elle, la regardait d'en haut.

– Bliss, qu'est-ce que tu fais ? s'écria-t-elle.

Son amie ressemblait à une sorcière avec ses cheveux roux en bataille et sa robe noire déchirée, quelque chose de brillant et menaçant à la main.

– Pardon, Theodora. Je suis désolée, sanglota-t-elle.

Theodora déplaça Jack pour l'éloigner du danger. Elle se leva pour s'interposer.

– Bliss, pose ce couteau.

– Je ne peux pas... Il le faut, gémit Bliss. Je suis désolée, mais il le faut.

– Comment ça ? Qu'est-ce qui se passe ? Que t'est-il arrivé ?

– C'est mon père... Il est dans ma tête. Il me dit des choses. Il me dit que je dois le faire, sinon je ne reverrai jamais Dylan.

– Ton père ?

Mais Theodora connaissait déjà la réponse. Que lui avait dit Cordelia un jour ? *Nous craignons que l'une de nos plus anciennes familles n'abrite le prince des Ténèbres en personne. Nous ignorons comment et nous ignorons qui, mais nous soupçonnons une trahison au plus haut niveau du Conclave.* Bliss Llewellyn était le sang-d'argent depuis le début. Elle portait Lucifer en elle. Puis Theodora se rappela aussi une chose que Lawrence lui avait dite : *Ta sœur sera notre mort.* Bliss était sa sœur cachée. Bliss était née pour la tuer.

– Non, Bliss, tu n'es pas obligée... Je peux t'aider. Ce n'est pas inéluctable. Tu n'es pas obligée de faire ce qu'il te dit.

Bliss ne réagit pas. Elle se rua sur Theodora, qui se baissa juste à temps. Mais, attrapant l'ourlet de sa jupe, Bliss la tira vers le bas. Theodora commençait à sentir la lame se rapprocher insensiblement de sa poitrine. C'était fini... Jack avait risqué sa vie pour elle et elle pour lui... mais tout cela, c'était pour rien. Comment avait-elle pu l'ignorer ?

– Bliss ! Je t'en prie ! Non ! sanglota-t-elle.

Bliss tenait la lame au-dessus du cœur de Theodora, à quelques centimètres de sa poitrine, mais au dernier moment elle hésita.

– Pardon, pardon ! s'écria-t-elle en libérant son amie, les joues trempées de larmes.

– Bliss... Arrête ! Qu'est-ce que tu fais ? Non ! hurla Theodora.

D'une poussée brutale, Bliss plongea profondément la lame de l'archange dans son propre cœur, brisant le verre en un million de morceaux et mettant fin à sa vie.

Soixante-huit

Mimi

L'Assemblée était aux cent coups. Forsyth Llewellyn avait disparu. Enlevé par les Croatan ? Ou bien était-il un Croatan lui-même ? Comment savoir à qui faire confiance ? Mimi se demandait pourquoi il avait tant insisté pour que son union ait lieu. Était-ce réellement pour le bien de l'Assemblée, ou était-ce autre chose ? Savait-il ce qui se cachait sous l'église ? Pendant ce temps, le Conclave était laminé. C'était la fin de tout : des sang-d'argent dans l'église ! À une union ! C'était de la pure folie, inexcusable. Il allait falloir se réunir plus d'une fois pour décider de la marche à suivre. Encore et encore des réunions, et des enquêtes officielles, et aucune décision de prise. Mimi comprenait que l'Assemblée avait plus que jamais besoin de Jack et d'elle. Plus encore que la veille.

L'église était ressortie intacte de l'attaque, à l'exception d'une fine poussière noire qui recouvrait toutes les surfaces. En franchissant les portes le lendemain matin, Mimi se réjouissait, d'une certaine manière, que Jack et elle soient seuls cette fois pour la cérémonie. Car leur union ne les concernait pas seulement tous les deux, elle concernait la survie de leur peuple. C'était leur devoir.

Elle était simplement vêtue d'un tee-shirt et d'un jean. Il n'y aurait pas de photographes mondains cette fois, pas d'invités d'honneur. Ce serait comme autrefois à Rome. Leur union se déroulerait sans témoins, mais ils n'en avaient nul besoin. Tout ce qu'ils avaient à faire, c'était échanger leurs promesses.

C'était leur destin et c'était leur voie.

Elle alla jusqu'à l'autel et alluma un cierge. Jack n'allait pas tarder. Ils avaient partagé un taxi pour venir à l'église, mais il lui avait demandé de l'attendre à l'intérieur le temps de répondre au téléphone.

Comme les minutes s'écoulaient et que Jack ne passait toujours pas les portes, Mimi comprit. Il ne viendrait pas. Il lui avait encore menti, car il n'était pas digne d'elle. Il ne le serait jamais.

Pas comme... mais elle ne pouvait plus prononcer son nom. *Kingsley.* Tout ce qui aurait pu être défila dans sa tête en un éclair : tous les deux pourchassant ensemble les sang-d'argent... une vie de danger et d'aventure... une chance d'être de nouveau elle-même...

Son téléphone vibra. C'était un SMS de son frère. Il tenait en trois mots :

JE SUIS DÉSOLÉ.

Mimi souffla la flamme du cierge. Elle n'en aurait plus besoin.

Bien. Elle avait vu juste. Jack l'avait désavouée pour partir avec la sang-mêlé. Il n'honorerait pas leur lien céleste. Il n'accomplirait pas son devoir. Elle avait sacrifié son amour, elle, mais lui ne sacrifierait pas le sien. Il avait jeté son sort aux orties, défié le destin, la mort, s'était rebellé contre les lois des Cieux et les lois de leur lien de sang.

Elle ne le lui pardonnerait jamais. Elle aurait pu partir pour Paris lorsque Kingsley le lui avait demandé. Elle aurait pu choisir le bonheur, elle aussi. Mais elle ne l'avait pas fait. Elle avait pris sa décision trop tard.

Et à présent, elle était seule.

Le Code des vampires stipulait que quiconque violait la Loi sacrée était condamné à mort, à la combustion du sang. Charles avait refusé de soumettre Allegra à la sentence. Mais Mimi était d'une autre trempe.

Elle sortit de l'église, consciente que si jamais elle revoyait Jack, elle devrait le tuer.

SOIXANTE-NEUF

Bliss

Lorsqu'elle se réveilla le lendemain de l'union de Mimi, Bliss était couchée dans un lit douillet sous un édredon en patchwork. En face d'elle était assise une femme ordinaire aux joues rougeaudes et à l'air interrogateur, vêtue d'un pull défraîchi en cachemire et d'une jupe en laine à losanges.

– Miss Murray ?

Que faisait sa prof d'histoire assise devant elle ?

– Tu as passé un mauvais quart d'heure, chérie. Repose-toi ; ne te fatigue pas.

La chambre était petite et intime, et Bliss comprit que c'était tout l'appartement. Elle ne s'était jamais trouvée dans un espace aussi réduit. Il faisait la taille d'un placard, pratiquement. Il y avait la place pour un lit, une cuisinière, et rien de plus. Si Bliss voulait s'activer, elle pouvait se préparer à dîner depuis son lit. Mais bien que petit, l'endroit était chaleureux et plaisant.

– Qu'est-ce que je... ? Que s'est-il passé ? Où est...

– Chhht, dit Miss Murray en portant un doigt à ses lèvres. Tu dois te reposer. Elle va arriver. Elle veut te parler.

– Qui...

Une femme apparut comme par magie. Elle avait les cheveux blonds et les yeux verts, et portait des vêtements blancs qui irradiaient une lumière pure et blanche. Dès qu'elle la vit, Bliss sut.

– Allegra, dit-elle dans un souffle. C'est toi, n'est-ce pas ? Où suis-je ? Je suis morte ?

Allegra Van Alen eut un sourire serein. Elle paraissait bien plus âgée que dans le souvenir de Bliss, quand elle l'avait vue à l'hôpital. La femme dans le coma semblait figée dans le temps mais cette Allegra-ci, debout devant son lit, avait le visage ridé et les mains fripées. Il y avait du gris dans sa chevelure blonde. Mais elle était encore très belle. En la voyant, Bliss eut envie de pleurer.

– Viens, dit Allegra en lui ouvrant les bras. Viens ici, ma fille.

– Alors c'est vrai, chuchota Bliss. Je suis à toi.

– Pardon de ne pas avoir été là pour toi, mais on m'a caché ton existence.

La tristesse était palpable dans sa voix.

– Mais alors comment ? Pourquoi ?

– Tu es venue me voir il n'y a pas si longtemps.

– Oui.

Bliss se remémora cette visite furtive à l'hôpital, pendant laquelle Allegra était restée immobile dans son lit.

– Quand tu es venue me voir, j'ai perçu une présence que je n'avais pas sentie depuis très longtemps, dit calmement Allegra. J'ai eu très peur et me suis sentie très en colère. J'ai hurlé. Je crois que tout l'hôpital m'a entendue. Mais à présent, je comprends que Charles et Lawrence ont fait ce qu'ils pensaient devoir faire. Ils l'ont fait par amour, et parfois l'amour

396

nous pousse à l'irrationnel... même à l'inexcusable. Mais j'ignore si je leur pardonnerai jamais ce qu'ils ont tenté de te faire.

Bliss serra les poings sous son édredon. Elle avait une mère, mais on lui en avait aussi volé une.

– Alors Lucifer ne m'a pas menti, dit-elle d'une voix dure comme la pierre.

Elle se sentait tiraillée et déchirée.

– Non, il ne t'a pas menti. Tu es des nôtres.

– Mais comment... comment... ? Tu étais unie à Michel.

Allegra opina.

– Oui. C'est une longue et douloureuse histoire. Mais sache que nous t'avons conçue ensemble. Dans l'amour.

– Où es-tu ? Es-tu ici ? Es-tu vraiment ici ?

– Je suis en toi. Je n'avais pas trouvé le lien avant. Comme je l'ai dit à ta sœur, je serai toujours avec vous.

– D'accord, fit Bliss en ravalant ses larmes.

– As-tu remarqué quelque chose de changé en toi ? lui demanda Allegra.

– Comme quoi ?

Elle ne voyait pas du tout de quoi sa mère voulait parler... mais elle s'arrêta pour y réfléchir. Tout était silencieux. Elle était seule dans son corps. Les voix s'étaient tues. Le poids – toutes ces âmes qui vivaient en elle – s'était envolé. Et le plus important : le Visiteur n'était plus là.

– L'épée de Michel a tranché ton lien de sang avec Lucifer. Ton père t'utilisait pour sortir de son confinement dans le sous-sol.

– Alors je ne suis pas morte. Mais mon père est mort en moi.

Une vague de soulagement la submergea. Elle avait retrouvé sa vie. Elle avait réussi : elle était parvenue à se tuer, comme Dylan et elle savaient qu'elle devait le faire. Elle avait réussi...

Et là, comme si elle l'avait fait surgir du néant, Dylan apparut à côté d'Allegra.

– Je suis fier de toi, Bliss, dit-il. L'épée de Michel a libéré les âmes piégées dans ton sang. Tu les as libérées. Tu m'as libéré.

– Mais je ne vous reverrai plus jamais, n'est-ce pas ?

Dylan sourit.

– C'est peu probable. Mais il ne faut jamais dire « jamais ».

– Je voudrais que tu ne partes pas. Tu vas tellement me manquer...

– Toi aussi, tu vas me manquer.

Dylan leva la main, et Bliss fit de même. Mais cette fois, au lieu de toucher de l'air, elle sentit la main chaude du garçon agripper sa main froide à elle. Elle regarda Allegra. Sans savoir comment, elle sut que c'était sa mère qui rendait cela possible. Dylan s'inclina et elle sentit ses lèvres, tendres et accueillantes, embrasser doucement les siennes.

Puis il disparut. Mais Bliss n'en souffrit pas. Elle se sentait en paix. Dylan n'était plus brisé ni incomplet. Il avait retrouvé son intégrité.

– Tu es guérie, dit Allegra en hochant la tête. Tu n'es plus une sang-d'argent. (Elle marqua une pause.) Mais tu n'es plus un vampire non plus.

Bliss sursauta. Plus un vampire... mais qu'est-ce que ça voulait dire ? Qu'elle était simplement humaine ?

À présent, écoute-moi attentivement. Bliss entendait la voix d'Allegra dans sa tête – dans le *Glom* – comme si elle s'adressait directement à son esprit. *Il y a bien longtemps, quand le monde* était jeune et que les chemins entre le paradis et l'enfer étaient encore ouverts, Lucifer fit sortir du sol des monstres, les chiens de l'enfer. Mais leur alliance avec les sang-d'argent fut de courte durée. Les loups sont des chasseurs de démons. Ils étaient du côté des sang-bleu pendant la crise. Mais au fil des siècles, nous nous sommes perdus de vue. Tu dois les retrouver. Les sang-bleu auront besoin d'eux dans la bataille finale contre les sang-d'argent. Trouve les loups. Va les chercher. Ramène-les au bercail.

Mais par où commencer ?

Je ne t'ai pas laissée seule. Tu auras quelqu'un pour t'aider dans ta mission. Quelqu'un qui t'aime et prendra soin de toi, puisque je ne le peux pas.

Bliss comprit. Miss Murray, à côté d'Allegra, ne ressemblait plus à une prof d'histoire aux joues en pomme d'api. Ses yeux gris étaient graves... et Bliss eut un haut-le-corps.

Jordan ?

Tu m'as connue sous cette identité, confirma sa prof en hochant la tête. *Mais mon vrai nom est...*

Sophia.

Tout à fait. C'est très bien, la félicita Miss Murray avec un grand sourire.

C'est ainsi que je dois t'appeler ?

Je pense que Miss Murray conviendra pour le moment. Mais si tu veux, tu peux m'appeler tante Jane.

L'épée de Michel. C'est toi qui l'as glissée dans mon bouquet. J'ai raison, pas vrai ? lui demanda Bliss.

Sa prof ne nia pas. *Je savais que tu t'en servirais à bon escient. J'avais foi en toi.*

Mais si je ne suis plus un vampire... comment puis-je faire quoi que ce soit ?

L'idée d'être humaine l'effrayait. Vivre sans les incroyables capacités conférées par le sang immortel... être si faible et si fragile... et absurdement dénuée de pouvoirs...

Fais de ton mieux, lui dit sa mère. *C'est tout ce que je te demande.*

– Où t'en vas-tu ? lui demanda Bliss, à haute voix cette fois.

– Là où personne ne peut me suivre. Mais ne désespère pas. Nous nous reverrons, Bliss Llewellyn.

– Allegra, avant de partir... peux-tu me dire... quel est mon nom ? Tu sais, Mimi est Azraël et Jack est Abbadon. Mais moi, je ne connais pas mon vrai nom. Je ne l'ai jamais su. Est-ce que j'en ai un, au moins ?

– Les noms sont forgés dans les Cieux. Ton père t'a appelée Azazel, la Ténébreuse. Mais je t'appellerai Lupus Theliel, ange de l'Amour et mon Fléau des loups.

Theodora

Theodora parla peu pendant le trajet jusqu'à l'aéroport JFK. Elle était encore épuisée par les événements de la veille, mais elle n'avait pas le temps de se reposer. Les documents qu'Oliver avait trouvés et qui l'avaient tellement surexcité étaient un petit paquet de carnets, qu'il avait découverts dans des dossiers gardés par Christopher Anderson, l'intermédiaire de Lawrence.

Cinquante-cinq carnets détaillant tout ce qu'avait trouvé son grand-père sur l'héritage des Van Alen, et toutes les pistes possibles. Les gardiens de la troisième porte, la porte de la Promesse, se trouvaient très probablement encore dans la ville de Florence, vers laquelle ils faisaient route.

La veille au soir, lorsqu'elle était enfin rentrée chez elle, Oliver l'attendait dans son appartement. À son entrée, il lui avait fallu un moment pour se rendre compte qu'elle était réellement bien vivante devant lui. Il était convaincu de l'avoir perdue à jamais. Ils s'étaient jetés dans les bras l'un de l'autre, mais Theodora était encore trop perturbée et troublée par tout ce qui s'était passé avec Jack pour accorder beaucoup d'attention à Oliver.

Elle l'avait écouté lui raconter ce qui était arrivé à tous les autres pendant l'attaque et après ; la plupart des sang-bleu étaient partis se réfugier dans la tour Force, comme le leur avait conseillé le Conclave. Ils s'en étaient tous sortis indemnes.

Mais pour combien de temps ?

Le taxi se gara devant l'aérogare, et Oliver déchargea leurs bagages. Lui aussi avait été taciturne pendant le trajet. Et il regardait à présent Theodora avec intensité, comme s'il essayait de graver ses traits dans sa mémoire.

– Quoi ? lui demanda-t-elle. J'ai quelque chose de coincé entre les dents ou quoi ? Pourquoi tu me regardes comme ça ?

– Je ne vais pas à Florence, lui annonça-t-il tandis que le taxi s'éloignait.

– Comment ça, tu ne vas pas à Florence ? répéta Theodora au moment où Jack Force arrivait à l'aérogare.

La veille, quand Mimi était finalement revenue dans l'église, elle avait emmené son frère avec elle. Jack était trop faible pour parler quand Theodora les avait mis tous les deux dans un taxi. À la manière possessive dont Mimi s'était accrochée à Jack, Theodora s'était rendu compte qu'ils ne pourraient pas échanger tout ce qu'ils avaient à se dire.

Il ne restait plus une trace de la fille perdue et brisée qu'avait été Mimi au moment de son retour. Et Theodora avait compris que la lutte pour le cœur de Jack était loin d'être terminée. Peut-être que Jack et elle n'étaient pas faits l'un pour l'autre, et qu'ils devaient simplement l'accepter. C'était suffisant de savoir qu'ils avaient tout risqué l'un pour l'autre. Peut-être le souvenir de leur amour était-il tout ce à quoi ils avaient droit. Elle n'en savait rien. Tout ce qu'elle savait, c'était qu'elle avait beaucoup à faire. Et si elle devait abandonner Jack en chemin, alors elle n'y pouvait plus rien. Elle devait accomplir son héritage.

Mais lorsqu'elle le vit, et qu'ils se regardèrent, elle sut qu'elle ne serait plus jamais capable de le quitter. Il s'était bien remis ; il avait les traits tirés, mais elle aussi. Ils venaient de traverser beaucoup de choses en vingt-quatre heures.

Tu es là, lui dit-elle mentalement. *Mon amour.*

Je ne pourrais être nulle part ailleurs.

– Je suis venu dès que j'ai eu ton message, dit Jack à Oliver. Celui-ci lui tendit son propre sac à dos.

– Votre vol part bientôt. Je vous conseille d'y aller : les contrôles de sécurité prennent un temps fou ces temps-ci. Surtout sur les vols internationaux.

– Tu l'as appelé ? Oliver, qu'est-ce qui se passe ?

– J'ai demandé à Jack de nous retrouver ici. Je lui ai dit que tu partais pour Florence. Je lui ai demandé d'y aller avec toi.

– Oliver !

– Theo... arrête. Et ne me coupe pas la parole, parce que j'ai quelque chose à te dire. Je sais que tu ne me quitterais jamais. Je le sais. Je sais que tu ne serais jamais capable de te décider, alors j'ai décidé pour toi. Tu dois partir avec lui.

Theodora s'aperçut que ses yeux se remplissaient de larmes.

– Ollie...

– Tu ne peux pas choisir entre nous. Alors j'ai choisi pour toi. Jack a des moyens de te protéger que je n'ai pas. Hier, quand le Léviathan t'a emportée, je ne m'étais jamais senti aussi inutile de ma vie... et j'ai su... j'ai su que je ne pourrais pas être là pour toi, pas comme lui. (Oliver déglutit.) Je préfère que tu sois en sécurité, entière et en vie avec lui... qu'avec moi.

– Oliver...

– Va-t-en, maintenant. Avant que je ne change d'avis. Mais tu sais que j'ai raison. J'ai toujours raison, Theodora.

Il ne l'appelait jamais Theodora, sauf quand il était sérieux. Ou fâché. Ou peut-être un peu des deux. Tout cela était forcément difficile pour lui. Ce n'était pas facile non plus pour elle de l'écouter.

– Mais, et toi ? lui demanda-t-elle. Je t'ai marqué...

À cause du Baiser sacré, il se languirait d'elle toute sa vie. Elle ne pouvait pas le laisser vivre ainsi le reste de ses jours.

– Ça ira. Tu verras. Je ne crois pas à la fatalité. Et puis tu m'appelleras, non ? Une fois de temps en temps ? Je pourrai toujours t'aider... d'ici. Enfin je crois, en tout cas. Mais je sais que c'est ce qui devait arriver. Je le sens... Je sens que c'est bien... et comme je te l'ai dit, je ne me trompe jamais.

Oliver fourra les billets dans les mains de Jack.

Theodora l'attira à lui et le serra fort dans ses bras.

– Merci, chuchota-t-elle. *Merci de m'aimer assez pour me laisser partir.*

– De rien, répondit Oliver.

Il sourit, et elle sut qu'il avait entendu ce qu'elle avait tu. La connexion entre eux – entre vampire et Intermédiaire – jetait enfin une étincelle.

– Au revoir, Ollie, souffla Theodora.

– Prends bien soin d'elle, dit Oliver en serrant la main de Jack. Pour moi.

Jack hocha la tête et serra vigoureusement la main d'Oliver.

– Toujours.

Oliver les salua tous les deux puis s'éloigna d'un pas rapide, sautant dans le premier taxi qu'il trouva. Theodora le regarda partir et s'aperçut que son cœur souffrait d'une douleur pro-fonde... mais qu'il ne se brisait pas. Ils seraient amis. Ils seraient toujours amis. Elle l'aimait encore.

À côté d'elle, Jack lui tendit la main.

Theodora l'agrippa et la serra. Jamais elle ne renoncerait. Jamais de sa vie. Elle savait ce que cela impliquait. Ils pren-draient le risque. Pour être ensemble ils iraient contre le lien, contre le Code, contre tout ce qui se dressait sur leur chemin. Ils risqueraient tout pour leur amour. Comme sa mère. Comme Allegra.

Personne ne choisirait ta vie, avait-elle dit à sa mère.

Elle s'était trompée.

Ensemble, main dans la main, tous deux entrèrent dans l'aé-rogare.

Épilogue

Isabelle d'Orléans était tout aussi intimidante chez elle qu'au bal. La comtesse les reçut dans sa villa de Saint-Tropez, sur la terrasse inondée de soleil qui dominait la Méditerranée si bleue. C'était la première étape de leur voyage vers Florence, et c'était Jack qui avait eu l'idée d'achever ce que Theodora n'avait pas pu obtenir quelques mois plus tôt.

– Ainsi, vous êtes des réfugiés de la tribu de Michel, dit Isabelle d'une voix grave et rocailleuse. Qu'est-ce qui vous fait croire que je vous donnerai ce que vous voulez ? Pourquoi l'Assemblée européenne se soucierait-elle de deux enfants désobéissants ?

– Votre Grâce, dit Jack, nous comprenons votre scepticisme... mais nous sommes prêts à vous supplier. Sans la protection des vampires, nous ne pourrons perpétuer le grand œuvre de Lawrence Van Alen.

La comtesse haussa les sourcils.

– Donc vous êtes ici, en Europe, pour accomplir son héritage ?

· – Oui, Votre Grâce, acquiesça Theodora.

– Mais pourquoi ne l'avez-vous pas dit plus tôt ? s'exclama la comtesse, ce qui fit japper ses deux petits chiens.

Jack et Theodora échangèrent un regard rapide.

– Toutes nos excuses, dit Jack.

– Je vous accorderai l'accès à l'Assemblée européenne, et vous donne ma bénédiction. Tant que vous serez sur notre territoire, l'Assemblée de New York ne pourra pas vous toucher.

– Merci, comtesse. Vous ne pouvez pas savoir tout ce que cela veut dire pour nous, dit Theodora.

Le soulagement et la gratitude perçaient de manière évidente dans sa voix.

La comtesse réfléchissait.

– Cette guerre a coûté la vie à mes amis les plus fidèles.

Theodora opina. Elle avait entendu dire que le corps du vrai baron de Coubertin avait été retrouvé flottant dans la Seine quelques semaines après l'attaque.

– Nous sommes navrés de l'entendre, dit-elle.

Elle savait ce que c'était que de perdre un Intermédiaire.

La comtesse haussa tristement les épaules.

– J'ai toujours été très liée avec Lawrence et Cordelia. C'est Charles que je n'ai jamais pu supporter, soupira-t-elle. Je sais bien qu'il était obligé de châtier mon frère, mais j'ai trouvé la punition inutilement draconienne. Il devait bien y avoir un moyen de vivre en paix ensemble sans recourir à des mesures aussi extrêmes. Enfin... Il n'y a plus grand-chose à y faire, n'est-ce pas ?

– Votre frère, votre Grâce ? lui demanda Jack.

– Enfin, Valérius, m'aurais-tu déjà oubliée ? (La comtesse sourit, soudain insolente et coquette.) Oh, comme nous nous sommes battues pour toi, nous les trois sœurs, quand tu as atteint l'âge adulte ! Le beau Valérius ! Mais bien sûr, c'est Agrippine qui t'a eu, comme toujours. Enfin, peut-être plus maintenant. (Elle cligna de l'œil et regarda Theodora.) Vous avez bien de la chance, ma chère.

– Pardon ? fit Jack.

– À Rome, à l'époque, tu me connaissais sous le nom de Drusilla, lui révéla la comtesse en se levant de son siège. Venez, les enfants. Je crois que le déjeuner est servi. Et mon cuisinier prépare un carpaccio divin. Vous vous joindrez bien à moi, n'est-ce pas ?

Arbre généalogique

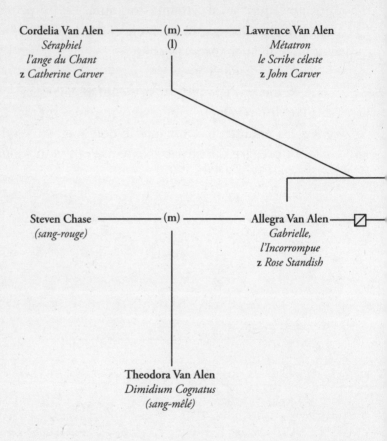

Cordelia Van Alen ──── (m) ──── Lawrence Van Alen
Séraphiel   (l)   *Métatron*
l'ange du Chant   *le Scribe céleste*
z *Catherine Carver*   z *John Carver*

Steven Chase ──── (m) ──── Allegra Van Alen ────
(sang-rouge)   *Gabrielle,*
                              l'Incorrompue
                          z *Rose Standish*

Theodora Van Alen
Dimidium Cognatus
(sang-mêlé)

DES VAN ALEN

(m)   mariage

(l)   lien immortel

◩   lien brisé

z   noms connus dans les vies passées

Charles (Van Alen) Force ——— (m) ——— **Trinity Burden Force**
Michel le Cœur pur
z *Myles Standish*

Benjamin (Jack) Force ——— (l) ——— **Madeleine (Mimi) Force**
Abbadon   *Azraël*
l'ange de la Destruction   *l'ange de la Mort*
z *Valérius*   **z** *Agrippine*
z *Louis d'Orléans*   **z** *Elisabeth Lorraine-Lillebonne*
z *William White*   **z** *Susannah Fuller*

Remerciements

Les Vampires de Manhattan est la série la plus amusante et grati-
fiante que j'aie jamais écrite, et je n'aurais pas pu le faire sans l'aide,
l'amour, le soutien, la patience et le dévouement de beaucoup de
gens. Tout d'abord, merci à mon mari, Mike Johnston, d'avoir lu les
mêmes livres que moi à l'adolescence. C'est mon nom qui figure sur
la couverture, mais ces livres sont autant les siens que les miens,
dans tous les sens possibles. Merci à Mattie d'être la lumière de nos
vies. Rien de tout cela n'aurait le moindre sens si vous n'étiez pas là
tous les deux, mais ça, vous le savez déjà.

Merci à ma charmante éditrice, Jennifer Besser, d'avoir si bien
défendu les livres et de s'être autant étranglée au téléphone en me
parlant des chapitres sur Bliss. Youpi ! Et merci à tout le monde
chez Hyperion : vive l'équipe ! Merci à Jennifer Corcoran pour son
formidable service de presse, à Nellie Kurtzman et Ann Dye pour les
magnifiques plans marketing, à Elizabeth Clark pour les superbes
couvertures, et à Jonathan Yaged pour la foi, Simon Tasker et Dave
Epstein pour la force de vente (une véritable force dont il faut se
méfier !). Merci à mon agent, Richard Abate, de m'avoir aidée à garder le cap et de m'avoir tant tenu la main. Merci à Elizabeth Yates,
Melissa Myers et Richie Kerne chez Endeavor, et à Kate Lee et Larissa
Silva chez ICM.

Merci à ma maman, à qui ce livre est dédié, et merci surtout de m'avoir dit : « Ces livres sont tellement passionnants que j'en oublie que c'est toi qui les as écrits ! » Alors ça, c'est un sacré compliment de la part d'une maman ! Merci également au reste de ma famille, merveilleuse, fabuleuse, et qui me soutient infiniment : P'pa, Aina, Steve, Nicholas, Joseph, Chit, Christina (la plupart d'entre eux gèrent l'aspect promotion, Web et courrier des fans avec beaucoup d'humour et de bonnes idées). Merci aussi à Mama J., Papa J. et à tous les Johnston. Un grand merci à Tita Odette, Isabelle et Christina Gaisano. (Voilà, tu vois, tu peux montrer ça à tous tes amis, Tina !)

Merci à ma meilleure amie, Jennie Kim, qui aime toujours être mentionnée dans ce genre d'occasions. (Jennie, toi aussi tu peux frimer avec ça, hé ! hé !) Et merci à mes potes, filles et gays, de NY et de LA, Katie Davis, Tina Hay, Tom Dolby et Drew Frist, Gabe Sandoval, Tristan Ashby et Jeff Chu, Tyler Rollins et Jason Lundy, Andy Goffe et Jeff Levin, Peter Edmonston et Mark Hidgen, Kate et Harold Hope, sans oublier le toujours cool Kim DeMarco.

J'aimerais également remercier feu Miss Jean Murphy, qui enseignait l'histoire et l'histoire de l'art au couvent du Sacré-Cœur, et qui ramenait à la vie le monde de la Rome antique dans les salles de classe poussiéreuses. Miss Murphy disait toujours que c'était le plus grand soap-opéra de l'histoire. Je sais qu'elle est là-haut avec les plus grands.

Par-dessus tout, je tiens à remercier ici les fidèles lecteurs des *Vampires de Manhattan*, qui forment la bande de jeunes les plus incroyables, enthousiastes, intelligents et magnifiques que j'aie jamais rencontrée. (Et je suis sincère : je suis toujours époustouflée par votre intelligence ET votre beauté à tous !) Merci d'avoir amené dans vos vies mon histoire de vampires réincarnés. Merci de m'avoir accompagnée dans ce voyage... en espérant vous revoir au prochain arrêt !

Achevé d'imprimer par GGP Media GmbH, Pößneck
en juin 2010
pour le compte de France Loisirs,
Paris

N° d'éditeur : 60006
Dépôt légal : mai 2010
Imprimé en Allemagne